A ARTE E A CIÊNCIA DE MEMORIZAR TUDO

A ARTE E A CIÊNCIA DE MEMORIZAR TUDO

JOSHUA FOER

Tradução
Mônica Friaça

Título original: MOONWALKING WITH EINSTEIN: THE ART AND SCIENCE OF REMEMBERING EVERYTHING

EDITORA NOVA FRONTEIRA PARTICIPAÇÕES S.A.
Rua Nova Jerusalém, 345 – Bonsucesso – 21042-235
Rio de Janeiro – RJ – Brasil
Tel.: (21) 3882-8200 – Fax: (21) 3882-8212/8313
www.novafronteira.com.br
sac@novafronteira.com.br

Texto revisto pelo novo Acordo Ortográfico

CIP-Brasil. Catalogação na fonte.
Sindicato Nacional dos Escritores de Livros, RJ.

F68a Foer, Joshua
A arte e a ciência de memorizar tudo: memórias de um campeão de memória / Joshua Foer; tradução Mônica Friaça. – Rio de Janeiro: Nova Fronteira, 2011.

Tradução de: Moonwalking with Einstein
Inclui bibliografia
ISBN 978-85-209-2767-0

1. Memória. 2. Mnemônica. I. Título.

11-5104 CDD: 153.14
CDU: 159.953.4

Para Dinah: tudo.

Sumário

Não havia sobreviventes.

Os parentes chegavam à cena da catástrofe no salão de banquete do século V a.C. revirando os escombros em busca de sinais de seus entes queridos — anéis, sandálias, qualquer coisa que permitisse identificar seus familiares para um funeral adequado.

Minutos antes, o poeta grego Simônides de Ceos levantou-se para entoar uma ode em honra de Scopas, um nobre da Tessália. Quando Simônides se sentou, um mensageiro bateu em seu ombro. Dois jovens a cavalo o aguardavam do lado de fora, ansiosos para lhe dizer algo. Ele levantou-se novamente e saiu. No momento em que cruzava o umbral, o teto do salão de banquete desabou em uma nuvem de cacos de mármore e de poeira.

Agora Simônides se encontrava perante um cenário de entulho e de corpos soterrados. O ar, preenchido com risadas escandalosas momentos antes, era fumaça e silêncio. As equipes de resgate começaram a trabalhar freneticamente escavando os destroços do edifício. Os cadáveres retirados das ruínas estavam destroçados e irreconhecíveis. Ninguém podia nem dizer ao certo quem tinha estado lá dentro. Uma tragédia se somou à outra.

Então aconteceu algo notável, que mudaria para sempre o modo como pensamos sobre nossas memórias. Simônides isolou os sentidos do caos ao redor e reverteu o tempo em sua mente. As pilhas de mármore voltaram a ser pilares, e os fragmentos espalhados do friso se reagruparam em pleno ar. A cerâmica estraçalhada entre os escombros voltou à forma de tigelas. As lascas de madeira espalhadas sobre as ruínas novamente se tornaram uma mesa. Simônides vislumbrou cada um dos convidados do banquete, alheios à catástrofe iminente. Viu Scopas rindo à cabeceira da mesa, um colega poeta sentado à sua frente passando um pedaço de pão nos restos de comida, um nobre com um sorriso afetado. Voltou-se para a janela e viu os mensageiros aproximando-se, como se tivessem notícias importantes.

Simônides abriu os olhos. Tomou pelas mãos cada um dos parentes histéricos e, pisando cuidadosamente sobre os escombros, conduziu-os, um a um, aos locais onde os respectivos entes queridos estiveram sentados.

Naquele momento, diz a lenda, nascia a arte da memória.

Capítulo 1

O homem mais inteligente é difícil de achar

Na minha cabeça, Dom DeLuise, aquele artista gordo (e cinco de paus), estava envolvido nos seguintes atos indecorosos: deu uma bela cusparada (nove de paus) na cabeleira branca de Albert Einstein (três de ouros) e desferiu um devastador chute de caratê (cinco de espadas) na virilha do papa Bento XVI (seis de ouros). Michael Jackson (rei de copas) apresentava um comportamento bizarro até mesmo para ele. Tinha defecado (dois de paus) em um hambúrguer de salmão (rei de paus) e capturado a flatulência (dama de paus) numa bola de encher (seis de espadas). Rhea Perlman, a diminuta garçonete do seriado *Cheers* (e rainha de espadas), foi pega, saltitante, com o gigantesco astro sudanês do basquete Manute Bol (sete de paus) em um ato de "sociabilidade" (três de paus) altamente explícito (e, nesse caso, improvável anatomicamente).

Esse quadro de mau gosto, que não me orgulha revelar por escrito, ajuda muito a explicar o estranho lugar em que me encontro no momento. Sentado à minha esquerda está Ram Kolli, um consultor de negócios de 25 anos, com a barba por fazer, de Richmond, Virgínia, que tenta defender seu título de campeão de memória dos Estados Unidos. À minha direita está uma câmera de uma rede nacional de TV a cabo. Sentados atrás de mim, onde não posso vê-los e de onde não podem me perturbar, uma centena de espectadores e uma dupla de comentaristas de TV realizando uma análise a cada jogada. Um deles é Kenny Rice, um ex-anunciador de lutas de boxe com cabelo estilizado, cuja voz grave e soturna não consegue esconder o fato de parecer desconcertado com esta festa de nerds. O outro é o Pelé do esporte da memória dos Estados Unidos, Scott Hagwood, de Fayetteville, Carolina do Norte, um engenheiro químico de 43 anos e quatro vezes campeão nacional. No canto da sala encontra-se meu objeto de desejo: um troféu kitsch de dois andares que consiste em uma mão de prata com revestimento de ouro brandindo um *royal flush* e, em um floreio patriótico, três águias carecas empoleiradas logo abaixo. Tem quase a mesma altura que minha sobrinha de dois anos (e é mais leve que a maioria de seus bichinhos de pelúcia).

Pediram ao público que não tirasse fotografias com flash e que permanecesse em total silêncio. Não que Ram ou eu pudéssemos ouvi-lo. Usávamos fones de ouvido. Eu também usava um par de protetores de ouvido industriais que pareciam pertencer ao convés de um porta-aviões (porque, no calor de uma competição de memória, não há esse negócio de ser surdo o suficiente). Meus olhos estão fechados. À minha frente, entre as minhas mãos, com a face para baixo, há dois maços de cartas embaralhados. Em instantes, o árbitro principal disparará o cronômetro, e terei cinco minutos para memorizar a ordem dos baralhos.

A IMPROVÁVEL HISTÓRIA de como acabei nas finais do Campeonato de Memória dos Estados Unidos, paralisado e suando profusamente, começa um ano antes, numa estrada cheia de neve, no meio da Pensilvânia. Estava dirigindo da minha casa, em Washington D.C., rumo ao Lehigh Valley para entrevistar para a revista *Discover* um físico da Universidade de Kutztown que tinha inventado um dispositivo de câmara a vácuo capaz de fazer a maior pipoca do mundo. A rota me levou a passar por York, na Pensilvânia, terra do Museu e Hall da Fama do Halterofilismo. Pensei ser algo que não poderia morrer sem ver. E eu tinha que enrolar por uma hora.

Bem, o Hall da Fama era um pouco mais que uma coleção sem graça de objetos de memória e fotos antigas exposta no térreo do prédio da maior fabricante nacional de halteres. Sob o aspecto museográfico, era um lixo. Mas foi onde eu vi pela primeira vez a foto em preto e branco de Joe "Grande Átomo" Greenstein, um "armário" judeu-americano de 1,60m que fez jus ao apelido na década de 1920 realizando façanhas inspiradoras como partir moedas com os dentes ou deitar-se em uma cama de pregos enquanto uma banda de Dixieland de 14 homens tocava sobre seu peito. Certa vez, ele trocou os quatro pneus de um carro sem qualquer ferramenta. Uma legenda anunciava Greenstein como "o homem mais forte do mundo".

Olhando a foto, pensei que seria bem interessante se a pessoa mais forte do mundo se encontrasse com a pessoa mais inteligente do mundo. O Grande Átomo e Einstein, os dois abraçados: uma épica justaposição de músculo e mente. No mínimo, um belo retrato para pendurar acima da minha escrivaninha. Fiquei pensando se essa foto poderia de fato ter existido. Quando voltei para casa, dei uma pesquisada no Google. A pessoa mais forte do mundo foi bem fácil de achar: seu nome era Mariusz Pudzianowski; ele vivia em Biała Rawska, na Polônia, e podia levantar 420 quilos (cerca de trinta vezes a minha sobrinha).

A pessoa mais inteligente do mundo, contudo, não era tão facilmente identificável. Digitei "QI mais alto", "campeão de inteligência", "mais inteligente do mundo". Fiquei sabendo que alguém de Nova York tinha QI de 228 e que um jogador de xadrez da Hungria certa vez disputou, vendado, 52 partidas simultâneas; que uma indiana podia calcular de cabeça a 23ª raiz de um número de duzentos algarismos em cinquenta segundos; e que outra pessoa podia resolver um cubo mágico quadridimensional, seja lá o que isso queira dizer. E, é claro, um monte de candidatos mais óbvios do tipo Stephen Hawking. Cérebros são mais complicados de se quantificar do que músculos.

Durante minha pesquisa no Google, descobri um candidato intrigante que, se não era a pessoa mais inteligente do mundo, ao menos era um tipo esquisito de gênio. Seu nome era Ben Pridmore, e ele era capaz de memorizar a ordem exata de 1.528 algarismos aleatórios em uma hora e — para impressionar aqueles mais chegados à área de humanas — qualquer poema que lhe fosse entregue. Ele é o atual campeão mundial de memória.

Nos dias seguintes, meu cérebro insistia em retornar ao de Ben Pridmore. Minha memória era, na melhor das hipóteses, média. Algumas coisas das quais eu me esquecia com frequência: onde eu tinha deixado as chaves do carro (e também onde tinha deixado o carro); a comida no forno; que é "isso", e não "isto"; o aniversário da minha namorada, o nosso aniversário de namoro e o Dia dos Namorados; o batente baixo da porta do sótão dos meus pais (ai!); os números de telefone dos meus amigos; por que eu acabei de abrir a geladeira; recarregar o celular; o nome do chefe de gabinete do presidente Bush; a ordem dos postos de gasolina da rodovia expressa de Nova Jersey; em que ano os Redskins ganharam o Super Bowl pela última vez; e abaixar o assento da privada.

Ben Pridmore, por outro lado, podia memorizar em 32 segundos a ordem de um maço de cartas embaralhadas. Em cinco minutos, podia guardar na memória o que aconteceu em 96 datas históricas diferentes. Ele conhecia cinquenta mil algarismos do pi. Não é algo invejável? Li uma vez que uma pessoa comum desperdiça cerca de quarenta dias por ano compensando coisas que esqueceu. Deixando de lado por um momento o fato de ele estar temporariamente desempregado, quão produtivo Ben Pridmore não deveria ser?

Parece haver, a cada dia, mais coisas para lembrar: mais nomes, mais senhas, mais compromissos. Eu imaginava que, com uma memória como a de Pridmore, a vida deveria ser bem diferente... e melhor. Nossa cultura nos inunda com novas informações, e, apesar disso, nossos cérebros retêm muito pouco delas. A maior parte entra por um ouvido e sai pelo outro. Se o objetivo da leitura fosse apenas obter conhecimento, ela talvez fosse a menos eficiente atividade individual à qual me dediquei. Posso gastar meia dúzia de horas lendo um livro e ter apenas uma noção por alto do que se trata. Todos esses fatos e histórias, e mesmo o material interessante o suficiente para merecer destaque, têm o hábito de me impressionar por um breve momento e de depois desaparecer sabe-se lá onde. Há livros na estante que nem sequer lembro se li ou não.

E como seria se ao contrário eu tivesse todo esse conhecimento nas mãos? Só consigo pensar que isso me tornaria mais persuasivo, mais confiante e, em algum sentido, fundamental, mais inteligente. Com certeza eu seria um jornalista, um amigo e um namorado melhor. Mas, mais do que isso, imaginei que ter uma memória como a de Ben Pridmore faria de mim uma pessoa mais atenta e, talvez, mais sábia em todos os campos. Uma vez que a experiência é o somatório das memórias e a sabedoria, o das experiências, ter uma memória melhor significaria não só conhecer mais sobre o mundo, mas também mais sobre si mesmo. De fato, um pouco do esquecimento que parece nos acometer é saudável e necessário. Se eu não tivesse esquecido muitas coisas idiotas que já fiz, talvez fosse um neurótico insuportável. Mas quantas ideias valiosas nunca chegaram a ser pensadas e quantas conexões não foram feitas devido a deficiências de minha memória?

Eu continuava pensando no que Ben Pridmore disse em uma entrevista a um jornal que me fez ponderar sobre quão diferente deveriam ser sua memória e a minha. “Tudo tem a ver com técnica e compreensão de como a memória funciona", disse ele ao repórter. "Qualquer um pode fazer. Mesmo."

ALGUMAS SEMANAS DEPOIS da minha visita ao Hall da Fama do Halterofilismo, eu me encontrava no fundo de um auditório do 19º andar da sede da Con Edison, próximo à Union Square, em Manhattan, como espectador do Campeonato de Memória de 2005. Fascinado com Ben Pridmore, estava cobrindo o evento para escrever um pequeno artigo para a revista *Slate* sobre o que eu imaginava ser o Super Bowl dos sábios.

Contudo, a cena com que topei não tinha nada a ver com um duelo de titãs: um bando de sujeitos (e umas poucas mulheres), que variavam quanto à idade e à higiene, inclinados sobre páginas de números aleatórios e longas listas de palavras. Eles se autodenominavam "atletas mentais", ou apenas AMs, para abreviar.

Havia cinco provas: primeiro, os competidores tinham que decorar um poema de cinquenta versos nunca publicado chamado "The Tapestry of Me" ["A tapeçaria de mim"]. Em seguida, tinham 15 minutos para memorizar 99 retratos, cujas legendas continham o primeiro e o segundo nomes. Depois, tinham outros 15 minutos para guardar uma lista de trezentas palavras aleatórias, cinco minutos para decorar uma página com mil dígitos escolhidos a esmo (25 linhas de números, com quarenta números em cada linha) e mais cinco minutos para fixar a ordem de um maço de cartas embaralhado. Entre os competidores havia dois dos 36 grandes mestres da memória, posto alcançado com a memorização de uma sequência de mil algarismos aleatórios em menos de uma hora, da ordem precisa de dez maços de cartas embaralhados no mesmo período de tempo e da ordem de um maço de cartas em menos de dois minutos.

Embora à primeira vista esses feitos parecessem pouco mais do que truques idiotas — essencialmente inúteis e talvez meio patéticos —, o que descobri enquanto conversava com os competidores foi algo muito mais sério, uma história que me obrigou a reconsiderar os limites de minha mente e a essência mesma de minha educação.

Perguntei a Ed Cooke, um jovem grande mestre da Inglaterra que tinha vindo ao evento como treinamento de primavera para o Campeonato Mundial que aconteceria no verão (como ele não era norte-americano, sua pontuação não poderia ser contabilizada na competição dos Estados Unidos), quando ele descobriu que era um sábio.

— Ah, não, não sou um sábio — disse, com um risinho.

— Memória fotográfica? — perguntei.

Risadinhas de novo.

— Memória fotográfica é um mito detestável — retrucou. — Isso não existe. Na verdade, tenho uma memória bem mediana. Todos nós aqui temos memórias medianas.

Isso parecia difícil de se encaixar com o fato de eu ter acabado de vê-lo recitar 252 algarismos aleatórios com a facilidade de passar o próprio número de telefone.

— O que você tem que entender é que mesmo memórias médias são extraordinariamente poderosas quando usadas da maneira certa — continuou. Ed tinha um rosto quadrado sob um esfregão de cabelos castanhos encaracolados na altura dos ombros, e podia ser incluído entre os competidores menos preocupados com cuidado pessoal. Usava um terno com uma gravata folgada e, de maneira incongruente, um chinelo estampado com a bandeira britânica. Tinha 24 anos, mas um manejo corporal de três vezes essa idade. Andava mancando, apoiado em uma bengala — "uma escora encantadora", segundo ele —, devido a uma recente recaída de uma artrite crônica juvenil. Ele e todos os outros atletas mentais que encontrei insistiam, como Ben Pridmore tinha feito em sua entrevista, que qualquer um poderia fazer o que eles faziam. Era uma simples questão de aprender a "pensar de formas mais memoráveis", usando a "extraordinariamente simples" técnica mnemônica de 2.500 anos conhecida como "palácio da memória", que Simônides de Ceos teria supostamente inventado em meio aos escombros da queda do grande salão de banquete.

As técnicas do palácio da memória — também conhecidas como "método da jornada", "método dos *loci*" e, ainda, como *ars memorativa*, ou "arte da memória" — foram refinadas e condensadas em uma vasta coleção de regras e manuais de instrução por romanos como Cícero e Quintiliano e floresceram na Idade Média como um recurso para os devotos memorizarem tudo, desde sermões e orações a punições que aguardam os maus no inferno. Eram os mesmos truques que os senadores romanos usavam para memorizar os discursos, que o político ateniense Temístocles teria empregado para memorizar os nomes de vinte mil atenienses e que permitiam aos eruditos medievais decorar livros inteiros.

Ed explicou que os competidores se viam como "participantes de um programa de pesquisa amador", cujo objetivo era o resgate de uma tradição de longa data, desaparecida séculos atrás, de treinamento de memória. Antigamente, Ed insistia, memória era tudo. Uma memória treinada não era apenas uma ferramenta útil, mas um aspecto fundamental de qualquer mente perante o mundo. Mais do que isso, o treinamento da memória era considerado uma forma de construção do caráter, um meio de desenvolvimento da virtude cardinal da prudência e, por extensão, da ética. Somente pela memória, prosseguia o raciocínio, as ideias poderiam ser realmente incorporadas na psique de uma pessoa, e os valores, absorvidos. As técnicas existiam não apenas para memorizar informações inúteis como cartas embaralhadas, mas também para gravar na estrutura da mente ideias e textos fundamentais.

Mas, então, no século XV, Gutenberg veio e converteu livros em bens de produção em massa, e, no final, já não era tão importante lembrar o que os livros poderiam lembrar por você. As técnicas de memória, base da cultura clássica e medieval, foram englobadas pelas tradições ocultas e esotéricas do Hermetismo renascentista e, no século XIX, relegadas a shows de variedades e a livros de autoajuda cafonas — só para serem ressuscitadas nas últimas décadas do século XX por essa peculiar e bizarra competição.

O líder do novo treinamento da memória é Tony Buzan, um astuto educador britânico de 67 anos e autodenominado guru que afirma ter o mais alto "quociente de criatividade" do mundo. Quando o encontrei na lanchonete do edifício Con Edison, vestia um terno da Marinha com cinco enormes botões, bordas douradas e uma camisa sem colarinho, com outro grande botão na altura do pescoço que lhe dava um ar de sacerdote oriental. Um broche em forma de neurônio lhe adornava a lapela. Seu relógio trazia uma reprodução da pintura *Persistência da memória*, de Dalí (o quadro com o relógio derretido). Referia-se aos competidores como "guerreiros da mente".

O rosto de Buzan parecia envelhecê-lo em uma década, mas o corpo estava tão em forma quanto o de uma pessoa de trinta anos. Ele diz que rema entre seis e dez quilômetros todas as manhãs no rio Tâmisa e faz questão de comer muitos vegetais e peixes, "saudáveis para o cérebro". Segundo ele, "comida lixo, cérebro lixo. Comida saudável, cérebro saudável".

Enquanto caminhava, Buzan parecia deslizar no chão como um disco de hóquei no gelo (resultado, contou-me mais tarde, de quarenta anos de treinamento na técnica de Alexander[1]). Enquanto falava, gesticulava de um modo polido, com uma precisão de *staccato* que somente poderia ter sido burilada em frente a um espelho. De vez em quando, pontua-

[1] A técnica de Alexander tem por objetivo uma reeducação psicomotora. Ensina como corpo e mente podem funcionar juntos no desempenho de todas as atividades diárias ajudando a detectar e a reduzir o excesso de tensão e promover, assim, harmonia e bem-estar.

va um argumento central com uma explosão de dedos lançada do punho fechado.

Buzan inaugurou o Campeonato Mundial de Memória em 1991 e desde então estabelece campeonatos nacionais em mais de uma dúzia de países, da China à África do Sul e ao México. Disse que, desde 1970, tem trabalhado com zelo de missionário para implementar essas técnicas de memória em escolas em todo o mundo, o que chama de "revolução global da educação com foco no aprender a aprender". E fez grande fortuna nesse processo — de acordo com reportagens, Michael Jackson acumulava, pouco antes de morrer, uma conta de 343 mil dólares pelos serviços de Buzan de desenvolvimento da mente.

Buzan acredita que a maneira de lidar com o ensino nas escolas é toda errada. Despejam-se vastas quantidades de informação na cabeça dos estudantes e não se ensina como retê-las. A memorização ganhou a má fama de ser uma forma automática de guardar fatos pelo tempo suficiente de fazer uma prova. Mas o mal não está na memorização, ele diz: está na tradição de ensino com uma rotina maçante, que acredita ter corrompido a educação ocidental. "O que fizemos no último século foi definir a memória incorretamente, compreendê-la de modo incompleto, aplicá-la de forma inapropriada e condená-la porque não funciona e não é agradável", argumentou. Se a memorização por rotina é um modo de arranhar o cérebro com impressões pela força bruta da repetição — o velho método de "exercitar e matar" —, então a arte da memória é um meio mais elegante de se lembrar por meio da técnica. Para Buzan, é mais rápida, menos dolorosa e mais duradoura.

"O cérebro é como um músculo", disse ele, e o treinamento da memória é uma forma de malhação mental. Ao longo do tempo, como qualquer forma de exercício, deixará o cérebro mais em forma, mais rápido e mais ágil. É uma ideia que remonta às origens do treinamento da memória. Os oradores romanos argumentavam que a arte da memória — a retenção e o ordenamento adequados do conhecimento — era um instrumento vital para novas ideias. Hoje em dia, o "condicionamento mental" ganhou um bom espaço no imaginário popular. Ginásios do cérebro e campos de treino da memória são uma mania em franca expansão; o software para o treinamento do cérebro era uma indústria de 265 milhões de dólares em 2008, sem dúvida devido a pesquisas que mostraram que pessoas mais velhas que mantêm as mentes ativas com palavras cruzadas e xadrez podem evitar a doença de Alzheimer e a demência progressiva. No entanto, o principal motivo deve-se à intensa insegurança da geração do *baby boom* de perder as faculdades mentais. Mas, enquanto há um sólido conhecimento para sustentar os benefícios de um cérebro que combata a demência, as afirmações mais hiperbólicas de Buzan sobre os efeitos colaterais dos "exercícios cerebrais" deveriam (ao menos) inspirar certa dose de ceticismo. Contudo, era difícil contestar os resultados. Eu tinha acabado de assistir a um competidor de 47 anos recitar, na ordem, uma lista de cem palavras aleatórias que ele tinha visto minutos antes.

Buzan estava disposto a me vender a ideia de que a própria memória estava melhorando ano após ano, mesmo envelhecendo. "As pessoas supõem que o declínio da memória faz parte do ser humano, e, portanto, é natural", disse ele. "Mas isso é um erro lógico, pois o normal não é necessariamente o natural. O declínio observado do desempenho da memória humana existe porque de fato realizamos um treinamento antiolímpico. O que fazemos com o cérebro é o equivalente a colocarmos alguém para treinar para as Olimpíadas e nos assegurarmos de que beba dez latas de cerveja por dia, fume cinquenta cigarros, vá dirigindo ao trabalho, faça, talvez, algum exercício violento e lesivo e passe o resto do tempo vendo TV. E então nos perguntamos por que tal pessoa se sai mal nas Olimpíadas. É isso que temos feito com a memória."

Importunei Buzan sobre quão difícil seria aprender essas técnicas. Como os competidores treinavam? Quão rápido suas memórias melhoravam? Eles usavam essas técnicas no dia a dia? Se eram realmente tão simples e eficazes como ele alegava, por que eu nunca ouvira falar delas antes? Por que todos nós não as estávamos usando?

— Sabe — respondeu ele —, em vez de me fazer todas essas perguntas, você deveria apenas experimentá-las.

— O que seria necessário, em tese, para alguém como eu treinar para o Campeonato de Memória dos Estados Unidos? — perguntei-lhe.

— Se quiser estar entre os três primeiros no campeonato, seria bom que dedicasse uma hora por dia, seis dias por semana. Se fizer assim, vai se sair muito bem. Se você quisesse entrar no Campeonato Mundial, teria que reservar três ou quatro horas por dia nos seis meses que antecedem o campeonato. Fica mais pesado.

Mais tarde, naquela manhã, enquanto os competidores tentavam memorizar "The Tapestry of Me", Buzan me chamou de lado e pôs a mão sobre meu ombro.

— Lembra-se da nossa breve conversa? Pense a respeito. Pode ser você lá em cima no palco, o próximo campeão de memória dos Estados Unidos.

DURANTE UM INTERVALO ENTRE a memorização de poesia e o evento de retratos com nomes, fui para fora do edifício Con Edison para fugir da umidade do vestiário. Corri para o encontro do mnemonista inglês Ed Cooke, com sua cabeleira de esfregão e sua bengala, acompanhado de um magricela, o grande mestre austríaco Lukas Amüss, enrolando seus cigarros.

Ed se graduara em Oxford na primavera anterior com uma menção de primeira classe em psicologia e filosofia e contou-me que estava ao mesmo tempo entretido em escrever um livro intitulado *A arte da introspecção* e em seguir seu doutorado em ciência cognitiva na Universidade de Paris, onde conduzia uma excêntrica pesquisa com o objetivo de "fazer as pessoas sentirem como se seu corpo tivesse encolhido a um décimo de seu tamanho normal". Ele também trabalhava na invenção de uma nova cor — "não apenas uma nova cor, mas um modo inteiramente novo de ver as cores".

Lukas, um estudante de direito da Universidade de Viena que se alardeava autor de um pequeno panfleto de título "Como ser três vezes mais inteligente do que seu QI", estava apoiado contra o edifício, tentando justificar a Ed o seu lamentável desempenho no evento de palavras aleatórias. "Eu nunca sequer tinha ouvido falar nas palavras bocejo, úlcera e corredor", insistia com forte sotaque austríaco. "Como poderia decorá-las?"

Naquela época, Lukas e Ed eram respectivamente o nono e o 11° melhores memorizadores do mundo, os únicos grandes mestres do evento e os únicos competidores a aparecerem de terno e gravata. Estavam ansiosos para dividir comigo (ou com qualquer um) o plano de aproveitarem sua fama mnemônica com a construção de uma "academia da memória", denominando-a Oxford Mind Academy. A ideia deles era que os inscritos — na maioria executivos de negócios, esperavam — pagassem para ter um personal trainer do condicionamento mental. Assim que o mundo percebesse os benefícios do treinamento da memória, acreditavam que o dinheiro brotaria aos montes. "No final", contou-me Ed, "estamos procurando reabilitar a educação ocidental." "Consideramos que ela está degenerada", acrescentou Lukas.

Ed explicou que via sua participação nas competições de memória como parte de uma tentativa de desvendar os segredos da memória humana. "Acredito que há dois modos de entender como funciona o cérebro", disse. "O primeiro é o da psicologia empírica, no qual se olha de fora e se conduzem muitas medidas com muitas pessoas diferentes. O outro decorre da lógica de que a ótima performance de um sistema pode dizer alguma coisa sobre sua configuração. Talvez a melhor maneira de compreender a memória humana seja otimizando-a — idealmente com um número de pessoas brilhantes em condições em que tenham um rigoroso e objetivo feedback. Isso é o circuito da memória."

A competição prosseguiu com a animação digna de, digamos, um exame vestibular. Os participantes sentaram-se quietos em mesas, olhando folhas de papel, e depois escreveram respostas que foram entregues aos árbitros. Depois de cada prova, calculava-se rapidamente a pontuação, exibida em uma tela na frente da sala. Mas, para o desânimo de um jornalista tentando escrever sobre um campeonato nacional de memória, o "esporte" não tinha nada da agonia geral de uma partida de basquete, nem mesmo de uma competição de soletração. Às vezes era difícil saber se os competidores estavam absortos em pensamentos ou dormindo. Podia haver frequentemente a massagem dramática das têmporas, o bater nervoso dos pés ou o ocasional olhar vazio de derrota, mas a maior parte do drama transcorria dentro da cabeça dos competidores, inacessível aos espectadores.

Um pensamento perturbador passou na parte frontal do meu cérebro quando eu estava no fundo do auditório Con Edison assistindo a esses seres humanos supostamente normais realizarem suas acrobacias mentais quase incompreensíveis: eu não tinha ideia de como minha própria memória funcionava. Havia mesmo um lugar como a parte frontal do meu cérebro? Uma lenta onda de questões varreu o meu ser — coisas que eu jamais me preocupei em considerar, mas que de repente me pareceram de uma profunda urgência. O que exatamente *é* uma memória? Como é criada? E como ela é armazenada? Eu tinha passado os primeiros 25 anos da minha vida com uma memória que parecia operar tão sem problemas que nunca tive por que parar e questionar seu mecanismo. E, contudo, agora que tinha parado para pensar a respeito, percebi que na verdade ela não funcionava tão sem problemas. Falhava por completo em certas áreas e funcionava mais do que bem em outras. E também tinha muitas particularidades inexplicáveis. Naquela mesma manhã, meu cérebro hospedara uma insuportável música da Britney Spears, forçando-me a gastar a melhor parte de uma viagem de metrô cantarolando canções de Hanukkah em uma tentativa de desalojá-la. O que era isso? Uns poucos dias antes, tentei falar com um amigo sobre um autor que eu admirava, apenas para descobrir que eu lembrava a primeira letra do seu sobrenome e nada mais. Como foi que isso aconteceu? E por que não tenho uma única lembrança de antes dos três anos de idade? E, nesse sentido, por que eu não conseguia me lembrar qual tinha sido o meu café da manhã no dia anterior, embora lembrasse exatamente meu café da manhã — cereais, café e uma banana — quatro anos antes, quando soube que um avião tinha acabado de colidir com uma das Torres Gêmeas? E por que sempre esqueço por que abri a porta da geladeira?

Voltei do Campeonato de Memória dos Estados Unidos ansioso para descobrir o segredo de Ed e Lukas. Eles eram apenas indivíduos extraordinários, prodígios pertencentes à cauda longa da curva do sino da humanidade, ou havia algo que poderíamos aprender com seus talentos? Estava cético em relação a eles pela mesma razão que eu era cético a respeito de Tony Buzan. Qualquer autodenominado guru que acumulou para si o equivalente ao resgate de um rei com o moderno e suspeito negócio da autoajuda está fadado a fazer o detector de besteiras de um jornalista apitar, e Tony Buzan fez disparar todos os alarmes que eu tinha. Ainda não sabia o suficiente para decidir se ele estava vendendo moda ou ciência, mas a embalagem — "Uma revolução global da educação!" — certamente cheirava à primeira opção.

Era mesmo verdade que qualquer um poderia aprender a memorizar rapidamente enormes quantidades de informação? *Qualquer um?* Eu estava disposto a acreditar em Buzan quando ele dissera haver que há técnicas que aprimoram a memória apenas estendendo um pouco seus limites; mas não acreditava de todo nele (nem em Ed) quando dizia que qualquer idiota poderia memorizar baralhos inteiros ou centenas de dígitos binários. A explicação alternativa me parecia muito mais plausível: Ed e seus colegas tinham algum talento inato bizarro que era o equivalente mental da altura de André, o Gigante, ou das pernas de Usain Bolt.

De fato, muito do que foi escrito sobre o aprimoramento da memória por gurus da autoajuda soa como propaganda de vendedor ambulante. Quando fui conferir a seção de autoajuda de uma livraria perto de casa, encontrei pilhas de livros fazendo promessas fervorosas de como poderiam me ensinar a "nunca mais esquecer um número de telefone ou data" ou a "desenvolver memória instantânea". Um livro chegava inclusive a declarar que poderia me mostrar como usar os "outros 90%" do meu cérebro, um desses clichês pseudocientíficos que fazem tanto sentido quanto dizer como eu poderia aprender a usar os outros 90% da minha mão.

Mas o aprimoramento da memória tem sido investigado há muito tempo por pessoas cuja relação com o tema não envolve o lucro fácil e cujas alegações foram examinadas por seus pares. Os psicólogos acadêmicos se interessam em expandir as capacidades de nossa memória original desde que Hermann Ebbinghaus começou a estudar a memória em laboratório, na década de 1870.

Este livro é sobre o ano que passei tentando treinar minha memória, e também tentando entendê-la — o funcionamento interno, as deficiências naturais e o potencial oculto. É sobre como aprendi em primeira mão que nossas memórias são até certo ponto realmente improváveis e que as habilidades de Ed e Lukas podem de fato ser incorporadas por cada um de nós. É também sobre o estudo científico desse domínio e sobre como os pesquisadores que estudam os campeões de memória descobriram princípios gerais de aquisição de habilidades — segredos para aperfeiçoar qualquer coisa — a partir dos quais os atletas mentais treinam o cérebro.

Embora este não pretenda ser um livro de autoajuda, espero que você chegue a ter a noção de como alguém se modifica com o treinamento da memória e de como as técnicas podem ser usadas no dia a dia.

As técnicas representam um legado surpreendentemente rico e importante. O papel que elas desempenharam no desenvolvimento da cultura ocidental é um dos grandes temas da história do conhecimento cujo conteúdo não é muito conhecido fora dos raros círculos acadêmicos em que é estudado. Sistemas mnemônicos como o do palácio da memória de Simônides moldaram profundamente o modo como as pessoas aproximaram o mundo da Antiguidade até a Idade Média e o Renascimento. E depois esses sistemas simplesmente desapareceram.

DO PONTO DE VISTA FISIOLÓGICO, somos quase idênticos aos nossos ancestrais que pintaram imagens de bisões nas paredes da caverna de Lascaux, na França, e produziram os mais antigos artefatos culturais que sobrevivem até hoje. Nossos cérebros não são maiores ou mais sofisticados do que os deles. Se um bebê deles caísse nos braços de pais adotivos na Nova York do século XXI, é provável que a criança cresça indistinguível das outras.

Tudo o que *nos* diferencia *deles* é a nossa memória. Não a memória que reside no cérebro, pois a criança que nasce hoje entra no mundo na mesma condição de folha em branco que uma criança nascida trinta mil anos atrás, mas antes a memória que está armazenada fora de nós — em livros, fotografias, museus e, nos dias de hoje, em mídia digital. Em outra época, a memória era a raiz de toda cultura, mas nos últimos trinta mil anos, desde que os humanos começaram a pintar sua memória nas paredes das cavernas, gradualmente suplantamos nossa memória natural com uma vasta superestrutura de auxílios exteriores — um processo que se acelerou de modo exponencial nos últimos anos. Imagine acordar amanhã e descobrir que toda a tinta do planeta se tornou invisível e que todos os bytes desapareceram. Nosso mundo logo desmoronaria. Literatura, música, leis, política, ciência, matemática: nossa cultura é um edifício construído de memórias externalizadas.

Se é um meio de preservar o que consideramos mais valioso, a memória também se conecta à nossa própria efemeridade. Quando morrermos, nossas memórias morrerão conosco. Em certo sentido, o sistema elaborado de memória externalizada que criamos é um modo de nos esquivarmos da mortalidade. Permite que ideias sejam transmitidas de maneira eficiente através do tempo e do espaço e que uma ideia se encaixe com outra em um grau que não seria possível quando um pensamento tem que ser passado de cérebro para cérebro a fim de ser mantido.

A externalização da memória não apenas mudou o modo como as pessoas pensam; também levou a uma profunda alteração do que significa ser inteligente. A memória interna foi desvalorizada. Da detenção interior, a erudição evoluiu para o conhecimento de onde encontrá-la no mundo labiríntico da memória exterior. É revelador que os únicos locais no mundo onde ainda se encontra gente treinando a memória sejam o Campeonato Mundial e alguns campeonatos nacionais realizados pelo globo. O que antes era a pedra angular da cultura ocidental é, agora, na melhor das hipóteses, uma curiosidade. Mas, quando nossa cultura se transformou, passando de memórias internalizadas para memórias externalizadas, quais foram as implicações para nós e para nossa sociedade? O que ganhamos é inquestionável. Mas o que perdemos com isso? O que significa perder a memória?

Capítulo 2

O homem que se lembrava demais

Em maio de 1928, o jovem jornalista S entrou no consultório do neuropsicólogo russo A.R. Luria e pediu com polidez que sua memória fosse testada. Ele tinha sido enviado pelo chefe, editor do jornal onde trabalhava. Toda manhã, durante a reunião de pauta, o chefe passava as tarefas aos repórteres, que enchiam a sala com um rápido apanhado de fatos, contatos e endereços de que eles precisariam para completar suas matérias. Todos os repórteres tomavam notas copiosas, exceto um. S simplesmente assistia e ouvia.

Um dia, irritado com a aparente desatenção do repórter, o editor chamou-o de lado e fez um sermão sobre a necessidade de levar o trabalho a sério. Por acaso ele pensava que toda aquela informação era lida todos os dias porque o editor gostava de escutar a própria voz? Pensava que poderia escrever as matérias sem contatos? Que simplesmente falaria com as pessoas por telepatia, sem saber seus endereços? Se quisesse ter qualquer futuro no mundo do jornalismo, deveria começar a prestar atenção e a tomar notas, terminou o editor.

S olhava sem reação para o editor durante a reprimenda e esperou que terminasse. Então, repetiu calmamente todos os detalhes da reunião daquela manhã, palavra por palavra. O editor ficou embasbacado. Não sabia o que dizer. Mas S disse mais tarde que ele mesmo ficara chocado. Segundo ele, até aquele momento, sempre supôs ser normal uma pessoa lembrar tudo.

Quando chegou ao consultório de Luria, S permanecia cético em relação a seu caráter único. "Ele não tinha consciência de que tinha qualquer peculiaridade e não podia conceber a ideia de que sua memória fosse diferente da de outras pessoas", recordou-se o psicólogo, que o submeteu a uma bateria de testes para avaliar seu poder de recordação. Luria começou pedindo que S memorizasse uma lista de números e ouviu, estupefato, o tímido paciente recitar setenta dígitos, primeiro de frente para trás e depois de trás para frente. "Não importava se a série que lhe dava continha palavras com significado ou sílabas sem sentido, números ou sons, se eram faladas ou apresentadas por escrito", disse Luria. "Ele só pedia uma pausa de três a quatro segundos entre cada elemento da série e não tinha qualquer dificuldade em reproduzir o que quer que eu apresentasse a ele." Luria aplicou a S um teste atrás do outro, e era sempre o mesmo resultado: ele não errava. "Como pesquisador, logo me vi completamente confuso", recordou-se Luria. "Eu tinha que admitir... eu era incapaz de realizar o que pensava ser a tarefa mais elementar para um psicólogo: medir a capacidade da memória de um indivíduo."

Luria prosseguiu no estudo de S durante trinta anos e acabou por escrever um livro sobre ele, *A mente e a memória: um pequeno livro sobre uma vasta memória*, que se tornou um dos clássicos da literatura da psicopatologia. S podia memorizar complexas fórmulas matemáticas sem saber matemática, poesia italiana sem falar italiano e mesmo frases da empolada linguagem do burocratês. Mas ainda mais formidável era o fato de que suas lembranças pareciam não se perder jamais.

Em seres humanos normais, as memórias vão decaindo com o tempo segundo o que é conhecido como a "curva do esquecimento". A partir do momento em que alguém apreende uma quantidade de informações, a lembrança começa a se desvanecer lentamente até desaparecer por completo. Nas últimas décadas do século XIX, o psicólogo alemão Hermann Ebbinghaus começou a quantificar esse inexorável processo de esquecimento. A fim de compreender como nossa memória se atenua, ele passou anos memorizando 2.300 sílabas de três letras sem sentido, como GUF, LER e NOK. Em períodos estabelecidos, ele testava a si mesmo para saber quantas sílabas tinha esquecido e quantas conseguira reter. Quando estabeleceu um gráfico com os resultados, obteve uma curva que parecia com esta:

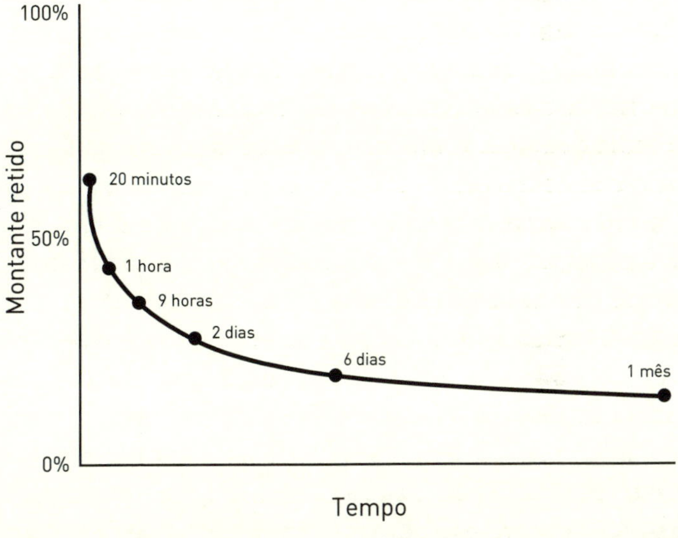

Não importava quantas vezes ele realizava o experimento, os resultados eram quase sempre os mesmos: na primeira hora, depois de aprender um conjunto de sílabas sem sentido, mais da metade já tinham sido esquecidas. Depois do primeiro dia, outros 10% desapareceriam. Depois de um mês, outros 14%. Depois disso, a memória permaneceria mais ou menos estabilizada — tinha se consolidado como memória de longa duração — e a taxa de esquecimento desacelerava para um decaimento suave.

As memórias de S pareciam não seguir a curva de esquecimento. Não importa o quanto lhe era solicitado a lembrar, ou por quanto tempo — 16 anos em alguns casos —, ele sempre era capaz de recitar o material com a mesma exatidão, como se tivesse acabado de aprender. "Ele sentava com os olhos fechados, fazia uma pausa e então comentava: 'Sim, sim... essa é a série que você me deu certa vez quando estávamos em seu apartamento... Você estava sentado à mesa... usava um terno cinza...' E com isso ele desfiava a série com a precisão de uma lista dada na sessão anterior", escreveu Luria.

No relato lírico de Luria, S parece às vezes como um visitante de outro planeta, e, nos anais da psicopatologia, esse caso é tratado com frequência como algo *sui generis*. Mas, como eu logo saberia, há uma interpretação muito mais interessante da história de S: apesar de seu caso ser bastante raro e singular, há muito a se aprender dele para os nossos cérebros normais, fracos e esquecidos. De fato, suas habilidades extraordinárias podem estar dormentes dentro de todos nós.

DEPOIS DE EU JUNTAR todo o material de reportagem sobre a competição que tinha me levado a Nova York, o protocolo jornalístico padrão seria voltar para casa, escrever um artigo curto e partir para outra matéria. Mas não foi o que aconteceu. Em vez de embarcar em um trem para Washington, encontrei-me no fundo de outro auditório — dessa vez, em uma escola pública de ensino médio no Upper East Side de Manhattan, onde Ed Cooke deveria ensinar a uma sala cheia de adolescentes de 16 anos como usar técnicas de memória para realizar provas. Eu tinha cancelado meus planos para aquele dia e fiquei por lá porque Ed prometera que, se eu ficasse com ele por mais tempo, explicaria para mim, em detalhes, como ele e

Lukas tinham aprendido a memorizar como S. Mas antes de penetrar em segredos tão esotéricos, alguns fundamentos básicos deveriam ser colocados. Ed queria mostrar a mim e aos estudantes que nossas memórias já são extraordinárias — ao menos quando se trata de aprender certos tipos de informação. Para isso, apresentou uma versão de um teste de memória conhecido como o exame de reconhecimento de imagens de duas alternativas.

Depois de se apresentar aos estudantes com certo humor autodepreciativo — "Venho da Inglaterra, onde preferimos passar o tempo fazendo memorizações em vez de desenvolver uma vida social plena" —, Ed demonstrou suas capacidades mnemônicas decorando um número de setenta algarismos em pouco mais de um minuto (três vezes mais rápido do que S levaria para realizar a mesma façanha), e então passou um teste de memória para os estudantes e para mim.

— Vou mostrar para vocês um punhado de fotos, e vou fazer isso muito, muito rápido — anunciou, tentando sobrepor a voz ao burburinho dos adolescentes. — Quero que vocês tentem lembrar o maior número possível delas. — Apertou o botão de um controle remoto, e as luzes diminuíram. Uma série de slides começou a piscar em uma tela de projeção na frente da sala, cada um permanecendo menos de meio segundo. Havia um slide de Muhammad Ali de pé, triunfante sobre Sonny Liston. Então um slide de halteres. Em seguida, a pegada de Neil Armstrong na Lua. Depois, a capa de *Genealogia da moral*, de Friedrich Nietzsche. E uma rosa vermelha.

Havia trinta fotos dessas, cada uma aparecendo e desaparecendo tão rápido que era difícil imaginar que seríamos capazes de lembrar qualquer uma delas, muito menos de todas. Mas tentei ao máximo capturar algum detalhe de cada uma e fazer uma rápida nota mental do que estava vendo. Depois do último slide — a foto de um bode —, a parede ficou branca e as luzes se reacenderam.

— Agora, vocês acham que seriam capazes de se lembrar de todas essas fotos? — perguntou Ed.

Uma garota sentada bem na minha frente gritou com sarcasmo:

— De jeito nenhum! — Provocou o riso de vários colegas.

— Esse é o espírito! — berrou Ed em resposta, olhando em seguida para o relógio para marcar o tempo. É claro, a razão do exercício (por qual outro motivo ele teria dado?) era que nós *poderíamos* lembrar todas as fotos. E, como a garota à minha frente, eu achava difícil de acreditar.

Depois de nos dar trinta minutos para a curva de esquecimento fazer seu inevitável trabalho de apagar as imagens que tínhamos vislumbrado tão rapidamente, Ed apresentou um novo conjunto de slides. Dessa vez, havia duas fotos na tela. Uma delas tínhamos visto antes e a outra, não: Muhammad Ali na da esquerda e um comprimido efervescente na da direita.

Ele nos pediu para apontar a foto que reconhecíamos. Muito fácil, todos reconheceram a foto de Muhammad Ali, e não a do comprimido. "Não é chocante como foi fácil para vocês se lembrarem disso?", disse Ed, antes de projetar o slide seguinte: um cervo na esquerda e o livro de Nietzsche na direita.

Todos nós sabíamos essa também. De fato, ele passou os trinta slides, e todos na sala reconhecemos cada uma das fotos vistas antes. "Agora, vejam algo fascinante", disse Ed, caminhando de modo professoral na frente do auditório de linóleo. "Poderíamos ter feito isso com dez mil slides, e vocês se sairiam quase tão bem quanto. Nossa memória de imagens é boa *assim*." Ele se referia a um conjunto de experimentos bastante divulgado realizado na década de 1970 usando exatamente o mesmo teste de reconhecimento de fotografias que tínhamos acabado de fazer, só que, no caso, os pesquisadores pediram aos voluntários que recordassem dez mil imagens (foi preciso uma semana inteira para completar o teste). É uma grande quantidade de imagens para uma mente registrar, já que os sujeitos só podem olhar cada imagem uma vez. Mesmo assim, os cientistas observaram que as pessoas são capazes de lembrar mais de 80% do que viram. Em um estudo mais recente, o mesmo teste foi conduzido com 2.500 imagens, só que em vez de pedir para escolher entre a foto de Muhammad Ali e a de um comprimido efervescente (uma escolha fácil, não importa quão efervescente Cassius Clay possa ter sido) as pessoas tinham que escolher entre imagens quase idênticas: uma pilha de notas de cinco dólares e uma pilha de notas de um dólar; um vagão de trem verde ou um vermelho; uma sineta com cabo estreito ou uma com cabo largo. Mesmo quando as imagens diferiam apenas por um ínfimo detalhe, as pessoas ainda se lembravam 90% delas.

Achei os números espantosos, mas percebi que eles só quantificavam algo que eu já sabia por instinto: nossas memórias fazem um trabalho simplesmente fantástico. Para cada falha diária de nossa memória — as chaves perdidas, o nome esquecido, a palavra na ponta da língua —, a maior delas é que esquecemos como é raro nos esquecermos.

— Eis a coisa mais incrível sobre o teste que acabei de aplicar em vocês — declarou Ed. — Podemos jogar esse jogo daqui a muitos anos e perguntar quais dessas fotos vocês viram antes, e vocês serão capazes de escolher a correta com mais frequência do que a errada. Em algum lugar dentro da mente há um vestígio de tudo o que a gente viu antes.

Isso soou como uma afirmação ousada e talvez duvidosa, afirmação que eu estava curioso para averiguar. Exatamente quão boas *são* nossas memórias?, eu me perguntei. É possível que tenhamos a capacidade de nos lembrarmos de *tudo*?

A noção de que nossos cérebros jamais esquecem está impregnada no modo como falamos de nossas memórias. As metáforas que com frequência usamos para descrevê-las — a fotografia, o gravador, o espelho, o computador —, todas sugerem uma precisão mecânica, como se a mente transcrevesse meticulosamente as nossas experiências. De fato, fiquei sabendo que, até bem recentemente, a maioria dos psicólogos suspeitava de que nossos cérebros funcionavam mesmo como gravadores perfeitos... de que toda uma vida de lembranças estaria armazenada em algum lugar do sótão cerebral, e se ela não podia ser recuperada não era porque desaparecera, mas porque tínhamos errado sua localização. Em um artigo muito citado de 1980, a psicóloga Elizabeth Loftus fez uma pesquisa de opinião entre seus colegas e verificou que 84% concordavam com esta afirmação: "Tudo que aprendemos é permanentemente armazenado na mente, embora algumas vezes detalhes particulares não sejam acessíveis. Com hipnose ou outras técnicas especiais, esses detalhes podem eventualmente ser recuperados."

Loftus prossegue dizendo que essa convicção tem suas origens modernas em um conjunto de experimentos realizados entre 1934 e 1954 pelo neurocirurgião canadense Wilder Penfield. Penfield usou eletrodos para estimular os cérebros expostos de pacientes epiléticos enquanto estavam conscientes em uma mesa de cirurgia. Ele tentava localizar a fonte da epilepsia com o intuito de curá-la, mas o que ele descobriu foi que, quando o eletrodo tocava certas partes dos lobos temporais dos pacientes, algo completamente inesperado acontecia. Os pacientes começavam a descrever memórias vívidas, havia muito esquecidas. Ao tocar o mesmo ponto, a mesma memória era despertada. Baseado nessas experiências, Penfield passou a acreditar que o cérebro grava tudo o que foi submetido a algum grau de atenção consciente e que esse registro é permanente.

O psicólogo holandês Willem Wagenaar acreditava na mesma coisa. Durante seis anos, de 1978 a 1984, manteve um diário com um ou dois dos fatos mais marcantes de cada dia. Para cada evento, ele escrevia o que tinha ocorrido, quem estava envolvido e onde e quando tinha acontecido — todos em fichas distintas. Em 1984, começou a se testar para ver o quanto desses seis anos se recordava. Tirava uma ficha ao acaso para ver se tinha qualquer lembrança dos eventos descritos no dia. Wagenaar descobriu que poderia se recordar de quase tudo que tinha acontecido — especialmente os eventos mais recentes — com apenas algumas pistas de orientação. Mas quase 20% das memórias mais antigas pareciam ter desaparecido por completo. Os eventos, descritos no próprio diário, soavam totalmente estranhos, como se tivessem acontecido com um desconhecido.

Mas essas memórias realmente desapareceram? Wagenaar não estava convencido disso. Decidiu repassar dez eventos que acreditava ter esquecido e nos quais seu diário sugeria que outra pessoa estivera presente. Ele reencontrou essas pessoas e lhes pediu detalhes que poderiam auxiliá-lo a recuperar as memórias perdidas. Em todos os casos, com suficiente estímulo, alguém era capaz de fornecer um detalhe que levasse Wagenaar a recuperar outras partes da memória. Nenhuma dessas memórias tinha desaparecido de fato. Ele concluiu que "à luz disso não se pode dizer que qualquer evento tenha sido completamente esquecido".

Mesmo assim, nas últimas três décadas a maioria dos psicólogos tornou-se cada vez menos otimista em relação ao fato de realmente termos memórias perfeitas do passado, apenas esperando para serem desveladas. A partir do momento em que os neurocientistas começaram a desvendar alguns mistérios do que exatamente é a memória, tornou-se claro que sua atenuação, sua mutação e seu eventual desaparecimento ao longo do tempo é um fenômeno físico real que sucede no cérebro no nível celular. E a maioria agora concorda que os experimentos de Penfield provocavam alucinações — algo mais semelhante ao *déjà-vu* ou a um sonho do que a verdadeiras memórias.

Contudo, o ressurgimento repentino de episódios há muito perdidos do próprio passado é uma experiência bastante familiar, e persiste a ideia de que, apenas com a pista certa, seria possível extrair todo e qualquer bit de informação que uma vez entrou em nossos cérebros. Na verdade, o mais comum mal-entendido — aquele do qual Ed riu de forma tão espontânea — é provavelmente o de que algumas pessoas têm memórias fotográficas. Quando eu o instiguei a falar mais a respeito, ele confidenciou que costumava acordar suando frio temendo o dia em que alguém com memória fotográfica lesse sobre o Campeonato Mundial de Memória no jornal e resolvesse surpreendê-lo com todos seus colegas. Mas Ed estava confiante depois de saber que a maioria dos cientistas agora concorda ser improvável que isso ocorra. Embora algumas pessoas aleguem possuir memória fotográfica, não há evidência de que alguém possa realmente armazenar instantâneos mentais e recordá-los com perfeita fidelidade. Na verdade, somente um caso de memória fotográfica foi descrito na literatura científica.

Em 1970, um cientista da visão de Harvard chamado Charles Stromeyer III publicou um artigo na *Nature*, uma das mais respeitadas revistas científicas do mundo, sobre uma jovem estudante de Harvard chamada Elizabeth, que podia realizar um feito espantoso. Stromeyer mostrou ao olho direito de Elizabeth um padrão de dez mil pontos aleatórios e, no dia seguinte, mostrou ao olho esquerdo outro padrão de pontos. Elizabeth, de maneira fantástica, era capaz de fundir mentalmente as duas imagens, como se fossem aquelas do "olho mágico", um estereograma de pontos aleatórios que foi mania nos anos 1990. Quando ela fazia isso, afirmava ver uma nova imagem única, na qual os dois padrões se sobrepunham. Elizabeth parecia apresentar a primeira prova conclusiva de que memória fotográfica era possível. Mas, em uma reviravolta digna de novela, Stromeyer e Elizabeth casaram-se, e ela nunca mais foi objeto de outros testes.

Em 1979, outro pesquisador, John Merritt, decidiu investigar as afirmações de Stromeyer. Ele publicou um teste de memória fotográfica em revistas e jornais de todo o país. O teste consistia em dois desenhos feitos com pontos. Merritt esperava que alguém se apresentasse com as habilidades de Elizabeth e provasse que o caso dela não era único. Cerca de um milhão de pessoas tentaram o teste. Desse número, trinta acertaram a resposta, e 15 concordaram em ser estudados por Merritt. Mas, com os cientistas acompanhando-os de perto, nenhum deles conseguiu reproduzir o fantástico truque de Elizabeth.

Há tantas circunstâncias improváveis em torno do caso de Elizabeth — o casamento entre o sujeito pesquisado e o cientista, a falta de testes posteriores, a incapacidade de encontrar outra pessoa com habilidades iguais às dela — que alguns psicólogos concluíram que havia algo suspeito nas descobertas de Stromeyer. Ele nega. "Não temos quaisquer dúvidas sobre os nossos dados", disse por telefone. Porém, o estudo com uma única mulher, admite, "não é uma evidência forte o suficiente de que outras pessoas tenham memória fotográfica".

Durante minha infância e juventude, ficava encantado com histórias de judeus ultraortodoxos que memorizaram todas as 5.422 páginas do Talmude Babilônico de um modo tão completo que, quando uma agulha era espetada em qualquer um dos 63 tratados do Talmude, eles podiam dizer quais palavras a agulha tinha atravessado em todas as páginas. Sempre supus que essas histórias fossem apócrifas, fazendo parte do folclore de escola judaica, como o rabino que levita ou carteiras e pastas feitas de prepúcios. Porém, ocorre que os talmudistas da agulha são membros tão legítimos do panteão judaico quanto o Grande Átomo. Em 1917, o psicólogo George Stratton publicou um estudo na revista *Psychological Review* sobre um grupo de estudiosos poloneses do Talmude conhecido como Shass Pollak (literalmente, "o polonês do Talmude"), que fez jus à reputação de precisão na ponta da agulha. No entanto, como ele observou em seu comentário, apesar da impressionante memória dos Shass Pollak, "nenhum deles atingiu qualquer notoriedade no mundo erudito". O que os Shass Pollak tinham de memória fotográfica equivalia a quanto tinham de perseverança em seus estudos. Se uma pessoa comum decidir dedicar toda sua vida à memorização de 5.422 páginas de texto, no final ela vai se tornar muito boa nisso.

Assim, se a memória fotográfica é apenas um mito, o que dizer do jornalista russo S? Se não tirava fotografias com sua mente, o que exatamente estava fazendo?

A MEMÓRIA EXCEPCIONAL DE S não era a única característica estranha do seu cérebro. Ele também sofria de uma rara desordem perceptual conhecida como sinestesia, na qual os sentidos apresentam um bizarro entrelaçamento. Todo som que S ouvia tinha a própria cor, textura e, algumas vezes, sabor, evocando "todo um conjunto de sentimentos". Algumas palavras eram "lisas e brancas", outras, "tão alaranjadas e afiadas quanto flechas". A voz do colega de Luria, o famoso psicólogo Lev Vygotsky, era "fragilmente amarela". A voz do cineasta Sergei Eisenstein se assemelhava a "uma chama com fibras lançando-se para fora".

As palavras inflamavam S com uma imagética mental. Quando eu ou você ouvimos alguém mencionar a palavra "elefante", ou a lemos nessa página, imediatamente entendemos que o referente é um paquiderme grande e cinzento, com pernas grossas e um probóscide comprido. Mas, na maior parte das vezes, não conjuramos de fato a imagem de um elefante no nosso olho mental. Podemos, se quisermos, mas isso exige um esforço extra, e, no transcorrer de uma conversa ou leitura, em geral, não há necessidade disso. Mas era isso mesmo que S fazia, de forma automática e instantânea, a cada palavra escutada. Ele não conseguia evitar. "Quando escuto a palavra "verde", aparece um vaso de flores verdes; a palavra "vermelho", vejo um homem com uma camisa vermelha vindo na minha direção; o "azul" significa a imagem de alguém balançando uma bandeirola azul em uma janela", relatou a

Luria. Como cada palavra despertava uma imagem sinestésica para acompanhá-la — e às vezes um sabor ou um cheiro —, S vivia em uma espécie de sonho acordado, deslocado da realidade. Enquanto um universo transcorria a seu redor, outro universo de imagens florescia em sua mente.

Essas imagens que povoavam a mente de S eram tão poderosas que às vezes pareciam indistinguíveis da realidade. "De fato, seria difícil dizer o que era mais real para ele: o mundo da imaginação no qual vivia ou o mundo da realidade em que não era nada além de um hóspede temporário", escreveu Luria. Tudo que S tinha que fazer era se imaginar correndo atrás de um trem para o seu pulso acelerar, ou se visualizar colocando a mão em um forno quente para a temperatura subir. Ele afirmava ser capaz inclusive de suprimir a dor com suas imagens: "Digamos que eu vá ao dentista... Sento lá e, quando a dor começa, eu a sinto... É um pequeno fio vermelho-alaranjado. Estou nervoso porque sei que se isso continuar o fio vai se alargar até se tornar uma massa densa... Então corto o fio, torno-o cada vez menor, até que seja apenas um ponto minúsculo. E a dor desaparece."

Mesmo os números tinham personalidade própria para S: "Considere o número 1. É um homem orgulhoso, robusto; o 2 é uma mulher bem-humorada; o 3, uma pessoa entristecida (por que eu não sei); o 6, um homem com pé inchado; o 7, um homem com bigode; o 8, uma mulher muito corpulenta. Já o número 87, vejo uma mulher gorda e um homem enrolando seu bigode." Mas, enquanto números eram trazidos à vida pela sinestesia de S, ele tinha dificuldade em compreender conceitos abstratos e metáforas. "Só posso compreender o que posso visualizar", explicava. Palavras como "infinito" e "nada" estavam além de seu entendimento. "Veja, por exemplo, a palavra *algo*. Para mim, é uma densa nuvem de vapor com cor de fumaça. Quando ouço a palavra *nada*, também vejo uma nuvem, mas fina, completamente transparente. E, quando tento pegar uma partícula desse *nada*, obtenho partículas muito menores de *nada*." S era simplesmente incapaz de pensar de maneira figurada. Uma expressão como "pesar as próprias palavras" evocava imagens de balanças, e não de prudência. Era quase impossível ler poesia, exceto se fosse completamente literal. Mesmo histórias simples acabavam sendo difíceis de entender, porque ele ficava sobrecarregado em sua incontrolável fabricação de imagens ao tentar visualizar cada palavra, ou então seu cérebro era jogado para alguma outra imagem associada, alguma outra memória.

Todas as nossas lembranças são, como as de S, ligadas por uma rede de associações. Isso não é só uma metáfora, mas um reflexo da estrutura física do cérebro. A massa de 1,5kg equilibrada no alto de nossa espinha é constituída por algo em torno de cem bilhões de neurônios, cada um podendo fazer entre cinco e dez mil conexões sinápticas com outros neurônios. Uma memória, no nível fisiológico mais fundamental, é um padrão de conexões entre esses neurônios. Cada sensação que lembramos, cada pensamento que pensamos transforma nosso cérebro alterando as conexões dentro dessa vasta rede. No momento em que você chegar ao fim desta sentença, seu cérebro estará fisicamente modificado.

Se o ato de pensar na palavra "café" faz você imaginar a cor preta e também café da manhã e gosto amargo, é porque uma cascata de impulsos elétricos dispara por um caminho físico real dentro do cérebro. Esse caminho faz a ligação de um conjunto de neurônios que codificam o conceito de café com outros que contêm os conceitos de cor preta, de café da manhã e de amargor. É isso que sabem os cientistas. Mas como exatamente uma coleção de células pode "conter" uma memória permanece um dos mais profundos enigmas da neurociência.

Apesar de todos os avanços realizados nas últimas décadas, ninguém viu ainda uma memória no cérebro humano. Embora os avanços da tecnologia de imageamento tenham permitido que os neurocientistas compreendam muito da topografia básica do cérebro e estudos dos neurônios tenham nos fornecido uma ideia clara do que acontece dentro e entre células cerebrais individuais, a ciência ainda tem poucas pistas sobre o que transpira no circuito do córtex, a enrugada camada exterior do cérebro que permite que planejemos o futuro, façamos longas divisões e escrevamos poesia, e na qual reside a maioria de nossas memórias. O nosso conhecimento sobre o cérebro é semelhante a alguém que olha uma cidade de um avião voando muito alto. Podemos dizer onde se localizam as áreas industriais e residenciais, onde está o aeroporto, o traçado das principais artérias do trânsito, onde começa o subúrbio. Podemos também saber, em detalhes, a aparência das unidades da cidade (cidadãos e, nessa metáfora, neurônios). Mas, de um modo geral, não podemos dizer aonde as pessoas vão quando têm fome, como elas ganham a vida ou como se dá qualquer tipo de troca entre elas. O cérebro só faz sentido muito de perto ou muito de longe. É o que está no meio — a matéria do pensamento e da memória, a linguagem do cérebro — que permanece um grande mistério.

Uma coisa, contudo, é clara: a natureza associativa não linear do cérebro torna impossível buscar nossa memória de um modo ordenado e consciente. Uma lembrança só salta para a consciência se for estimulada por outro pensamento ou percepção — algum outro nó da rede de interconexões quase ilimitada. Logo, quando uma lembrança é perdida ou um nome fica na ponta da língua, ir atrás dela pode ser frustrante e talvez inútil. Temos que tropeçar no escuro com uma lanterna em busca de pistas que podem nos levar à informação que procuramos — *o nome começa com L... ela é uma pintora... conheci-a em uma festa uns anos atrás* —, até uma dessas outras lembranças trazer à mente aquela que sumiu — *Ah, sim, seu nome era Lisa!* Como nossas memórias não parecem seguir qualquer tipo de lógica linear, não podemos também buscá-las sequencialmente ou folheá-las.

Mas S podia. Suas memórias eram tão ordenadas que pareciam um catálogo. A cada informação que memorizava era atribuído um endereço próprio dentro do cérebro.

Digamos que eu lhe peça para memorizar a seguinte lista de palavras: "urso", "caminhão", "faculdade", "sapato", "drama", "lixo" e "melancia". Você pode muito bem lembrar todas as sete palavras, mas é pouco provável que seja capaz de lembrá-las na ordem. No caso de S, nem tanto. Para ele, a primeira informação em uma lista era sempre, e sem exceção, inextricavelmente ligada à segunda informação, que só poderia ser seguida pela terceira. Não importava se ele estava memorizando a *Divina comédia* de Dante, ou equações matemáticas; as memórias sempre eram arquivadas em cadeias lineares. É por isso que ele podia recitar poemas com a mesma facilidade tanto para frente quanto para trás.

S mantinha suas memórias rigorosamente organizadas mapeando-as em estruturas e locais muito bem conhecidos dele. "Quando S lia uma longa série de palavras, cada uma despertava uma imagem gráfica. E, como a série era bem longa, ele tinha que encontrar algum meio de distribuir essas imagens em uma fila ou sequência mental", escreveu Luria. "O mais comum... era 'distribuí-las' ao longo de uma estrada ou rua que ele visualizava na mente."

Quando desejava guardar algo na memória, S simplesmente dava um passeio mental na rua Gorky, em Moscou, em sua casa em Torzhok ou em outro local que já tivesse visitado, e instalaria cada uma dessas imagens em um ponto diferente ao longo do caminho. Uma imagem poderia ser colocada na porta de uma casa, outra próxima de um poste de iluminação, outra no alto de uma cerca, outra em um jardim, outra no batente da janela de uma loja. Tudo isso acontecia em sua mente tão sem esforço como se ele estivesse colocando objetos reais em uma rua real. Se lhe pedíssemos que memorizasse as mesmas sete palavras — "urso", "caminhão", "faculdade", "sapato", "drama", "lixo" e "melancia" —, ele evocaria uma imagem associada a cada uma delas e as alinharia ao longo de um dos vários percursos mentais.

Quando S queria recordar a informação um dia, um mês, um ano ou uma década mais tarde, tudo que teria que fazer era voltar a percorrer o caminho onde aquele conjunto particular de memórias estava armazenado, e veria cada imagem no ponto preciso onde tinha deixado originalmente. Nas raras ocasiões em que S esqueceu alguma coisa, "essas omissões não eram *defeitos de memória*, mas, na verdade, *defeitos de percepção*", escreveu Luria. Certa vez, S esqueceu a palavra "lápis" de uma longa lista de palavras que ele deveria ter memorizado. Eis sua descrição de como ele a esqueceu: "Pus a imagem do lápis junto de uma cerca... uma lá na rua, sabe... Mas o que aconteceu foi que a imagem se fundiu com a da cerca, e eu passei por ela sem notar." Outra vez, ele esqueceu a palavra "ovo". "Eu o coloquei contra uma parede branca e o confundi com o fundo", explicou.

A memória de S era um monstro que engolia indiscriminadamente tudo que lhe ofereciam e tinha problemas em digerir as informações triviais demais para serem guardadas. O grande desafio era aprender o que Luria chamava de "a arte de esquecer". As ricas imagens criadas por qualquer sensação se revelavam indeléveis de um modo frustrante. S tentava apagá-las da mente por meio de diferentes técnicas. Ele tentou anotar as coisas, na esperança de que não mais sentiria necessidade de lembrá-las. Quando isso não funcionou, ele tentou queimar os pedaços de papel, mas ainda podia ver os números pairando sobre as cinzas. Finalmente ele teve uma epifania. Uma manhã, sentindo-se particularmente conturbado por uma tabela de números que tinha memorizado mais cedo, S descobriu o segredo do esquecimento. Tudo o que tinha que fazer era se convencer de que a informação a ser esquecida não era importante. "Se não quero que a tabela apareça, ela não aparecerá", exclamou. "E bastava apenas que eu me desse conta disso!"

Poderíamos supor que a memória estilo aspirador de pó de S teria feito dele um jornalista formidável. Eu imaginava que, se pudesse tomar notas sem tomar notas e tivesse na ponta dos dedos todo fato de que alguma vez tomei conhecimento, me sairia muito melhor no trabalho. Eu seria melhor em tudo.

No entanto, profissionalmente S era um fracasso. Seu trabalho no jornal não durou muito, e ele nunca conseguiu ter estabilidade em qualquer emprego. Era, na avaliação de Luria, "uma pessoa meio sem porto, que vive na expectativa de que a qualquer momento algo particularmente favorável vá aparecer em seu caminho". Até que sua condição impossibilitou-o de trabalhar com qualquer coisa, exceto em apresentações no palco — uma curiosidade de teatro de variedades, como o mnemônico de *Os 39 passos* de Alfred Hitchcock. O homem com a melhor memória do mundo simplesmente se lembrava demais.

No conto "Funes, o memorioso", Jorge Luis Borges descreve uma versão ficcional de S, um homem com uma memória infalível que está inválido por sua incapacidade de esquecer. Ele não consegue distinguir o trivial do importante. O personagem de Borges não pode priorizar, não pode generalizar. É "quase incapaz de ideias gerais, platônicas". Como S, sua memória é boa demais. Talvez, como Borges conclui em sua história, seja o ato de esquecer, e não o de lembrar, a essência do que nos faz humanos. Para que o mundo faça sentido, devemos filtrá-lo. "Pensar", escreveu Borges, "é esquecer".

Embora a enorme memória de S para fatos parecesse quase inacreditável, ele na realidade estava aproveitando a bem desenvolvida memória espacial que todos nós temos. Se você visitar

Londres, poderá cruzar com uns jovens (e umas poucas jovens) em lambretas, disparando no meio do trânsito enquanto estudam mapas afixados nos guidões. Esses motociclistas estudiosos estão treinando para ser taxistas. Antes que possam receber a certificação da Secretaria de Transportes Públicos de Londres, os taxistas em treinamento devem despender de dois a quatro anos memorizando a localização e os estilos de trânsito de todas as 25 mil ruas da vasta e confusa cidade, assim como as localizações de 1.400 pontos de referência. O treinamento culmina em um temido exame denominado "O Conhecimento", no qual não apenas é preciso traçar a rota mais curta entre dois pontos quaisquer da área metropolitana, mas também nomear os principais locais de interesse ao longo do caminho. Somente cerca de três entre dez candidatos que treinam para O Conhecimento obtêm o certificado.

Em 2000, Eleanor Maguire, neurocientista da Universidade de Londres, procurou descobrir qual efeito, se houvesse, dirigir dessa maneira pelas ruas labirínticas de Londres poderia ter sobre o cérebro dos taxistas. Quando ela trouxe 16 motoristas para o laboratório e examinou seus cérebros com ressonância magnética, encontrou uma surpreendente e importante diferença. O hipocampo posterior direito, parte do cérebro envolvida na navegação espacial, era 7% maior do que o normal nos taxistas — uma pequena mas significativa diferença. Maguire concluiu que todo o trabalho de encontrar caminhos em Londres tinha alterado uma grande parte da estrutura de seus cérebros. Quanto mais tempo nas ruas de Londres, mais pronunciado era o efeito.

O cérebro é um órgão mutável, capaz — dentro de limites — de se reorganizar e de se adaptar a novos tipos de *input* sensorial, um fenômeno conhecido como neuroplasticidade. Durante muito tempo pensou-se que o cérebro de um adulto era incapaz de criar novos neurônios — que, por mais que o aprendizado estimulasse sinapses a se rearranjar e a criar novas ligações entre as células cerebrais, a estrutura anatômica básica do cérebro era mais ou menos estática. Os estudos de Maguire sugeriram que esse antigo conhecimento simplesmente não era verdadeiro.

Depois de seu revolucionário estudo sobre os taxistas londrinos, Maguire decidiu voltar sua atenção aos AMs. Juntou-se a Elizabeth Valentine e John Wilding, autores da monografia *Memória superior,* e passou a estudar dez indivíduos que tinham ficado entre os primeiros no Campeonato Mundial de Memória. O objetivo era descobrir se os cérebros dos memorizadores eram — como os dos taxistas londrinos — estruturalmente diferentes dos nossos, ou se apenas faziam melhor uso das habilidades.

Os pesquisadores submeteram os AMs e um grupo de controle à ressonância magnética e pediram que memorizassem números de três algarismos, retratos em preto e branco e imagens ampliadas de flocos de neve, enquanto os cérebros eram escaneados. Maguire e sua equipe pensaram ser possível descobrir diferenças anatômicas nos cérebros dos AMs, evidências de que o cérebro deles tinham se reorganizado de algum modo ao longo do processo daquela intensa memorização. Mas, quando os pesquisadores examinaram os dados das imagens, não se destacou nenhuma diferença estrutural significativa. Os cérebros dos atletas mentais pareciam indistintos daqueles do grupo de controle. E mais, em cada um dos testes de habilidade cognitiva geral, a pontuação dos AMs caía muito dentro da faixa normal. Os campeões de memória não eram mais inteligentes nem tinham cérebro especial. Quando Ed e Lukas me disseram que eram sujeitos normais com memória dentro da média, não estavam sendo modestos.

Porém, havia uma diferença reveladora entre os cérebros dos atletas mentais e os do grupo de controle: quando os pesquisadores observaram as partes do cérebro que se iluminaram enquanto os AMs memorizavam, identificaram que um circuito bem diferente era ativado. De acordo com ressonâncias magnéticas funcionais, regiões do cérebro menos ativas no grupo de controle pareciam funcionar sobrecarregadas nos atletas mentais.

Surpreendentemente, quando os AMs apreendiam novas informações, ativavam diversas regiões do cérebro conhecidas por se envolverem em duas tarefas específicas: memória visual e navegação espacial, incluindo a região do hipocampo posterior direito que os taxistas londrinos aumentaram ao longo da busca diária por caminhos. À primeira vista, isso não parecia fazer o menor sentido. Por que os AMs evocavam imagens mentais quando tentavam decorar números de três algarismos? Por que eles faziam como os taxistas londrinos quando deveriam lembrar os formatos de flocos de neve?

Maguire e sua equipe pediram aos AMs que descrevessem exatamente o que se passava na cabeça deles enquanto memorizavam, e eles relataram uma estratégia que soava quase igual ao que S afirmava acontecer em seu cérebro. Muito embora não fossem sinestésicos inatos como S, eles disseram converter conscientemente em imagens o que queriam memorizar e distribuí-las ao longo de jornadas espaciais familiares. Diferente de S, não faziam isso de forma automática ou por um talento inato que cultivaram desde a infância. Em vez disso, os padrões inesperados de atividade neural observados por Maguire nas ressonâncias funcionais eram o resultado de treinamento e prática. Os atletas mentais ensinaram a si mesmos a lembrar como S.

Eu estava fascinado com Ed, seu calado amigo Lukas e o aparente formidável projeto deles de alçar memória aos níveis mais altos que pudessem. Do mesmo modo, eles pareciam fascinados comigo, um jornalista com quase a mesma idade, que poderia compartilhar a história deles em alguma revista da qual jamais ouviram falar e talvez fazer dar um salto em suas carreiras como celebridades mnemônicas. Depois da palestra de Ed no colégio, ele me convidou para acompanhá-lo com Lukas até um bar próximo, onde nos encontraríamos com um aspirante a cineasta e velho amigo do internato de Ed que os vinha seguindo por Nova York com uma câmera 8mm e documentando cada aventura absurda, incluindo a tentativa de Lukas de memorizar um conjunto de cartas na viagem de elevador de 53 segundos até o mirante do Empire State. ("Queríamos ver se o elevador mais rápido do mundo era mais rápido do que o campeão austríaco de memorização de cartas", explicou Ed, impassível. "Não era.")

Depois de alguns drinques, Ed estava animado para me conduzir às profundezas do obscuro submundo dos segredos dos atletas mentais. Ele se ofereceu para me introduzir aos rituais do KL7, uma "sociedade secreta de memorizadores" de que ele e Lukas participaram quando de sua fundação no campeonato de Kuala Lumpur em 2003 e que, claro, não era tão secreta assim.

— KL de Kuala Lumpur? — perguntei.

— Não, KL de Knights of Learning [Cavaleiros do Aprendizado] e 7 porque começou com sete de nós — explicou Lukas, bebericando uma das três cervejas que tinha acabado de ganhar ao memorizar um maço de cartas para a garçonete. — É uma sociedade internacional para o desenvolvimento da educação.

— Integrar nossa sociedade é uma honra extraordinária — acrescentou Ed.

Embora a dotação do clube de mais de mil dólares estivesse esvaindo-se na conta bancária de Lukas, Ed reconheceu que o KL7 nunca tinha realizado muita coisa de fato, exceto bebedeiras depois das competições de memória (contando com o auxílio de uma sofisticada articulação pressurizada para barris projetada por Lukas e que podia ser dobrada para caber em uma pasta). Quando pedi a Ed mais informações, ele se dispôs a demonstrar a simples cerimônia de saudação na sociedade.

— Você pode chamar de ritual satânico — disse ele, e então pediu para Jonny, seu documentarista, disparar o cronômetro do relógio. — Cada um de nós tem exatamente cinco minutos para beber duas cervejas, beijar três mulheres e memorizar 49 algarismos aleatórios. Por que 49? Porque é sete ao quadrado.

— Fiquei surpreso ao descobrir que isso era bem difícil — disse Lukas. Ele usava um terno grafite brilhante e uma gravata ainda mais brilhante e não teve dificuldade em convencer a garçonete, que já tinha conquistado, a lhe dar três beijinhos na bochecha.

— Tecnicamente, isso é insatisfatório, mas vamos aceitar — declarou Ed, com um fio de cerveja escorrendo até o queixo. Tirou do bolso uma página de números impressos e rasgou em tiras. Seu dedo correu pelo pedaço de papel até o 49º algarismo, sobre o qual se deteve, e ele falou, cuspindo: "Quase pronto!" Então foi cambaleando até uma mesa próxima, onde tentou explicar sua situação embaraçosa para três mulheres de cabelos grisalhos que pareciam velhas demais para se divertir naquele bar barulhento. Com o cronômetro rolando, antes que pudessem responder ao seu apelo, ele tinha se inclinado sobre a mesa e colocado seus lábios sobre cada uma de suas bochechas afundadas e desconcertadas.

Ed voltou triunfante, brandindo seu braço em sinal de vitória e solicitando saudações de cada um de nós. Pediu outra rodada para a mesa.

Eu ainda não sabia direito o que pensar de Ed. Ele era, como fui descobrindo, um esteta, no verdadeiro sentido de Oscar Wilde. Mais do que qualquer pessoa que eu já tenha conhecido, ele parecia participar da vida como se ela fosse arte, e praticava um descuidado cuidadoso, estudado. Sua noção do que valia a pena parecia se sobrepor ao sentido convencional de utilidade, e, se houvesse um preceito para governar sua vida, seria a melhor vocação para se engajar em peripécias enriquecedoras a qualquer momento. Ele era um genuíno *bon vivant* e, apesar disso, tratava do assunto de sua pesquisa de doutoramento, a relação entre memória e percepção, com um rigor e uma seriedade que lhe sugeriam almejar a grandes feitos. Ele não era bonito no sentido convencional e, ainda assim, mais tarde naquela noite eu o vi se aproximar de uma mulher na rua, pedir um cigarro e minutos depois voltar recitando seu número de telefone. Seu "truque de bar", contou, envolvia se aproximar com ginga de uma jovem e convidá-la a criar um "número arbitrariamente longo", e então fazê-la prometer pagar uma garrafa de champanhe caso ele conseguisse lembrá-lo.

Ao longo da noite, Ed me presenteou com uma história atrás da outra sobre suas aventuras e instrutivas desventuras. Uma vez ele jogou seu despojado ego pela janela de um bar na Nova Zelândia para fugir de um leão de chácara. Em outra ocasião, entrou de penetra em uma festa de top models em Londres. ("Era mais fácil naquela época, eu estava em uma cadeira de rodas e poderia dar uma de superior.") E em outra vez, entrou de penetra em uma festa na embaixada britânica em Paris. ("Notei que o embaixador olhava para os meus sapatos sujos por onde quer que eu passasse no salão.") E como poderia esquecer as 12 horas que passou pedindo uma passagem de ônibus de esmola no centro de Los Angeles?

Naquela ocasião, acredito ter transparecido certa dose de ceticismo em relação a essas histórias automitologizantes, mas só porque ainda não conhecia Ed bem o suficiente para admitir que ele poderia muito bem estar minimizando seu caráter escandaloso. Após alguns drinques ao longo da noite, me dei conta de que eu tinha passado a maior parte do dia com Ed e Lukas, mas nenhum deles havia me chamado pelo nome, embora eu estivesse certo de que lhes havia dito quando me apresentei. Ed tinha se referido a mim na frente da garçonete como “nosso amigo jornalista”, e Lukas simplesmente não se referiu a mim. Era o tipo de evasiva que eu conhecia muito bem. Contudo, Ed tinha me assegurado antes naquele mesmo dia que poderia memorizar o nome e o número de telefone de qualquer garota que encontrasse. Pareceu-me o tipo de habilidade impressionante que deveria fazer com que alguém fosse longe na vida. Conta-se que Bill Clinton nunca esquecia um nome, e, bem, veja aonde ele chegou. Mas então me ocorreu que o “poderia” de Ed era um tanto ambíguo e que talvez tivesse a mesma natureza de que “ele poderia contar de trás para frente a partir de um milhão se realmente quisesse”. Perguntei a Ed se ele lembrava o meu nome.

— Claro. É Josh.

— E meu último nome?

— Merda. Você me falou?

— Sim, Foer. Josh Foer. Você é humano, afinal.

— É, bem...

— Achei que você tinha uma técnica engenhosa para lembrar os nomes das pessoas.

— Em tese, sim. Mas sua utilidade é inversamente proporcional à quantidade de álcool que ingeri.

Ed então me explicou o procedimento para gravar um nome, usado na competição para memorizar nomes e sobrenomes nas legendas de 99 retratos, na fase de nomes e rostos. É uma técnica que ele garantiu que eu poderia usar para lembrar nomes de pessoas em festas e congressos. “O truque é tão simples que decepciona”, disse ele. “Basta sempre tentar associar o som do nome da pessoa com algo que você imagine com clareza. É tudo uma questão de criar uma imagem vívida na mente que ancore a memória visual do rosto da pessoa a uma memória visual do nome dela. Quando você precisar resgatar o nome da pessoa no futuro, a imagem que você criou simplesmente saltará na sua mente... Assim, digamos, você disse que seu nome era Josh Foer, certo?” Ele ergueu uma sobrancelha e deu um tapinha melodramático no queixo. "Bem, imagino você *joshing*, caçoando, de mim quando nos conhecemos, do lado de fora do salão da competição, e me imagino fugindo rapidinho para acabar com a história. Fugindo, fugir, Foer, entendeu? Essa imagenzinha é mais divertida — ao menos para mim — do que o mero nome, e ela cola perfeitamente na mente." Ocorreu-me que isso era uma espécie de sinestesia fabricada.

Para compreender como funciona esse tipo de truque mnemônico, é preciso saber algo a respeito de um estranho tipo de esquecimento que os psicólogos apelidaram o "paradoxo de Baker/baker".[2] O paradoxo é o seguinte: um pesquisador mostra a duas pessoas a fotografia de um rosto e diz para uma delas que o cara é um padeiro e para a outra que seu sobrenome é Baker. Alguns dias mais tarde, o pesquisador mostra às mesmas pessoas a mesma fotografia e pergunta a palavra que a acompanha. A pessoa que sabe a profissão do homem lembrará com maior probabilidade do que aquela que ficou sabendo o sobrenome. Por que acontece assim? Mesma fotografia. Mesma palavra. Quantidade diferente de lembrança.

Quando você ouve que o homem da foto é um padeiro, o fato fica imerso em toda uma rede de ideias sobre o que significa ser um padeiro: ele cozinha pão; usa um grande chapéu branco; cheira bem quando volta para casa do trabalho. O nome Baker, por outro lado, é apenas atrelado à memória do rosto de uma pessoa. Essa ligação é tênue e se dissolverá: o nome da pessoa escapará sem possibilidade de recuperação para o inframundo das memórias perdidas. (Quando uma palavra parece estar na ponta da língua, é provável que você esteja acessando apenas uma parte da rede neural que "contém" a ideia, mas não ela toda.) Mas quando se trata da profissão de uma pessoa, há múltiplos fios para içarem a memória de vol-

[2] Baker, o nome próprio, e "*baker*", que significa "padeiro", em inglês. (N. da T.)

ta. Mesmo se você, à primeira vista, não se lembrar de que o homem é um padeiro, talvez você sinta um vago cheiro de pão ligado a ele, ou veja alguma associação entre seu rosto e um grande chapéu branco, ou talvez evoque a memória de uma padaria próxima de você. Há um sem-número de nós nesse emaranhado de associações que pode remontar à profissão. O segredo do sucesso na prova de nomes e rostos — na ocasião em que queira lembrar nomes de pessoas no mundo real — é simplesmente transformar Bakers em "*bakers*" — ou Foers em "fugidos". Ou Castro em "castor". É um artifício simples, mas bastante eficaz.

Tentei usar a técnica para lembrar o nome do realizador do documentário que estava acompanhando Ed e Lukas pela cidade a semana toda. Ele se apresentou como Jonny Lowndes. "Nós o chamamos de Pounds Lowndes", exclamou Ed. "Ele costumava ser peso-pesado na escola." Como o apelido de infância de meu irmão era Jonny, fechei os olhos e imaginei ambos juntos, abraçados, devorando um *poundcake* (bolo tradicional norte-americano).

— Você sabe que poderíamos ensinar mais truques como esse — disse Ed. Voltou-se para Lukas, entusiasmado — Estou tentando imaginar se até o final da noite não poderíamos fazê-lo ganhar o campeonato nacional.

— Estou vendo que você não espera muito dos norte-americanos — comentei.

— Ao contrário, eles só não têm o técnico certo — respondeu, voltando-se para mim. — Aposto que você pode vencer o campeonato do ano que vem, praticando uma hora por dia. — Olhou para Lukas. — Não acha que tenho razão?

Lukas fez que sim.

— Você e Tony Buzan — disse eu.

— Ah, sim, o estimado Tony Buzan — caçoou Ed. — Ele tentou vender a você aquela besteira de que o cérebro era um músculo?

— Hum, sim, tentou.

— Qualquer um que conhece algo sobre cérebros e de músculos sabe quão risível é essa analogia. — Esse foi o primeiro sinal da relação tumultuada de Ed e Buzan. — Veja, o que você precisa fazer é me adotar como técnico, treinador e empresário, e, hum, guru espiritual.

— E o que você ganharia com isso? — perguntei.

— Diversão — respondeu com um sorriso. — E também, como você é jornalista, eu não me importaria se, enquanto escrevesse sobre essa experiência, você conseguisse passar a impressão de que eu sou uma excelente pessoa para ser o tutor de sua filha em Hamptons a um custo de, digamos, uma exorbitância por hora.

Ri e disse a Ed que pensaria a respeito. Para ser honesto, não estava muito interessado em gastar uma hora por dia dando conta de baralhos, memorizando páginas de números aleatórios ou praticando qualquer outro exercício mental que parecia envolver a transformação em um "atleta mental". Sempre assumi meu lado nerd — fui o capitão da equipe de teste de conhecimento do meu colégio e há muito tempo uso um relógio de pulso com funções de calculadora —, mas aquilo era demais até para mim. Contudo, estava bastante curioso em saber quais eram os limites da minha memória e intrigado com Ed e considerei o exercício. Todos os AMs que conheci insistiram que qualquer um era capaz de aperfeiçoar a própria memória — e que os poderes não canalizados de S estavam dentro de nós. Decidi que iria tentar verificar se isso era verdade. Naquela noite, quando cheguei em casa, havia um breve e-mail de Ed na minha caixa de entrada: "Então, afinal, posso ser o seu técnico?"

Capítulo 3

O expert em experts

Embora não seja de modo algum uma boa coisa nascer galinha, é azar demais nascer galo.

Do ponto de vista de um criador de aves, galos são inúteis. Não põem ovos, sua carne é fibrosa, e vivem perturbando as galinhas, que fazem todo o trabalho pesado de colocar alimento em nossas mesas. As chocadeiras comerciais tendem a tratar os galos como sobras de tecido ou entulho de metal: um subproduto oneroso, mas inevitável, do processo industrial. Quanto mais cedo se livrar deles, melhor — frequentemente são moídos para ração animal. Mas um problema custoso tem exasperado os produtores de ovos por milênios. É quase impossível saber a diferença entre galos e galinhas até que atinjam quatro a seis semanas de idade, quando começam a crescer penas distintivas e características sexuais secundárias como a crista do galo. Até lá, são apenas bolas fofas indistinguíveis que têm que ser criadas e alimentadas a um custo considerável.

Por alguma razão, foi apenas na década de 1920 que se encontrou uma solução para esse dispendioso dilema. A descoberta foi feita por uma equipe de veterinários japoneses que percebeu que um pouco para dentro do rabo do pinto havia uma constelação de dobras, marcas, pontos e calombos, que, ao olho destreinado, parecia arbitrária, mas, quando lidos de forma correta, podia revelar o sexo da ave com um dia de nascença. Quando foi divulgada no Congresso Mundial de Avicultura de 1927, em Ottawa, essa descoberta revolucionou a indústria global de incubadoras e resultou em uma queda dos preços dos ovos mundo afora. O identificador de sexo de pintos profissional, equipado com uma habilidade que leva anos para dominar, tornou-se um dos mais valorizados trabalhadores da agricultura. A nata da nata deles era formada pela Escola de Sexagem de Pintos zen-japonesa, que obedecia a padrões tão rigorosos que apenas 5% a 10% dos estudantes recebem o certificado de conclusão. Mas aqueles que se formaram ganhavam cerca de quinhentos dólares por dia e viajavam pelo mundo de incubadora a incubadora como consultores de negócio de alto nível. A diáspora de identificadores de sexo de pintos a partir do Japão espalhou-se por todo o globo.

Esse tipo de trabalho é uma arte delicada que exige a concentração zen e a destreza de um neurocirurgião. A ave é colocada na mão esquerda, e é aplicada uma leve pressão que a leva a evacuar (uma pressão forte demais faria o intestino revirar, o que mataria o pinto e tornaria a identificação do sexo irrelevante). Com o polegar e o indicador, o profissional vira a ave para cima e aplica uma palmadinha na sua traseira para expor a cloaca, uma minúscula abertura onde se situam tanto os genitais quanto o ânus, e observa o interior. Para fazer isso, suas unhas têm que ser precisamente cortadas. Nos casos simples — aqueles em que o profissional pode de fato explicar —, ele procura uma protuberância quase imperceptível denominada "miçanga", com aproximadamente o tamanho da cabeça de um alfinete. Se a miçanga é convexa, o pinto é menino e é jogado para a esquerda; se for côncava ou plana, é menina e fica do lado direito. São os casos mais fáceis. De fato, um estudo mostrou que amadores podem ser ensinados a identificar a miçanga com apenas uns poucos minutos de treinamento.

Mas em cerca de 80% dos pintos, a situação não é óbvia, e não há um traço distintivo único que o profissional possa indicar.

Segundo algumas estimativas, há por volta de mil configurações distintas da cloaca que é preciso conhecer para se tornar um profissional competente. O trabalho fica ainda mais difícil porque o identificador tem que diagnosticar a ave apenas em um relance. Não há tempo para raciocínio lógico. Se hesitar sequer por um momento, o apertão na ave pode causar um inchaço tão grande na cloaca do pinto que ela se parecerá sem dúvida com a de um galo. Erros custam caro. Nos anos 1960, uma incubadora pagava um centavo para cada pinto corretamente identificado e descontava 35 centavos para cada erro. Os melhores do ramo podiam catalogar 1.200 pintos por hora com uma precisão de 98% a 99%. No Japão, uns poucos super-heróis da indústria aprenderam a trabalhar com dois pintos de uma só vez, atingindo a marca de 1.700 por hora.

O que faz desse tema um assunto tão fascinante — a razão pela qual filósofos acadêmicos e psicólogos cognitivos escreveram dissertações e o motivo pelo qual minha pesquisa sobre memória me trouxe a essa habilidade misteriosa — é que mesmo os melhores profissionais não conseguem explicar como determinam o sexo nos casos mais difíceis, mais ambíguos. Sua arte é inexplicável. Dizem que em três segundos apenas "sabem" se a ave é macho ou fêmea, mas não conseguem explicar como sabem. Mesmo quando cuidadosamente investigados de perto por pesquisadores, não são capazes de dar as razões pelas quais um pinto é macho e outro, fêmea. Dizem que têm intuição. De algum modo fundamental, o expert no gênero de frangos vê o mundo — ao menos o mundo das partes íntimas dos frangos — de uma maneira inteiramente diferente da nossa. Quando olham o rabo de um pinto, veem coisas que uma pessoa normal simplesmente não vê. O que o gênero de pintos tem a ver com minha memória? Tudo.

Decidi que seria uma boa ideia mergulhar (de barriga) na literatura científica. Estava procurando por alguma evidência de que nossas memórias pudessem ser realmente aprimoráveis na intensidade prometida por Buzan e pelos outros atletas mentais. Não tive que pesquisar muito. À medida que esquadrinhava a literatura científica, um nome insistia em aparecer na minha pesquisa sobre o aprimoramento da memória: K. Anders Ericsson. Ele era professor de psicologia na Universidade da Flórida e autor do artigo intitulado "Exceptional Memorizers: Made, Not Born" ["Memorizadores excepcionais: feitos, não inatos"].

Antes de Buzan fazer a divulgação em massa da ideia de "usar sua memória perfeita", Ericsson estabeleceu os fundamentos científicos do que é conhecido como a "teoria da memória hábil", que explica como e por que nossa memória é aperfeiçoável. Em 1981, ele e o colega Bill Chase, também psicólogo, conduziram um experimento agora clássico com um estudante de graduação de Carnegie Mellon, imortalizado na literatura por suas iniciais, SF. Chase e Ericsson pagaram SF para passar várias horas por semana no laboratório deles fazendo repetidamente um simples teste de memória. Era semelhante aos testes que Luria tinha aplicado em S na primeira vez que ele entrou em seu consultório. SF sentava em uma cadeira e tentava lembrar a maior quantidade de números possível ao longo de uma leitura em voz alta, numa frequência de um por segundo. No começo, SF conseguia guardar apenas cerca de sete algarismos por vez. No final do experimento — dois anos e 250 entediantes horas depois —, SF expandira sua capacidade de memorizar números em dez vezes. O experimento derrubou as antigas premissas de que nossas capacidades de memória são fixas. A maneira como SF fez isso, acredita Ericsson, é a chave para compreender os processos cognitivos básicos por trás de todas as formas de expertise — dos AMs memorizadores aos grandes mestres de xadrez e identificadores de sexo de pintos.

Todo mundo tem boa memória para alguma coisa. Já vimos os dotes mnemônicos dos taxistas londrinos, e a literatura científica é farta em artigos sobre as "memórias superiores" dos garçons, a grande capacidade de atores para lembrar falas e as habilidades de experts em outras áreas. Os pesquisadores estudaram as memórias excepcionais de médicos, fãs de beisebol, violinistas, jogadores de futebol e de sinuca, bailarinos, manipuladores de ábaco, praticantes de palavras cruzadas e defensores de voleibol. Escolha qualquer atividade humana na qual as pessoas têm excelência, e aposto com você que algum psicólogo escreveu um artigo sobre as memórias excepcionais que os experts desse campo possuem.

Por que será que os garçons mais antigos não têm que escrever os pedidos? Por que os melhores violinistas do mundo são tão bons em memorizar novas partituras? Como é que, demonstrou um estudo, os maiores jogadores de futebol podem ver um jogo na TV apenas de relance e reconstruir quase exatamente o que está acontecendo na partida? Uma possível explicação é que pessoas com boa memória para pedidos de pratos acabam caindo na indústria de serviços alimentícios, que jogadores de futebol com a melhor memória para as formações em campo têm melhores chances de abrir o caminho até a primeira divisão ou que pessoas com bons olhos para os rabos de pintos gravitam em torno da Escola de Sexagem de Pintos zen-japonesa. Mas isso parece improvável. Faz mais sentido pensar que a causalidade trabalha no sentido oposto. Há algo sobre alcançar a excelência em um campo específico que alimenta uma memória melhor para os detalhes daquele campo. Mas o que é esse algo? E esse algo pode de alguma forma ser generalizado para que qualquer um possa adquiri-lo?

O Laboratório de Performance Humana, que Ericsson dirige com um grupo de outros pesquisadores da universidade, recebe experts para, entre outras coisas, testar suas memórias. Ericsson talvez seja o maior expert de experts do mundo.

De fato, ele alcançou uma grande dose de popularidade recentemente graças à pesquisa que demonstrou que os experts precisam de ao menos dez mil horas de treinamento para atingir um status de excelência mundial. Quando telefonei para ele e contei que estava pensando em treinar a memória, ele quis saber se eu já tinha começado. Respondi que na verdade ainda não. Ele vibrou; disse que quase nunca tinha a chance de estudar um principiante no processo de transformação em expert. Se eu estivesse determinado, gostaria de me ter como objeto de pesquisa. Convidou-me para ir à Flórida por uns dias para a realização de alguns testes. Gostaria de obter algumas medidas de referência da minha memória antes do início do processo de aperfeiçoamento.

O Laboratório de Performance Humana ocupa um complexo de escritórios luxuosos nos arredores de Tallahassee. As prateleiras que cobrem as paredes são repletas de um repertório eclético de títulos relevantes à pesquisa de Ericsson: *O temperamento musical*, *Cirurgia do pé*, *Como ser um astro no trabalho*, *Segredos da moderna estratégia de xadrez*, *A sabedoria das corridas*, *O especialista em identificação de frangos*.

David Rodrick, um jovem pesquisador associado do laboratório, descreve com alegria o local como "nosso palácio de brinquedo". Quando cheguei, duas semanas depois de minha conversa telefônica inicial com Ericsson, havia um telão do chão ao teto, de três por cinco metros, armado no meio de uma das salas, exibindo uma gravação de vídeo em tamanho real de um carro sendo parado pela polícia. A gravação foi feita da perspectiva do policial caminhando em direção ao carro parado.

Nas semanas anteriores, Ericsson e seus colegas levaram ao laboratório membros da equipe da SWAT de Tallahassee e recém-formados da academia de polícia e nos colocaram na frente do telão, com um revólver Beretta carregado com balas de festim preso ao cinto. Bombardeavam os policias com várias cenas de arrepiar os cabelos e observavam como eles respondiam. Em uma gravação, o policial via um homem caminhar para a porta da frente de uma escola com um volume parecido com uma bomba amarrado ao peito. Os pesquisadores queriam saber como policiais com diferentes níveis de experiência reagiam.

Os resultados foram assombrosos. Os policiais da SWAT com experiência sacavam de imediato as armas e gritavam várias vezes para que o suspeito parasse. Se ele não parasse, quase sempre atiravam antes que a pessoa entrasse na escola. Mas os recém-formados ficaram mais propensos a deixar o homem com a bomba prosseguir caminhando e entrar no prédio. Simplesmente lhes faltava a experiência para diagnosticar o caso e reagir com correção. Ao menos essa seria a explicação superficial. Mas o que exatamente significa a experiência? O que exatamente os policiais mais antigos viam que os novos recrutas não viam? O que ocorria em seus olhos? O que acontecia em sua cabeça? Como processavam a situação? O que extraíam da memória? Como os profissionais do frango, os oficiais mais experientes da SWAT tinham uma habilidade difícil de pôr em palavras. O programa de pesquisa de Ericsson pode ser resumido como uma tentativa de isolar o que chamamos de expertise, de modo que ele possa dissecá-la e identificar sua base cognitiva.

Para isso, Ericsson e seus colegas pediam aos policiais que verbalizassem o que passava por suas mentes durante o transcorrer da cena. Ericsson esperava depreender dos relatos o mesmo que encontrou em todos os campos de expertise que tinha estudado: especialistas veem o mundo de forma diferente. Percebem coisas que os não especializados não percebem. Armazenam a informação mais importante e têm uma noção quase automática do que fazer com ela. E o mais importante: experts processam as enormes quantidades de informação que atravessam seus sentidos de modo mais sofisticado. Podem superar uma das limitações mais fundamentais do cérebro: o mágico número sete.

Em 1956, o psicólogo de Harvard George Miller publicou o que se tornaria um artigo clássico da pesquisa da memória. Começava com uma memorável introdução:

> O meu problema é que tenho sido perseguido por um número inteiro. Por sete anos esse número me seguiu por toda parte, invadiu-me os dados mais privados, assaltou-me nas páginas dos nossos jornais mais públicos. Esse número assume uma variedade de disfarces, sendo às vezes um pouco maior e às vezes um pouco menor do que o comum, mas nunca mudando tanto a ponto de se tornar irreconhecível. A persistência com que esse número me atormenta é muito maior ao acaso. Há, para citar um famoso senador, um desígnio por detrás dele, algum padrão governando suas aparições. Ou realmente há algo de estranho com o número ou estou sofrendo de ilusões de perseguição.

De fato, todos somos perseguidos pelo número inteiro ao qual Miller se referia. Seu artigo intitulava-se "O mágico número sete, mais ou menos dois: alguns limites de nossa capacidade de processamento de informação". Miller descobriu que nossa habilidade de processar informação e de tomar decisões é limitada por uma restrição fundamental: podemos pensar somente cerca de sete coisas de cada vez.

Quando um novo pensamento ou percepção entra em nossa cabeça, não é logo armazenado na memória de longo prazo. Antes, persiste em um limbo temporário, naquilo que é conhecido como memória de trabalho, uma coleção de sistemas cerebrais que lidam com o que quer que esteja rondando nossa consciência no momento presente.

Sem olhar de novo e reler, tente repetir para si mesmo as três primeiras palavras desta sentença:

Sem olhar de novo.

Bastante fácil.

Agora, sem olhar de novo, tente repetir as três palavras da sentença antes daquela. Se você achar mais difícil, é porque a sentença já foi completamente descartada por sua memória de trabalho.

Nossa memória de trabalho tem a importante função de filtro entre a percepção do mundo e a memória de longo prazo. Se toda sensação ou pensamento fosse imediatamente arquivado na enorme base de dados que é a memória de longo prazo, seríamos submersos, como S e Funes, em informações irrelevantes. A maioria das coisas que passa por nossos cérebros não precisa ser lembrada por mais do que um instante que levamos para percebê-las e, se necessário, reagir a elas. De fato, dividir a memória entre depósitos de curto e de longo prazo é um modo tão sábio de gerenciar a informação que a maior parte dos computadores é construída seguindo esse modelo. A nação de memória de longo prazo reside na forma de discos rígidos, e a de memória de trabalho, na CPU, que armazena o que quer que o processador esteja computando no momento.

Como um computador, nossa capacidade de agir no mundo é limitada pela quantidade de informação que podemos manipular a cada momento. Se não repetirmos sempre as coisas, elas tendem a escorregar de nossas mãos. Todo mundo sabe que nossa memória de trabalho não presta. O artigo de Miller explica que ela não presta dentro de parâmetros muito específicos. Algumas pessoas podem lidar com cinco coisas na cabeça de uma só vez, umas poucas podem lidar com até nove, mas "o mágico número sete" parece ser a capacidade portadora universal de nossa memória de curto prazo. Para piorar, as sete coisas persistem somente por uns poucos segundos, ou nem isso se estivermos distraídos. Essa limitação fundamental, que todos temos, é o que nos faz achar os feitos dos gurus da memória tão extraordinários.

Meu teste de memória não foi realizado na frente da tela de projeção que ia do chão ao teto do Laboratório de Performance Humana. Não havia armas penduradas no cinto nem dispositivos de acompanhamento ocular presos na cabeça. Minha humilde contribuição ao conhecimento humano ocorreu na sala 218 do departamento de psicologia da Universidade da Flórida, um pequeno escritório sem janelas com um carpete manchado e velhos testes de QI espalhados pelo chão. Pegando pesado, poderia ser descrito como uma despensa.

Tres Roring, um estudante do terceiro ano do doutorado, era quem me aplicava os testes no laboratório de Ericsson. Embora suas sandálias de dedo e sua juba loura de surfista não o sugerissem, Tres cresceu em uma pequena cidade do sul de Oklahoma, onde seu pai era frentista. Aos 16 anos, tornou-se campeão júnior de xadrez do estado de Oklahoma. Seu nome completo é Roy Roring III — por isso Tres.

Passamos três dias inteiros na sala 218, conduzindo um teste de memória após o outro: eu usando um desajeitado fone de ouvido ligado a um velho gravador de fita cassete, e Tres sentado atrás de mim, de pernas cruzadas, com um cronômetro no colo, tomando notas.

Havia testes de memória para números (na ordem direta e na ordem reversa), para palavras, para rostos de pessoas e testes de todos os tipos de coisas que pareciam muito improváveis de ter alguma relação com memória — como se eu podia visualizar mentalmente cubos em rotação e se eu sabia as definições de "jocoso", "ligeiro" e "quérulo". Outro teste, de múltipla escolha, chamado Bateria de Testes de Informações em Aptidão Multidimensional, avaliava minhas habilidades para responder questões de conhecimento geral, como:

Em que época viveu Confúcio?

A) 1650 d.C.
B) 1200 d.C.
C) 500 d.C.
D) 500 a.C.
E) 40 a.C.

e:

Em um motor a gasolina, a principal função do carburador é:

A) misturar gasolina e ar
B) manter a bateria carregada
C) provocar a ignição do motor
D) conter os pistões
E) bombear o combustível para o motor

Muitos testes que Tres aplicou foram tirados diretamente das provas do Campeonato de Memória dos Estados Unidos, como o poema de 15 minutos, nomes e rostos, palavras aleatórias, números, cartas. Ele queria saber como eu me sairia antes de começar a tentar aprimorar minha memória. Ele também queria me testar em algumas provas somente usadas em campeonatos internacionais, como dígitos binários, datas históricas e recitação de números. Ao final dos meus três dias em Tallahassee, Tres tinha registrado sete horas de dados em fita cassete para Ericsson e seus estudantes analisarem mais tarde. Sorte a deles.

Em seguida, aconteceram as extensas entrevistas conduzidas por outra estudante de pós-graduação, Katy Nandagopal. *Você acha que tem uma boa memória inata?* ("Muito boa, mas nada especial.") *Você já jogou jogos de memória quando criança ou adolescente?* ("Não que eu saiba.") *Jogos de tabuleiro?* ("Só com a minha avó.") *Você gosta de adivinhações?* ("Quem não gosta?") Você *sabe resolver um cubo mágico?* ("Não.") *Você canta?* ("Só no chuveiro.") Dança? ("Idem.") *Você pratica exercício físico?* ("Que assunto desagradável.") *Você usa vídeos de condicionamento físico?* ("Você precisa saber disso?") *Você tem habilidade com serviços elétricos?* ("Sério?")

Para alguém que quer saber o que está sendo feito dele de modo que um dia possa contar para outras pessoas, submeter-se a um estudo científico é bem fatigante.

— Por que exatamente estamos fazendo isso? — perguntei a Tres.

— É melhor não contar tudo para você neste momento — (Se havia algo que seria testado em mim mais tarde — como veio a ser o caso —, ele não quis que eu soubesse.)

— Como me saí no último teste?

— Vamos lhe dizer quando tudo estiver terminado.

— Você pode, ao menos, me falar sobre a sua hipótese?

— Agora não.

— De quanto é o meu QI?

— Não sei.

— Alto, pelo menos?

O MONÓTONO TESTE DE MEMÓRIA a que SF, o estudante de graduação de Carnegie Mellon, foi submetido repetidamente por 250 horas durante dois anos é conhecido como teste de extensão de dígitos. É uma medida padrão da capacidade de memória de curto prazo de uma pessoa para números. A maioria das pessoas submetidas ao teste é como SF quando ele começou: capaz de se recordar apenas de sete, com uma margem de dois para mais ou para menos. A maior parte das pessoas se lembra desses sete repetindo-os várias vezes para si em um "circuito fonológico", que é apenas um nome presunçoso para aquela vozinha que ouvimos dentro de nossa cabeça. O circuito fonológico age como um eco, produzindo um reservatório de memória de curto prazo que pode armazenar sons por apenas poucos segundos, se não estiver treinando. Quando começou a participar do experimento de Chase e Ericsson, SF também usava o procedimento para armazenar informação. E, por um longo período, sua pontuação no teste não aumentou. Mas, então, algo aconteceu. Depois de horas, a pontuação de SF começou a crescer aos poucos. Um dia ele lembrou dez algarismos. No dia seguinte, onze. O número de algarismos que ele era capaz de recordar continuava subindo de forma gradual. Ele tinha feito uma descoberta: ainda que sua memória de curto prazo fosse limitada, ele encontrou um meio de armazenar informação diretamente na memória de longo prazo. Isso envolvia uma técnica denominada *chunking*.

Chunking é um modo de reduzir o número de itens que você tem que guardar na memória aumentando o tamanho de cada um. É a razão por que os números de telefone são quebrados em duas partes mais um código de área e por que os números dos cartões de crédito são divididos em grupos de quatro. E é extremamente relevante em relação à questão de por que é tão comum os experts terem memórias excepcionais.

A explicação clássica do *chunking* envolve a linguagem. Se lhe pedem para memorizar as 19 letras CABEÇAOMBROJOELHOPE e você não perceber o que formam, é quase certo de que você vai ter muito trabalho. Mas quebre as 19 letras em quatro porções — CABEÇA, OMBRO, JOELHO, PÉ —, e a tarefa vai se tornar muito mais fácil. E, se você conhecer a cantiga infantil, o verso "Cabeça, ombro, joelho e pé" pode ser efetivamente tratado como uma única porção. O mesmo acontece com números. A sequência numérica de 12 dígitos 071241110901 é muito difícil de lembrar. Quebre-a em quatro porções — 071, 241, 110, 901 —, e se torna um pouco mais fácil. Agora transforme em duas porções — 07/12/41 e 11/09/01 —, e fica quase impossível esquecer. Você pode até transformar as datas em uma única porção de informação, lembrando-a como "os dois grandes ataques surpresa em solo norte-americano".

Note que o processo toma uma informação aparentemente sem importância e a reinterpreta à luz de informações já armazenadas de algum modo em nossa memória de longo prazo. Se você não soubesse as datas de Pearl Harbor ou dos atentados do 11 de Setembro, jamais seria capaz de realizar a partição dessa sequência numérica de 12 dígitos. Se você falasse suaíli, e não português, o verso da cantiga infantil seria apenas um amontoado de letras. Em outras palavras, quando se trata de *chunking* — e, de uma forma mais geral, da nossa memória —, o que já sabemos determina o que somos capazes de aprender.

Embora ninguém tivesse ensinado a SF essa técnica, ele a depreendeu por si só. Corredor ávido, ele começou a pensar nas sequências de números como tempos de corrida. Por exemplo, 3.492 era transformado em 3min49,2s, quase o recorde mundial para a milha. E 4.131 tornava-se 4min13,1s, o tempo de uma milha. SF não sabia nada a respeito dos números aleatórios que tinha que memorizar, mas sabia a respeito de corrida. Descobriu que poderia tomar traços de informação sem sentido, passá-los por um filtro e então atribuir significado a eles, tornando aquela informação mais memorizável. Ele usou sua experiência passada para modelar sua percepção do presente. A partir de associações com a memória de longo prazo, via os números de um modo diferente.

É isso, é claro, que fazem os experts: usam a memória para ver o mundo de um jeito diferente. Ao longo de muitos anos, acumulam um banco de experiências que modela como eles percebem novas informações. O policial experiente da SWAT não vê apenas um homem indo para a entrada da escola; vê também o tique nervoso no braço do homem que desperta associações com dezenas de outros tiques nervosos que ele já viu em anos de trabalho. O policial vê o suspeito no contexto de todos os outros suspeitos com os quais já cruzou. Percebe o encontro presente à luz de encontros passados semelhantes.

Quando alguém formado na Escola de Sexagem de Pintos zen-japonesa olha o rabo de um pinto, habilidades de percepção sintonizadas permitem ao profissional coletar rápida e automaticamente uma quantidade de informações presentes na anatomia do pinto, e, antes mesmo de um pensamento consciente surgir, ele já sabe se o pinto é macho ou fêmea. Mas, como o membro sênior da SWAT, esse conhecimento aparentemente automático é difícil de ser obtido. Diz-se que um estudante da escola zen-japonesa tem que examinar ao menos 250 mil pintos antes de adquirir qualquer grau de proficiência. Mesmo se o profissional considera isso uma "intuição", o conhecimento foi modelado por anos de experiência. É o vasto banco de memórias de rabos de pintos que lhe permite reconhecer padrões tão rapidamente nas cloacas vislumbradas. Na maioria dos casos, a habilidade não é resultado de um raciocínio consciente, mas reconhecimento de padrões. É um feito de percepção e memória, e não de análise.

Um exemplo clássico de como a memória molda a percepção dos experts vem do que parece ser o menos intuitivo dos campos: o xadrez. Praticamente desde as origens do jogo moderno, no século XV, o xadrez é considerado o mais importante teste de habilidade cognitiva. Nos anos 1920, um grupo de cientistas russos se propôs a quantificar as vantagens intelectuais de oito dos melhores jogadores de xadrez do mundo, aplicando neles uma bateria de testes cognitivos e de percepção básicos. Para sua surpresa, os pesquisadores descobriram que os grandes mestres não tinham um desempenho significativamente acima da média nos testes. Os maiores jogadores de xadrez do mundo não pareciam possuir uma única vantagem cognitiva marcante.

Mas, se os mestres do xadrez não eram, no geral, mais inteligentes do que os jogadores menos habilidosos, o que eles eram então? Na década de 1940, o psicólogo holandês e aficionado por xadrez Adriaan de Groot formulou o que parecia ser uma simples questão: o que distingue um jogador de xadrez meramente bom de um da elite? Os melhores jogadores de xadrez antecipam mais movimentos? Eles consideram mais possibilidades de movimentos? Eles têm ferramentas mais eficazes para analisar os movimentos? Eles simplesmente têm melhor intuição da dinâmica do jogo?

Uma das razões pelas quais o xadrez é um jogo que traz tanta satisfação ao jogar e ao estudar é que qualquer pessoa com um mínimo de interesse pode ficar completamente impressionada com o movimento de um mestre. Muitas vezes o melhor movimento parece muito insensato. Percebendo isso, De Groot examinou minuciosamente antigos jogos entre mestres de xadrez e selecionou um punhado de posições de tabuleiro nas quais havia um único movimento correto, mas não óbvio, que podia ser feito. Ele então apresentou os tabuleiros a um grupo de mestres internacionais de xadrez e jogadores de clubes de elite. Solicitou-lhes que falassem o que pensavam enquanto refletiam sobre a jogada.

O que De Groot desvelou foi ainda mais surpreendente do que o encontrado por seus antecessores russos. Na maior parte das vezes, os experts de xadrez não antecipavam mais movimentos, ao menos de início. Eles nem sequer consideravam mais movimentos possíveis. Em vez disso, comportavam-se de modo semelhante aos identificadores de pintos: tendiam a ver o movimento correto e tendiam a vê-lo quase de imediato.

Era como se os experts do xadrez não estivessem pensando muito enquanto reagiam. Quando De Groot ouviu os relatos falados, notou que eles descreviam os pensamentos em uma linguagem diferente daquela de jogadores menos experientes. Falavam de configurações de peças que eram como "estruturas de peões" e imediatamente notavam coisas um pouco fora do comum, como torres expostas. Não estavam vendo o tabuleiro com 32 peças. Viam-no como porções de peças e sistemas de tensão.

Os grandes mestres de fato veem um tabuleiro diferente. Estudos dos movimentos oculares mostraram que eles olham mais nas bordas das casas dos tabuleiros do que jogadores inexperientes, sugerindo que absorvem informações sobre múltiplas casas de uma só vez. Seus olhos também atingem distâncias maiores e permanecem menos tempo em um mesmo lugar. Eles se focam em menos pontos diferentes no tabuleiro, naqueles que têm maior probabilidade de serem relevantes para depreender o movimento correto.

Mas o achado mais assombroso de todos esses primeiros estudos dos experts em xadrez foi o aspecto extraordinário de suas memórias. Aqueles especialistas podiam memorizar tabuleiros inteiros com apenas uma breve olhada. E podiam relembrar jogos de muito tempo atrás. De fato, estudos posteriores confirmaram que a habilidade de memorizar posições no tabuleiro é um dos melhores indicadores da qualidade de um jogador de xadrez. E essas posições não são só codificadas na transiente memória de curto prazo. Experts do xadrez podem recordar posições de jogos horas, semanas ou mesmo anos depois. É certo que em um determinado ponto no desenvolvimento de todo mestre de xadrez, manter um registro mental das peças no tabuleiro torna-se uma habilidade tão trivial que os experts podem enfrentar diversos oponentes de uma só vez, inteiramente em suas cabeças.

Não importa quão impressionante fosse a memória dos mestres de xadrez para os jogos, para tudo o mais não era significativamente marcante. Quando lhes eram mostrados arranjos aleatórios de peças de xadrez — que não poderiam de modo algum ser o resultado de um jogo real —, a lembrança do tabuleiro era apenas um pouco melhor do que a de novatos. Eles mal podiam lembrar as posições de mais do que sete peças. Eram as mesmas peças de xadrez e o mesmo tabuleiro. Logo, por que se encontravam de repente limitados pelo mágico número sete?

Os experimentos com xadrez revelam um fato notável sobre a memória e sobre expertise em geral: não lembramos fatos isolados; lembramos coisas dentro de contextos. Um tabuleiro com peças dispostas ao acaso não está inserido dentro de um contexto — não há tabuleiros similares com os quais comparar, nenhum jogo passado que seja semelhante, nenhum meio de aplicar o *chunking* com significado. Mesmo para o melhor jogador de xadrez do mundo, isso vai ser, essencialmente, ruído.

Do mesmo modo que usei o conhecimento de datas históricas para fazer a partição do número de 12 algarismos, os mestres de xadrez usam a vasta biblioteca de padrões que acumularam na memória de longo prazo para fazer a partição do tabuleiro. A base da habilidade de um grande mestre reside em um vocabulário mais rico de porções que ele reconhece. Por isso é tão raro alguém galgar os postos mais altos no xadrez mundial — ou qualquer outro campo — sem anos de experiência. Até Bobby Fischer, talvez o maior prodígio de xadrez de todos os tempos, jogou sem parar por nove anos antes de ser reconhecido como um grande mestre, aos 15 anos.

Ao contrário do que a antiga visão diz — o xadrez é uma atividade intelectual baseada na análise —, muitas das importantes decisões de um grande mestre sobre movimentos ocorrem no ato imediato de observar o tabuleiro. Como o identificador de pintos, que olha o animalzinho e simplesmente depreende seu sexo, e o policial da SWAT, que logo percebe a bomba, o mestre em xadrez olha o tabuleiro e apenas vê o movimento mais promissor. Esse processo em geral ocorre em cinco segundos, e podemos de fato vê-lo transpirando no cérebro. Usando magnetoencefalografia, técnica que mede os campos magnéticos fracos emitidos por um cérebro em atividade, pesquisadores descobriram que os jogadores de xadrez de elite são mais propensos a requerer os córtices frontal e parietal do cérebro quando olham para o tabuleiro, sugerindo que recuperam informação da memória de longo prazo. Jogadores medianos são mais propensos a usar os lobos temporais mediais, para decodificar novas informações. Os experts interpretam o tabuleiro apresentado em termos do vasto conhecimento dos tabuleiros anteriores. Os jogadores inexperientes veem o tabuleiro como algo novo.

Embora o xadrez pareça um assunto trivial para um psicólogo estudar — afinal de contas, é apenas um jogo —, De Groot acreditava que seus experimentos com grandes mestres de xadrez tinham implicações muito maiores. Argumentava que a expertise no "campo da sapataria, pintura, construção, [ou] confeitaria" era o resultado da mesma acumulação de "conexões experienciais". Segundo Ericsson, o que chamamos expertise são na realidade "vastas quantidades de mecanismos de conhecimento, recuperação baseada em padrões e planejamento adquiridos com muitos anos de experiência no domínio que os associa". Em outras palavras, uma grande memória não é simplesmente um subproduto da expertise, mas a *essência* da expertise.

Quer percebamos ou não, todos somos como aqueles mestres de xadrez e identificadores de pintos, interpretando o presente à luz do que aprendemos no passado e deixando nossas experiências anteriores não apenas moldar como agora percebemos o mundo, mas também os movimentos que acabamos fazendo nele.

Com muita frequência falamos de nossas memórias como se fossem bancos nos quais depositamos novas informações à medida que elas aparecem, e do qual sacamos informação antiga quando precisamos. Mas essa metáfora não reflete o modo como nossas memórias realmente funcionam. Elas estão sempre conosco, moldando e sendo moldadas pela informação que flui por nossos sentidos, em um circuito de feedback contínuo. Tudo o que vemos, ouvimos e sentimos é modulado por tudo o que vimos, ouvimos e sentimos no passado.

De modo tão obscuro quanto a identificação do sexo de um pinto ou tão profundo quanto o diagnóstico de uma doença, quem somos e o que fazemos é um desdobramento do que lembramos. Mas, se interpretar o mundo e nele agir são atitudes encapsuladas no ato de lembrar, o que dizer sobre Ed, Lukas e os atletas mentais que conheci? Como essa técnica supostamente simples chamada palácio da memória lhes conferiu memórias de experts sem serem experts em coisa alguma?

Mesmo se Ericsson e seus estudantes da pós não me dessem os resultados dos testes que passei três dias realizando, para sair com alguma noção do patamar das minhas habilidades tomei notas suficientes sobre o meu desempenho. Minha extensão de dígitos era cerca de nove (acima da média, mas nada de extraordinário), minha capacidade para memorizar poesia era abismal, e eu não tinha a menor ideia do período histórico vivido por Confúcio (embora soubesse para que servia um carburador). Quando voltei de Tallahassee, havia um e-mail de Ed me aguardando na caixa de entrada:

> Oi, pupilo astro, sei que você esteve evitando treinar até que o pessoal da Flórida tivesse posto você à prova. Muito bem — é no mínimo admirável contribuir para uma ciência melhor. Mas os próximos campeonatos não estão a milhões de quilômetros de distância, então você tem que começar a se preparar agora mesmo. Boa hora para eu animar um pouco a sua vida: você precisa enfiar a cara no treinamento e ainda gostar de deixá-la por lá.

Capítulo 4
O homem mais esquecido do mundo

Tendo conhecido algumas das melhores memórias do mundo, decidi que o meu próximo passo seria encontrar a pior. Existe maneira melhor de começar a compreender a natureza e o significado da memória humana do que investigando sua ausência? Voltei ao Google em busca da contraparte de Ben Pridmore nos livros de recordes do esquecimento e desenterrei um artigo do *Journal of Neuroscience* sobre um técnico de laboratório aposentado de 84 anos chamado EP, cuja memória remontava apenas até o pensamento mais recente. EP sofria de um dos mais severos casos de amnésia jamais documentados.

Algumas semanas depois de voltar de Tallahassee, telefonei para um neurocientista e pesquisador da memória chamado Larry Squire, alocado na Universidade da Califórnia, em San Diego, e no Centro Médico para Veteranos de San Diego. Squire estudava EP por mais de uma década e concordou em me levar com ele em uma de suas visitas a um bangalô iluminado do subúrbio da cidade, onde vivia com a mulher. Viajamos para lá com Jen Frascino, coordenadora de pesquisa do laboratório de Squire que visita EP com regularidade para lhe aplicar testes cognitivos. Apesar de Frascino ter ido umas duzentas vezes à casa de EP, ele sempre a recebia como uma completa estranha.

EP é um homem com 1,88m, com um cabelo branco perfeitamente repartido e orelhas compridas de um jeito incomum. É interessante, simpático e agradável. Ri bastante. À primeira vista, parece um típico superavô. Frascino, uma loira alta e atlética, senta-se comigo e com Squire na frente de EP, à mesa da sala de jantar, e faz uma série de perguntas com a finalidade de verificar seu conhecimento básico e seu bom senso. Ela lhe pergunta em que continente fica o Brasil, o número de semanas num ano, a temperatura de ebulição da água. Ela quer demonstrar o que uma bateria de testes cognitivos já provou: EP tem uma memória de trabalho relativa ao mundo. Seu QI é 103, e sua memória de curto prazo é inteiramente saudável. Ele responde pacientemente a todas as questões — todas exatas — com paciência e com mais ou menos o mesmo grau de perplexidade que eu teria se um completo estranho entrasse na minha casa e perguntasse se eu sabia o ponto de ebulição da água.

— O que se deve fazer se um envelope é encontrado na rua, selado e lacrado, com endereço? — perguntou Frascino.

— Bem, eu o colocaria na caixa de correio. O que mais? — Deu uma risadinha e me lançou um olhar de soslaio, como se dissesse: "Essas pessoas pensam que sou idiota?" Mas, sentindo que a situação exigia polidez, voltou-se para Frascino e acrescenta: — Você me fez uma pergunta muito boa. Realmente interessante. — Ele não tinha a menor ideia de quantas vezes a tinha ouvido antes.

— Por que cozinhamos a comida?

— Porque ela está crua? — A palavra "crua" fez a sua voz límpida percorrer o registro tonal, a perplexidade dando lugar à incredulidade.

Perguntei a EP se ele sabia o nome do último presidente.

— Temo que tenha me fugido à mente. Que estranho...

— O nome Bill Clinton lhe soa familiar?

— Claro que conheço Clinton! Ele é um velho amigo meu, um cientista, ótima pessoa. Trabalhei com ele, sabe?

Ele viu meus olhos se arregalarem incrédulos e parou de falar.

— A não ser, quer dizer, que tenha outro Clinton, no qual você está pensando...

— Bem, sabe, o último presidente também se chamava Bill Clinton.

— Ah, é? Eu vou...! — Bateu na perna e deu uma risadinha, mas não pareceu muito perturbado.

— Qual é o último presidente do qual você se lembra?

Ele parou por um momento para vasculhar o cérebro.

— Vamos ver. Houve Franklin Roosevelt...

— Já ouviu falar de John F. Kennedy?

— Kennedy? Humm, acho que não o conheço.

Frascino interveio com outra pergunta.

— Por que estudamos história?

— Bem, estudamos história para sabermos o que aconteceu no passado.

— Mas por que queremos saber o que aconteceu no passado?

— Apenas porque é interessante, para ser franco.

Em novembro de 1992, EP foi acometido com o que parecia ser um leve caso de gripe. Ficou de cama, febril e letárgico, por cinco dias, sem saber o que estava errado, enquanto, dentro de sua cabeça, um vírus perverso conhecido como *herpes simplex* estava corroendo o seu cérebro, como se fosse um bicho na maçã. Quando o ciclo do vírus tinha se completado, duas porções do tamanho de nozes nos lobos temporais mediais de EP desapareceram, e com elas a maior parte de sua memória.

O vírus atacou com uma precisão monstruosa. Os lobos temporais mediais — há um de cada lado do cérebro — incluem o hipocampo e diversas regiões adjacentes que, juntos, realizam a mágica façanha de transformar nossas percepções em memórias de longo prazo. As memórias não são armazenadas no hipocampo — residem em outra parte, nas enrugadas camadas externas do cérebro, o neocórtex — mas a área do hipocampo faz com que elas se fixem. Seu hipocampo foi destruído, e, sem ele, EP é como uma câmera sem a cabeça de gravação funcionando. Ele vê, mas não grava.

EP tem dois tipos de amnésia: anterógrada, o que quer dizer que ele não é capaz de formar novas memórias, e retrógrada, implicando que também não pode acessar memórias antigas, ao menos não de 1950 para frente. A infância, o serviço na Marinha mercante, a Segunda Guerra Mundial, tudo isso é perfeitamente claro. Mas para ele um galão de gasolina custa 25 centavos de dólar e o homem nunca pisou na Lua.

Embora EP sofra de amnésia por uma década e meia e sua condição não tenha melhorado ou piorado, há muito ainda que Squire e sua equipe esperam aprender com ele. Um caso desses, no qual a natureza realiza um experimento cruel, porém perfeito, é, de modo crasso, uma grande dádiva para a ciência. Em um campo com tantas questões ainda sem resposta, há um número ilimitado de testes que podem ser realizados numa mente como a de EP. De fato, há apenas alguns outros indivíduos no mundo dos quais ambos os hipocampos e as estruturas-chave adjacentes foram removidas de um cérebro com tanta precisão. Outro caso de amnésia grave é o de Clive Wearing, um ex-produtor musical da BBC que foi acometido por herpes encefálica em 1985. Como EP, sua mente tornou-se uma peneira. Toda vez que ele cumprimenta a esposa é como se não a tivesse visto por vinte anos. Ele lhe deixa mensagens telefônicas agoniadas suplicando que seja retirado da casa de repouso onde vive. Também mantém um extenso diário que se tornou um registro concreto de sua angústia cotidiana. Mas ele tem dificuldade de confiar até nesse registro, já que — como qualquer objeto da sua vida — parece-lhe completamente estranho. Toda vez que o abre, sente-se como se estivesse confrontando uma vida passada. O diário é repleto de entradas como esta:

8:31 Agora estou realmente, completamente desperto.
9:06 Agora estou perfeitamente, imensamente desperto.
9:34 Agora estou superlativamente, de fato, desperto.

Essas entradas riscadas sugerem uma consciência de sua condição, que EP, talvez por uma bênção, não tenha. Do outro lado da mesa, Squire pergunta a EP como tem andado sua memória naqueles dias.

— Está razoável. É difícil dizer se está boa mesmo ou ruim.

EP usa uma pulseira de metal para alerta médico no pulso esquerdo. Ainda que seja óbvia a função, pergunto-lhe de qualquer modo. Ele vira o pulso para cima e o lê casualmente.

— Humm. Diz perda de memória.

EP nem mesmo se lembra de que tem um problema de memória. Isso é algo que descobre de novo e de novo a cada momento. E, como ele se esquece de que sempre esquece, todo pensamento perdido lhe parece um lapso sem importância — um incômodo e nada mais —, assim como pareceria para você ou para mim.

— Não há nada de errado com ele em sua mente. Isso é uma bênção — disse mais tarde sua esposa, Beverly, enquanto EP estava no sofá, de onde não poderia escutar. — Acredito que ele deva saber que algo está errado, mas isso não transparece nas conversas nem no seu estilo de vida. Mas, no fundo, ele deve saber. Deve, sim.

Quando ouço essas palavras, a percepção que mais ele perdeu do que apenas memórias me aflige. A própria esposa de EP não pode mais ter acesso às emoções mais básicas e pensamentos dele. O que não quer dizer que ele não tenha emoções ou pensamentos. Com certeza tem, um momento após o outro. Toda vez que era informado do nascimento de seus netos, os olhos de EP marejavam — e logo então ele se esquecia de que eles existiam. Mas sem a capacidade de comparar os sentimentos de hoje com os de ontem, ele não pode contar qualquer narrativa coesa sobre si mesmo ou sobre aqueles ao seu redor, o que o impossibilita de fornecer a mais básica estrutura psicológica para família e amigos. Afinal, EP só pode permanecer interessado em alguém ou em alguma coisa pelo tempo que sua atenção durar. Qualquer pensamento errático que o distraia faz a conversa recomeçar do zero. Uma relação significativa entre duas pessoas não pode se sustentar apenas no tempo presente.

Desde o início da doença, o espaço existe para EP apenas até onde ele pode ver. Seu universo social se estende somente até as pessoas da sala. Ele vive sob um estreito foco de luz, circundado por escuridão. Numa manhã típica, EP se levanta, toma o café da manhã e volta à cama para ouvir rádio. Mas, de volta à cama, nem sempre é claro se ele acabou de tomar o café da manhã ou se acabou de despertar. Ele tomará café da manhã de novo e voltará à cama para ouvir um pouco mais de rádio. Algumas manhãs ele tomará café da manhã pela terceira vez. Assiste à TV, o que pode ser uma emoção a cada segundo, embora programas com princípio, meio e fim muito evidentes possam ser um problema. Ele prefere o History Channel ou qualquer coisa sobre a Segunda Guerra Mundial. Caminha pela vizinhança, em geral várias vezes antes do almoço e algumas vezes por cerca de 45 minutos. Ele se senta no quintal. Lê o jornal, o que deve lhe dar a sensação de sair de uma máquina do tempo. Iraque? Internet? No momento em que EP chega ao final de uma manchete, já esqueceu como ela começou. Na maior parte das vezes, após ler a seção de meteorologia, ele apenas rabisca o jornal, desenhando bigodes nas fotografias ou o contorno da colher. Quando vê os preços nos classificados, invariavelmente se mostra chocado.

Sem memória, EP fica exilado do tempo. Não tem elo de consciência, apenas gotículas que logo se evaporam. Se você tirasse o relógio do pulso — ou se, com mais crueldade, mudasse a hora —, ele ficaria completamente perdido. Aprisionado em seu limbo de eterno presente, entre um passado que não pode lembrar e um futuro que não consegue contemplar, vive uma vida sedentária, completamente livre de preocupações. “Ele é feliz o tempo todo. Muito feliz. Acho que é porque ele não tem qualquer estresse na vida”, diz a filha Carol, que mora nas vizinhanças. Em seu esquecimento crônico, EP atingiu uma espécie de iluminação patológica, uma versão pervertida do ideal budista de viver no presente.

— Quantos anos você tem? — perguntou-lhe Squire.

— Vejamos, 59 ou sessenta. Você me pegou — disse, levantando a sobrancelha, como se fizesse um cálculo em vez de dar um palpite. — Minha memória não é tão perfeita. É bem boa, mas às vezes as pessoas me fazem perguntas que apenas não sei. Tenho certeza de que você passa por isso às vezes.

— Com certeza — respondeu Squire com gentileza, embora EP esteja quase um quarto de século distante.

Sem tempo, não haveria necessidade de memória. Mas, sem memória, haveria essa coisa de tempo? Não falo no tempo no sentido, digamos, dos físicos, ou seja, a quarta dimensão, a variável independente, a quantidade que se comprime quando nos aproximamos da velocidade da luz; mas no sentido do tempo psicológico, o ritmo no qual experimentamos a passagem da vida. Tempo como construção mental. Observando o esforço de EP para dizer a própria idade, lembrei uma história que Ed Cooke contou sobre sua pesquisa na Universidade de Paris, quando nos conhecemos no Campeonato de Memória dos Estados Unidos.

— Estou trabalhando na expansão do tempo subjetivo para que pareça que eu vivo mais tempo — confidenciou Ed na calçada da sede do Con Edison, com um cigarro pendendo da boca. — A ideia é evitar o sentimento que temos no fim do ano, que nos dá a sensação de “para onde é que foi tudo isso?”.

— E como você vai fazer isso? — perguntei.

— Lembrando mais. Fornecendo à vida mais marcos cronológicos. Tornando-me mais consciente da passagem do tempo.

Eu disse que seu plano lembrava Dunbar, o piloto do livro *Ardil-22*, de Joseph Heller, que raciocina que, como o tempo voa quando você está se divertindo, o meio mais seguro de desacelerar a passagem do tempo é torná-lo o mais chato possível.

Ed deu de ombros.

— Não é exatamente isso. Quanto mais preenchemos nossas vidas com memórias, mais lentamente o tempo parece andar.

Nossa experiência subjetiva do tempo é extremamente variável. Todos sabemos que dias podem passar como semanas e que meses podem parecer anos, e que o oposto pode ser da mesma forma verdadeiro: um mês ou um ano pode voar tanto que parece nem haver tempo.

Nossas vidas são estruturadas pela memória dos eventos. O evento X aconteceu logo antes das longas férias em Paris. Eu estava fazendo X no primeiro verão depois que aprendi a dirigir. Z aconteceu no fim de semana depois de eu conseguir meu primeiro emprego. Lembramos os eventos posicionando-os no tempo em relação a outros eventos. Do mesmo modo que acumulamos lembranças de fatos integrando-as em uma rede, acumulamos experiências de vida integrando-as em uma rede de memórias cronológicas. Quanto mais densa a rede, mais densa a experiência do tempo.

Esse é um ponto bem ilustrado por Michel Siffre, um cronobiólogo (aquele que estuda a relação entre o tempo e os organismos vivos) francês que conduziu um dos mais extraordinários atos de autoexperimentação da história da ciência. Em 1962, Siffre passou dois meses vivendo em total isolamento em uma caverna subterrânea, sem acesso a relógio, calendário ou sol. Dormindo e comendo somente quando o corpo lhe pedia, buscava descobrir como os ritmos naturais da vida humana poderiam ser afetados ao viver "além-tempo".

A memória de Siffre deteriorou-se muito rápido. Na escuridão lúgubre, os dias fundiram-se uns com os outros e se tornaram uma bolha indistinguível. Como não havia ninguém com quem conversar nem muito o que fazer, não havia novidade alguma que se imprimisse na sua memória. Não havia marcos cronológicos com os quais pudesse medir a passagem do tempo. Em um determinado ponto, ele se tornou incapaz de lembrar o que havia acontecido mesmo no dia anterior. A experiência de isolamento o transformara em EP. Quando o tempo começou a sumir, ele se tornou amnésico. Logo, seus padrões de sono se desintegraram. Alguns dias ele permanecia acordado por 36 horas ininterruptas, em outros, por oito horas — sem que fosse capaz de perceber a diferença. Quando a equipe de apoio na superfície finalmente foi buscá-lo, no dia 14 de setembro daquele ano, o dia programado para o término do experimento, no seu diário ainda era 20 de agosto. Ele pensava que apenas um mês tinha se passado. Sua experiência da passagem de tempo foi comprimida pela metade.

A monotonia comprime o tempo, a novidade o expande. Você pode se exercitar, ter uma alimentação saudável e viver uma vida longa, mas experienciar uma vida curta. Se passar a vida sentado em um cubículo lidando com a papelada, um dia vai passar sem memória e se fundir com o seguinte... e desaparecer. Por isso, é importante mudar a rotina, passar férias em locais exóticos e ter o máximo possível de experiências novas que possam servir de âncoras para nossa memória. Criar novas memórias estende nosso tempo psicológico e prolonga a percepção de nossa vida.

Em 1890, William James foi o primeiro a escrever sobre a curiosa distorção e síntese do tempo psicológico no *Principles of Psychology*: "Na juventude, podemos ter uma experiência absolutamente nova, subjetiva ou objetiva, a cada hora do dia. A apreensão é vívida, a retenção é forte, e nossas rememorações daquela época, como aquelas do tempo que passamos em uma viagem rápida e interessante, são de algo intricado, diversificado, com traços marcantes", escreveu. "Mas, à medida que os anos passam, algumas experiências se convertem em rotinas automáticas que mal notamos, os dias e as semanas são planificados na memória em unidades intrincadas, e os anos tornam-se ocos e comprimidos." A vida parece se acelerar quando envelhecemos porque a vida se torna menos memorável. "Se lembrar é ser humano, então lembrar mais significa ser mais humano", diz Ed.

Há talvez um pouco de Peter Pan na busca de Ed de fazer a vida memorável ao máximo, mas, de todas as coisas que poderíamos ser obcecados em colecionar, as memórias de nossa vida não parecem as mais absurdas. Há mesmo uma coisa estranhamente racional a esse respeito, um velho enigma filosófico que volta e meia é discutido em cursos introdutórios de filosofia: no século XIX, os médicos começaram a questionar se a anestesia geral administrada nos pacientes poderia de fato os fazer adormecer ao ponto de paralisar os músculos e apagar as memórias da cirurgia. Se fosse esse o caso, poderíamos dizer que os médicos fizeram algo errado? Como a árvore proverbial que cai sem que ninguém a ouça, faz sentido dizer que realmente aconteceu uma experiência que não pode ser lembrada? Sócrates pensava que a vida sem ser examinada não era digna de ser vivida. Quanto mais uma vida sem ser lembrada...

Muito do que a ciência conhece sobre memória foi descoberto de um cérebro lesionado semelhante ao de EP. O cérebro pertencia a outro portador de amnésia chamado Henry Molaison, que recebeu as iniciais HM e passou a maior parte da vida em uma casa de repouso em Connecticut, até morrer em 2008. (Indivíduos da literatura médica sempre são identificados pelas iniciais para proteger suas identidades. O nome de HM foi revelado após sua morte.) Quando criança, HM sofria de epilepsia, iniciada depois de um acidente de bicicleta quando tinha nove anos. Aos 27, estava tendo ataques muitas vezes por semana e era incapaz de fazer qualquer coisa. Um neurocirurgião chamado William Scoville acreditava poder aliviar os sintomas de HM com uma cirurgia experimental que removeria a parte do cérebro que ele suspeitava estar causando o problema.

Em 1953, enquanto HM estava deitado desperto na mesa de cirurgia, com o seu escalpo anestesiado, Scoville perfurava um par de orifícios logo acima dos olhos do paciente. O cirurgião levantou a frente do cérebro de HM com uma pequena espátula de metal enquanto um canudo também de metal sugava a maior parte do hipocampo, junto com boa parte dos lobos temporais mediais em volta. A cirurgia reduziu o número de convulsões de HM, mas teve um efeito colateral trágico: ficou claro que a sua memória também tinha sido roubada.

Nas cinco décadas seguintes, HM foi objeto de incontáveis experimentos e tornou-se o paciente mais estudado da história da ciência do cérebro. Dado o horripilante resultado da cirurgia de Scoville, todos imaginaram que HM constituiria um estudo de caso singular.

EP fez desmoronar essa suposição. O que Scoville fez a HM com uma cânula de metal, a natureza fez a EP com o *herpes simplex*. Lado a lado, as granulosas ressonâncias magnéticas em preto e branco de seus cérebros são estranhamente semelhantes, embora o dano de EP seja um pouco mais extenso. Mesmo que não se tenha ideia de como deve ser a aparência de um cérebro normal, os dois buracos simétricos abertos parecem nos fitar como um par de olhos sombrios.

Como EP, HM era capaz de reter memórias apenas o suficiente para pensar sobre elas, mas tão logo o cérebro passasse para outro pensamento, jamais conseguiria trazê-las de volta. Em um famoso experimento conduzido pela neurocientista canadense Brenda Milner, solicitava-se a HM que memorizasse o número 584 o máximo de tempo possível. E ele dizia: "É fácil. Você apenas lembra o 8. Veja, 5, 8 e 4 somados dão 17. Você lembra o 8, subtrai de 17, e sobram 9. Divide 9 e tem 5 e 4, e aí tem 584. Fácil."

Ele se concentrou nesse elaborado mantra por vários minutos. Mas assim que se distraía, o número desaparecia. Ele não conseguia sequer se lembrar de que lhe tinham pedido para lembrar alguma coisa. Apesar de os cientistas saberem desde o final do século XIX que havia uma diferença entre a memória de longo e a de curto prazo, agora tinham a evidência, com HM, de que os dois processos de memória acontecem em partes diferentes do cérebro e que, sem a maior parte do hipocampo, HM não podia transformar uma memória de curto prazo em uma de longo prazo.

Também com HM, os pesquisadores fizeram descobertas sobre outro tipo de processo de memória. Embora não pudesse dizer se tinha tomado café da manhã ou o nome do atual presidente, havia coisas de que ele podia recordar. Milner descobriu que ele podia aprender tarefas complicadas sem mesmo perceber. Em um estudo fundamental de 1962, demonstrou que HM poderia aprender a traçar uma estrela de cinco pontas numa folha de papel enquanto olhava o reflexo dela em um espelho. Toda vez que Milner dava a HM essa tarefa, ele afirmava que nunca tinha tentado antes. E, contudo, cada dia seu cérebro se saía melhor ao guiar sua mão para fazer o trabalho de inversão. Apesar da amnésia, ele conseguia se lembrar.

Estudos posteriores, incluindo testes conduzidos em EP, comprovaram que pessoas que perdem a memória ainda são capazes de outros tipos de aprendizado sem lembranças. Em um experimento, Squire deu a EP uma lista de 24 palavras para memorizar. Como esperado, depois de poucos minutos, EP não tinha recordações de qualquer uma delas ou mesmo de que o exercício tinha ocorrido. Quando perguntado se tinha visto uma palavra antes, ele respondia corretamente apenas metade das vezes. Mas então Squire colocou EP na frente de um monitor de computador e lhe aplicou um teste diferente. Dessa vez, 48 palavras piscaram na tela durante 25 milissegundos cada uma, apenas o suficiente para o olho captar algumas delas, mas não todas (um piscar de olhos, em comparação, ocorre entre cem e 150 milissegundos). Metade das palavras fazia parte da lista que EP tinha lido e esquecido, e a outra metade era nova. Squire pediu a EP que lesse cada palavra que piscava na tela. De maneira surpreendente, EP saiu-se muito melhor lendo as palavras que tinha visto antes do que as que eram novas. Mesmo que não tivesse uma recordação consciente, em alguma parte nos recônditos do seu cérebro, elas tinham deixado uma impressão.

O fenômeno de memória inconsciente, conhecido como *priming* (ou pré-ativação), é uma evidência de todo um sombrio mundo de memórias à espreita abaixo da superfície de raciocínio consciente. Embora haja divergências quanto ao número exato de sistemas de memória existentes, os cientistas em geral dividem as lembranças em duas grandes categorias: declarativas e não declarativas (também denominadas explícitas ou implícitas). As declarativas são as que você sabe que lembra, como a cor do seu carro ou o que aconteceu ontem à tarde. EP e HP tinham perdido a capacidade de produzir novas memórias declarativas. Memórias não declarativas são as que você conhece inconscientemente, como, por exemplo, andar de bicicleta ou desenhar uma forma geométrica enquanto a olha no espelho (ou o significado de uma palavra que piscou rapidamente na tela de um computador). As memórias inconscientes não parecem passar pelo tampão de memória de curto prazo como as declarativas nem dependem da região do hipocampo para serem consolidadas e armazenadas: baseiam-se em outras partes do cérebro. A aprendizagem de habilidades motoras reside principalmente no cerebelo; a aprendizagem perceptual, no neocórtex; a aprendizagem de hábitos, nos gânglios basais. Como EP e HP demonstraram de modo tão impressionante, pode-se danificar uma parte do cérebro e o resto continuar funcionando. De fato, a maior parte do que somos e do que pensamos — o núcleo material de nossas personalidades — está ligada a memórias implícitas que vão além dos limites do cérebro consciente.

Dentro da categoria de memórias declarativas, os psicólogos fazem ainda mais uma distinção entre memórias semânticas, ou memórias de fatos e conceitos, e memórias episódicas, ou memórias das experiências de nossas vidas. Lembrar que comi ovos no café de manhã seria uma memória episódica. Saber que o café da manhã é a primeira refeição do dia é uma memória semântica. Memórias episódicas estão localizadas no espaço e no tempo: têm um onde e um quando. Memórias semânticas estão situadas fora do espaço e do tempo, como peças de conhecimento soltas, flutuando. Esses dois tipos parecem utilizar diferentes caminhos neurais, basear-se em regiões distintas do cérebro, embora ambos dependam criticamente do hipocampo e de outras estruturas dentro dos lobos temporais mediais. EP perdeu ambos os tipos de memória, mas curiosamente seu esquecimento abrange apenas os sessenta anos anteriores. Suas memórias se desvaneceram gradual e aceleradamente.

Um dos muitos mistérios da memória é por que amnésicos como EP podem ser capazes de recordar quando a bomba atômica caiu em Hiroshima, mas não a muito mais recente queda do muro de Berlim. Por alguma razão desconhecida, são as memórias mais recentes que primeiro se apagam na maioria dos amnésicos, enquanto as memórias antigas permanecem claras. O fenômeno é conhecido como Lei de Ribot, por conta do psicólogo francês do século XIX que primeiro o notou, e é também um padrão presente nos portadores da doença de Alzheimer. Essa lei sugere algo profundo: nossas memórias não são estáticas. De algum modo, à medida que a memória envelhece, sua compleição se altera. Cada vez que pensamos em algo nela retido, mais profundamente o integramos à nossa teia e, portanto, tornamos a recordação mais estável e menos propensa a ser desalojada.

Mas, no processo, também transformamos a memória e a remodelamos — algumas vezes a tal ponto que nossa recordação de eventos só se assemelha em parte com o que aconteceu de verdade. Apenas recentemente os neurocientistas começaram a observar esse processo no interior do cérebro, mas há muito tempo os psicólogos entenderam que há diferenças qualitativas entre memórias novas e velhas. Sigmund Freud foi o primeiro a notar o fato curioso de que memórias mais antigas são com frequência lembradas como se capturadas por uma terceira pessoa segurando uma câmera, enquanto eventos mais recentes tendem a ser lembrados na primeira pessoa, como se pelos próprios olhos. É como se coisas que aconteceram conosco se tornassem coisas que simplesmente aconteceram. Ou como se, com o tempo, o cérebro transformasse episódios em fatos.

Como esse processo opera no nível dos neurônios permanece um enigma. Uma hipótese bem embasada é a de que nossas memórias são nômades. Enquanto o hipocampo está envolvido na formação inicial, os conteúdos acabam fixados no depósito de longo prazo do neocórtex. Com o tempo, à medida que são revisitadas e reforçadas, as memórias são consolidadas de maneira que se tornam resistentes à dissolução. Elas ficam entrincheiradas em uma rede de conexões corticais que lhes permite existir independentemente do hipocampo. Isso suscita uma questão fascinante: as memórias de EP depois de 1950 foram obliteradas por completo quando o vírus corroeu os lobos temporais mediais ou essas memórias apenas se tornaram inacessíveis? O vírus queimou metade da casa ou apenas jogou a chave fora? Não sabemos.

Acredita-se que o sono desempenha um papel fundamental no processo de consolidar as memórias e de depreender significado delas. Ratos que correram por uma hora numa roda-gigante aparentemente correm na mesma roda durante o sono e exibem os mesmos padrões de disparos neurais com os olhos fechados e quando aprendiam os labirintos. Já foi sugerido que a razão de os sonhos se parecerem tanto com uma recombinação surreal de elementos colhidos ao longo do dia é que eles são apenas o subproduto de experiências que lentamente se consolidam em memórias de longo prazo.

Sentado com EP no sofá de sua sala de estar, fico pensando se ele ainda tem sonhos. É claro que ele não pode saber, mas eu lhe pergunto de qualquer forma, apenas para ver o que dirá. "Às vezes", disse casualmente, embora a resposta seja quase com certeza uma confabulação. "Mas é difícil lembrar os sonhos."

TODOS CHEGAMOS AO MUNDO como amnésicos, e uns poucos saem dele do mesmo modo. Uma vez perguntei ao meu sobrinho de três anos sobre sua festa de aniversário de dois. Embora o evento tivesse ocorrido havia mais de um terço da duração de sua vida, as recordações eram de uma exatidão surpreende. Ele se lembrava do nome do jovem guitarrista que tinha tocado para ele e os amigos e podia recitar algumas canções que tinham sido cantadas. Ele se lembrava da bateria em miniatura que tinha ganhado de presente. Ele se lembrava de ter comido bolo com sorvete. E, contudo, é quase certo de que não vai se lembrar de nada disso em dez anos.

Até os três ou quatro anos, quase nada que acontece conosco deixa aquela espécie de impressão duradoura que podemos rememorar quando adultos. A idade média que as pessoas dizem ter as primeiras memórias é de três anos e meio, e estas tendem a ser apenas instantâneos desfocados, fragmentos muitas vezes falsos. É muito estranho que, durante o período em que uma pessoa aprende mais rapidamente do que em qualquer outro momento da sua vida — quando está aprendendo a andar, falar e compreender o mundo —, tão pouco dessa aprendizagem seja do tipo que deixa uma recordação explícita.

Freud acreditava que a amnésia infantil era uma decorrência de os adultos reprimirem as fantasias hipersexualizadas da primeira infância, que só provocariam vergonha mais tarde. Não estou seguro de que ainda existam muitos psicólogos a defender essa interpretação. A explicação mais provável para esse estranho esquecimento inicial reside no fato de nossos cérebros amadurecerem rapidamente durante os primeiros anos de vida, com conexões neurais sem uso sendo suplantadas e novas conexões sendo constantemente formadas. O neocórtex não alcança seu pleno desenvolvimento até o terceiro ou quarto ano, mais ou menos a época em que as crianças começam a estabelecer memórias permanentes. A anatomia, contudo, responde apenas parte da questão. Na primeira infância, faltam-nos métodos para interpretar o mundo e relacionar o presente ao passado. Sem experiências — e, talvez o mais importante, sem a essencial ferramenta de organização da linguagem — o bebê não tem capacidade de integrar suas memórias a uma rede de significados que as torne acessíveis mais tarde. Essas estruturas só se desenvolvem com o tempo, por meio do contato com o mundo. O aprendizado vital que realizamos durante os primeiros anos de vida é quase todo do tipo implícito, não declarativo. Em outras palavras, todos já experimentamos um pouco a condição de EP. E, como EP, esquecemos como ela é.

Curioso para ver a memória inconsciente, não declarativa, de EP em ação, perguntei-lhe se ele aceitaria passear comigo pela vizinhança. Ele disse: "Na verdade, não." Então aguardei e, minutos mais tarde, fiz a mesma pergunta. Dessa vez ele concordou. Saímos pela porta da frente sob o sol alto da tarde e viramos à direita — sua decisão, não minha. Perguntei a EP por que não viramos para a esquerda.

— Prefiro não ir naquela direção. É assim que faço. Não sei por quê — respondeu.

Se lhe pedíssemos para desenhar um mapa do caminho que ele percorre ao menos três vezes por dia, ele nunca seria capaz de fazê-lo. Nem sequer sabe o próprio endereço e (como a maioria dos habitantes de San Diego) de que lado está o oceano. Mas, após tantos anos percorrendo o mesmo caminho, a jornada ficou gravada no seu inconsciente. Sua mulher, Beverly, agora deixa que ele saia sozinho, muito embora uma simples virada errada o deixasse completamente perdido. Às vezes ele volta das caminhadas com objetos que ele pegou pelo caminho: um monte de pedras redondas, uma boneca, uma carteira. Ele nunca consegue explicar como os objetos foram parar em suas mãos.

— Nossos vizinhos o adoram porque ele se aproxima e simplesmente começa a conversar — contou Beverly. Apesar de achar que os está encontrando pela primeira vez, ele aprendeu pela força do hábito que são pessoas com as quais ele pode se sentir à vontade e interpreta esses sentimentos inconscientes de bem-estar como uma boa razão para parar e cumprimentar.

O fato de EP aprender a gostar dos vizinhos sem nunca saber quem são assinala como muitas de nossas ações do dia a dia são guiadas por valores e julgamentos implícitos, independentes da memória declarativa. Fico pensando que outras coisas EP teria aprendido pela força do hábito. Quais outras memórias não declarativas continuaram a modelá-lo durante os 15 anos em que perdeu a memória declarativa? Decerto, ele ainda deve ter desejos e medos, emoções e anseios — mesmo que a rememoração consciente desses sentimentos seja tão fugaz que ele não os possa reconhecer tempo o suficiente para verbalizá-los.

Pensei sobre mim mesmo, 15 anos antes, e sobre como eu tinha mudado durante esse tempo. O eu que existe hoje e o eu que existia então, se colocados lado a lado, seriam apenas vagamente semelhantes. Mas nós somos uma coleção muito diferente de moléculas, da raiz dos cabelos às pontas dos pés, e, às vezes, parece que há pouco em comum além dos nomes. O que une aquele eu a este eu e permite que eu mantenha a ilusão de que há uma continuidade de momento para momento, de ano para ano, é alguma estabilidade relativa, em evolução gradual, no núcleo do meu ser. Alma, ego, subproduto emergente de uma rede neural ou qualquer outro nome que queiramos, esse elemento de continuidade é inteiramente dependente da memória.

Mas, mesmo se estivermos à mercê de nossas memórias para estabelecer nossas identidades, é claro que EP é muito mais do que um robô sem alma. Apesar de tudo o que ele perdeu, ainda há uma pessoa ali, além de uma personalidade — uma personalidade encantadora — com uma perspectiva particular do mundo. Ainda que um vírus tenha varrido suas memórias, não varreu sua personalidade por completo. Apenas deixou um vazio, um ego estático que nunca conseguirá crescer nem mudar.

Atravessamos a rua e nos afastamos de Beverly e Carol, e eu fiquei a sós com EP pela primeira vez. Ele não sabe quem eu sou ou o que estou fazendo ao seu lado, embora sinta que estou ali por alguma boa razão. Ele me olha e comprime os lábios; posso ver que procura algo para dizer. Em vez de tentar preencher aquele vazio, deixei a situação persistir por um momento para ver aonde o desconforto poderia levar. Acho que esperava por algum fugaz reconhecimento de quão insólito tudo deveria ser, essa cena sem prólogo. Mas o reconhecimento não veio ou se veio EP não deixa transparecer. Ele está aprisionado, eu percebo, no pesadelo existencial final, inteiramente cego à realidade em que vive. Tenho um impulso de ajudá-lo a escapar, pelo menos por um segundo. Quero tomá-lo pela mão e balançá-lo. "Você tem uma desordem de memória rara e debilitante", quero lhe dizer. "Você perdeu seus últimos cinquenta anos. Em menos de um minuto, você vai esquecer completamente que essa conversa aconteceu." Imagino o horror que se abateria sobre ele, a clareza momentânea, o vazio abissal que se abriria na frente dele e que se fecharia quase que no mesmo momento. E então um carro passando ou um passarinho cantando o jogaria de volta à sua bolha de esquecimento. Mas é claro que não fiz isso.

— Já nos distanciamos muito — disse eu, apontando a direção de onde viemos. Demos meia-volta e retornamos pela rua cujo nome ele esqueceu, passando pelos vizinhos que o cumprimentam e que ele não reconhece, para uma casa que ele não conhece. Em frente à casa, estava estacionado um carro com janelas revestidas de película. Viramo-nos para ver nossos reflexos. Perguntei a EP o que ele via.

— Um velho — respondeu. — Só isso.

Capítulo 5

O palácio da memória

Eu tinha combinado de encontrar Ed uma última vez antes de ele voltar para a Europa. Ele queria que fôssemos ao Central Park, que ainda não conhecia e que insistia ser uma parada obrigatória no seu tour pelos Estados Unidos. Depois de apreciar as árvores desnudadas do final do inverno e observar os corredores dando suas voltas do meio-dia em torno do Reservatório, chegamos ao extremo sul do parque, logo na frente do Hotel Ritz-Carlton, do outro lado da rua. Era uma tarde fria e com ventos brutais — não exatamente as condições ideais para qualquer tipo de pensamento, muito menos de memorização. Contudo, Ed insistia que ficássemos ao ar livre. Ele me entregou a bengala e escalou com disposição uma das grandes pedras perto do limite do parque, com alguma dor, pareceu-me, talvez devido à artrite crônica de suas juntas. Depois de esquadrinhar o horizonte e comentar sobre "sublimidade perfeita" do local, convidou-me para que me juntasse a ele no alto da rocha. Prometeu-me que poderia ensinar algumas técnicas básicas de memória em menos de uma hora. Era difícil imaginar que poderíamos resistir àquele clima por mais tempo que isso.

— Tenho que avisar a você — disse Ed, enquanto delicadamente se sentava de pernas cruzadas — que em breve você vai passar do distinto respeito pelas pessoas com boa memória para a sensação de "Oh, mas isso é só um truque estúpido". — Fez uma pausa e ergueu a cabeça, como se para ver se essa seria de fato minha resposta. — E você vai estar errado. Essa é uma fase infeliz pela qual terá que passar.

Começou a lição com o princípio mais básico de toda mnemônica: "codificação elaborativa". Explicou que nossas memórias não foram construídas para o mundo moderno. Como a visão, a capacidade da linguagem, a habilidade de andar ereto e todas as outras faculdades biológicas, a memória evoluiu através de um processo de seleção natural em um ambiente bem distinto daquele no qual vivemos hoje.

A maior parte da evolução que modelou os cérebros primitivos de nossos ancestrais pré-humanos para que se tornassem os cérebros modernos linguístico, simbólico e neurótico que hoje nos servem (às vezes muito mal) ocorreu durante o Pleistoceno, uma era iniciada há 1,8 milhão de anos e que terminou apenas dez mil anos atrás. Durante esse período — e em alguns lugares isolados, até hoje — nossa espécie ganhou a vida como caçadora coletora, e foram as demandas desse estilo que esculpiram o cérebro que temos hoje.Muito, como nosso gosto por açúcar e gordura, pode ter sido útil em um mundo com nutrição escassa, mas agora não passa de uma má adaptação a um mundo com uma ubiquidade de espeluncas de fast-food. Nossa memória não está perfeitamente adaptada à era da informação contemporânea. As tarefas que hoje são confiadas à nossa memória simplesmente não eram relevantes no ambiente em que o cérebro humano evoluiu. Nossos ancestrais não precisavam guardar números de telefone, palavra por palavra das instruções dos chefes, a ementa de história ou — porque viviam em grupos estáveis relativamente pequenos — os nomes de dúzias de estranhos em uma festa.

O que os primeiros humanos e nossos ancestrais hominídeos *precisavam* lembrar era onde encontrar alimentos e recursos, o caminho de casa e quais plantas eram comestíveis e quais eram venenosas. Era vital guardar isso para o dia a dia, e foi — ao menos em parte — para responder a essas exigências que a memória evoluiu de determinada maneira.

O princípio subjacente a todas as técnicas de memória é que nosso cérebro não se lembra de todos os tipos de informação da mesma forma. Somos tão excepcionais em reconhecer imagens (pense sobre o teste de reconhecimento de duas fotografias) quanto terríveis em lembrar outros tipos de informação, como listas de palavras ou de números. A chave das técnicas de memória é fazer o que o sinestésico S fazia instintivamente: pegar os tipos de memória que o cérebro tem dificuldade em manter e transformá-los em tipos para os quais foi construído.

— A ideia geral da maioria das técnicas é transformar qualquer coisa aborrecida instalada em nossas memórias em algo vívido, excitante e diferente de tudo que já foi visto, de modo que você não conseguirá esquecer — explicou Ed entre uma baforada e outra. — Isso é a codificação elaborativa. Em determinado momento, vamos fazer isso com uma lista de palavras, apenas como uma espécie de exercício geral para nos familiarizarmos com as técnicas. Depois, você vai ser capaz de passar para os números, as cartas e, depois, para conceitos complexos. Quando tivermos feito tudo, você será capaz de aprender qualquer coisa que queira, de verdade.

Ed me contou como, em recente viagem a Viena, ele e Lukas ficaram numa festa até o amanhecer, na véspera do maior exame do ano de Lukas. "Lukas acordou ao meio-dia, aprendeu tudo para o exame numa avalanche da memória e passou no teste", disse Ed. "Quando você é efetivo assim na aprendizagem, é meio tentador não se deixar incomodar por sentimentos de culpa acadêmica até o último momento. Lukas percebeu que esforço não é mais que um exercício muito vulgar."

Ed ajeitou seus cachos para trás das orelhas e me perguntou o que eu gostaria de memorizar primeiro.

— Podíamos começar aprendendo algo útil, como os faraós do Egito ou os mandatos dos presidentes dos Estados Unidos — sugeriu. — Ou quem sabe um poema do romantismo? Poderíamos experimentar com as eras geológicas, se você preferir.

Eu ri.

— Tudo isso soa *muito* útil.

— Poderíamos aprender rapidamente todos os jogadores vencedores de futebol americano do último século, ou as médias de pontos das melhores estrelas do beisebol, se preferir.

— Você sabe, *sabe mesmo*, todos os ganhadores do Super Bowl? — perguntei.

— Bem, não, não sei. Prefiro críquete. Mas ficaria feliz em ensinar para você. Este é o ponto: podemos aprender qualquer coisa com essas técnicas. Então, está tentado ou não?

— Estou tentado.

— Bem, suponho que o uso prático mais óbvio dessa técnica é o domínio de uma lista de coisas a fazer. Você mantém uma lista de coisas a fazer?

— Em casa, sim. Uma espécie de lista. De tempos em tempos.

— Entendo. Bem, sempre mantenho na mente uma lista de tarefas. Vamos usar a minha.

Ed pediu um pedaço de papel no qual rascunhou umas poucas palavras. Ele o devolveu para mim com um sorriso malicioso. Era uma lista de 15 itens.

— Apenas algumas coisas que eu tenho que pegar na cidade antes de ir a uma festa que um amigo vai dar mais ao norte da cidade — disse.

Li a lista em voz alta:

- *Picles de alho*
- *Queijo cottage*

- *Salmão (defumado na turfa, se der)*
- *Seis garrafas de vinho branco*
- *Meias (três pares)*
- *Três bambolês (sobressalentes?)*
- *Snorkel*
- *Máquina de gelo seco*
- *Mandar e-mail para Sofia*
- Catsuit *cor de pele*
- *Achar o filme do Paul Newman* — Marcado pela sarjeta
- *Linguiças de alce??*
- *Megafone e cadeira de diretor*
- *Arreios e cordas*
- *Barômetro*

— Fez essa lista de cor? — perguntei-lhe incrédulo.

— Da minha memória ela veio, para a sua memória ela irá — respondeu Ed.

— E esta lista é séria?

— Bem, não estou certo se vou conseguir achar tudo o que está aí. Vocês têm queijo cottage em Nova York?

— Estou mais preocupado com as linguiças de alce e o *catsuit* cor de pele — disse. — E, além disso, você não está indo para a Inglaterra amanhã?

— Vou. Tudo bem, estou preparado para aceitar que muitos desses itens não são *absolutamente* necessários. — Ele piscou. — O que importa nesse exercício, contudo, é que você vai decorar essa lista.

Ed contou que, ao aprender as técnicas que ele estava prestes a me ensinar, eu me integraria a uma "orgulhosa tradição de mnemonistas". Essa orgulhosa tradição começou, ao menos de acordo com a lenda, no século V a.C., com o poeta Simônides de Ceos, de pé no meio do entulho do desastre do grande salão de banquete na Tessália. Quando o poeta fechou seus olhos e reconstruiu o edifício desmoronado na imaginação, teve uma percepção extraordinária: lembrou-se de onde cada um dos convidados do fatídico jantar estivera sentado. Ainda que não tivesse feito qualquer esforço consciente para memorizar a disposição do salão, este tinha, contudo, deixado uma impressão duradoura na sua memória. Com essa simples observação, Simônides ganhou a reputação de ter inventado uma técnica que seria a base do que veio a ser conhecido como a arte da memorização. Ele percebeu que poderia substituir os convidados por qualquer outra coisa — por exemplo, todos os grandes dramaturgos gregos dispostos segundo a ordem do nascimento —, e mesmo assim teria se lembrado disso. E se, em vez de convidados, ele visse cada uma das palavras de um de seus poemas disposta em torno da mesa? Ou todas as tarefas que ele precisasse realizar naquele dia? Simônides concluiu que qualquer coisa que pudesse ser imaginada poderia ser impressa na memória e mantida em boa ordem, apenas aplicando-se a memória espacial no ato da recordação. Para usar a técnica de Simônides, tudo o que se tem a fazer é converter algo difícil de guardar, ou seja, uma sequência de números, um baralho de cartas, uma lista de compras ou o *Paraíso perdido* numa série de imagens de impacto e arranjá-las mentalmente dentro de um espaço imaginado, e de repente os itens olvidáveis tornam-se inolvidáveis.

Na prática, todo o bê-á-bá sobre o treinamento clássico da memória — de fato, quase todos os truques de memória compreendidos no arsenal dos atletas mentais — foi primeiro descrito em um texto curto, de autor desconhecido, chamado *Rhetorica ad Herennium*, datado entre 86 a.C. e 82 a.C. É a única discussão de fato completa das técnicas de memória inventadas por Simônides que sobreviveu durante a Idade Média. Embora os dois mil anos que se passaram tenham visto poucas inovações da arte da memória, as técnicas básicas permaneceram inalteradas em relação às descritas no *Ad Herennium*. “É a nossa bíblia”, disse Ed.

Ed lê latim e grego antigo (assim como fala francês e alemão com fluência) e se gaba por ser um classicista amador. O *Ad Herennium* foi o primeiro de diversos textos antigos que ele me passou. Antes de eu percorrer a extensa obra de Tony Buzan (ele é autor ou coautor de mais de 120 livros) ou qualquer um dos livros de autoajuda publicados por AMs de elite, Ed queria que eu começasse minha pesquisa com os clássicos. Além do *Ad Herennium,* eu teria que ler excertos do *Institutio Oratória,* de Quintiliano, e do *De Oratore,* de Cícero, seguidos por uma coleção de escritos medievais sobre a memória de Tomás de Aquino, Alberto Magno, Hugo de São Vítor e Pedro de Ravena.

As técnicas introduzidas no *Ad Herennium* eram amplamente praticadas no mundo antigo. Na verdade, em seus escritos sobre a arte da memória, Cícero dizia que as técnicas são tão bem-conhecidas que não sentia necessidade de desperdiçar tinta descrevendo-as em detalhes (daí termos que nos basear no *Ad Herennium*). Houve uma época em que todas as pessoas cultas eram versadas nas técnicas que Ed estava para me ensinar. O treinamento da memória era considerado elemento central da educação clássica nas artes da linguagem, no patamar da gramática, da lógica e da retórica. Os estudantes aprendiam não somente sobre o que lembrar, mas como lembrar.

Em um mundo com poucos livros, a memória era sacrossanta. Basta ver a *História natural* de Plínio, o Velho, a enciclopédia do século I que continha as crônicas de todas as coisas maravilhosas e úteis para ganhar apostas de bar no mundo clássico, incluindo as mais excepcionais memórias conhecidas da história. "O rei Ciro podia dizer o nome de todos os soldados de seu Exército", relata Plínio. "Lúcio Cipião conhecia os nomes de todo o povo romano. O enviado do rei Pirro, Cíneas, já conhecia todos do Senado e da cavalaria de Roma um dia após sua chegada... Um grego chamado Charmadas recitava o conteúdo de qualquer volume de qualquer biblioteca que lhe pedisse, como se estivesse lendo." Há muitas razões para não aceitar literalmente tudo o que Plínio dizia (ele também relatou a existência de uma raça de pessoas com cabeça de cachorro na Índia), mas o mero volume de anedotas sobre memórias extraordinárias no mundo clássico é, por si só, revelador. Sêneca, o Velho, podia repetir dois mil nomes na ordem que lhe fossem dados. Santo Agostinho se referiu a um amigo, Simplício, que podia recitar Virgílio de cor... de trás para frente. (Não que recitar na ordem direta pareça insignificante.) Uma grande memória era vista como uma grande virtude, já que representa a internalização de um universo de conhecimento externo. "Os antigos e os medievais reservavam sua admiração para a memória. Descrevem os maiores gênios como pessoas de memórias superiores", escreve Mary Carruthers, autora de dois livros sobre a história das técnicas mnemônicas. De fato, o tema individual mais comum na vida dos grandes santos — além de sua bondade sobre-humana — é a memória extraordinária.

A discussão sobre a memória no *Ad Herennium* — "aquele tesouro das invenções e guardião de todas as partes da retórica" — é na realidade bem curta, cerca de dez páginas incluídas em um tratado muito maior sobre retórica e oração. Começa com uma distinção entre memória natural e memória artificial: "A memória natural é a que está embutida em nossas mentes, nascida junto com o pensamento. A memória artificial é a fortalecida por uma espécie de treinamento e sistema de disciplina." Em outras palavras, a memória natural é o hardware com o qual nascemos. A memória artificial é o software que roda nesse hardware.

A memória artificial, continua o autor, possui dois componentes básicos: imagens e lugares. Imagens representam o conteúdo do que se deseja lembrar. Lugares — ou *loci*, como são chamados no original em latim — são onde essas imagens são armazenadas.

A ideia é criar um espaço no que chamamos "olho mental", um local que você conheça bem e que possa visualizar com facilidade, e então povoar esse lugar com imagens que representem tudo que se queira lembrar. Conhecido como o "método dos *loci*" (ou "método dos locais") pelos romanos, a construção acabaria sendo chamada de "palácio da memória".

Palácios da memória não precisam ser palaciais — nem mesmo edificações. Podem ser caminhos de uma cidade — como eram para S —, estações ao longo de uma via férrea, signos do zodíaco ou até criaturas míticas. Podem ser grandes ou pequenos, espaços internos ou ao ar livre, reais ou imaginários, desde que haja uma ordem que ligue um *locus* ao próximo e que os *loci* sejam intimamente familiares. O tetracampeão norte-americano de memória Scott Hagwood usa casas luxuosas que aparecem no *Architectural Digest* para armazenar suas memórias. Dr. Yip Swee Chooi, o vivaz campeão de memória da Malásia, usou partes do próprio corpo como *loci* para ajudá-lo a memorizar todas as 56 mil palavras e 1.774 páginas do dicionário Oxford chinês-inglês. Pode haver dúzias, centenas, talvez milhares de palácios, cada um construído para abrigar um conjunto diferente de memórias.

Na Austrália e no sudoeste dos Estados Unidos, os aborígenes e os índios apaches desenvolveram o método dos *loci* a seu modo. Mas, em vez de usar construções, baseavam-se na topografia local para posicionar as narrativas e as entoavam pela paisagem. Cada outeiro, rocha e riacho adotavam parte da história. "Mito e mapa tornam-se coincidentes", explica John Foley, antropólogo linguístico da Universidade do Missouri que estuda memória e tradições orais. Uma das trágicas consequências de embutir a narrativa na paisagem é que, quando os nativos tiveram suas terras tomadas pelo governo dos Estados Unidos, perderam não apenas o lar, mas também o folclore.

— O que deve ser compreendido, Josh, é que os humanos são muito bons em apreender espaços — observou Ed empoleirado na pedra. — Apenas para dar um exemplo, se você ficar sozinho por cinco minutos na casa de alguém que você nunca visitou e estiver disposto e curioso, imagine o quanto daquela casa poderá ser fixado na memória durante o breve período. Você poderia descobrir não apenas onde ficam os diferentes cômodos e como uns se conectam aos outros, mas também as dimensões e a decoração, como estão arrumados e onde se encontra cada janela. Sem realmente perceber, você teria lembrado a disposição de centenas de objetos e todos os tipos de dimensões que você nem sequer notou que tinha notado. Se você juntar toda essa informação, terá o equivalente a um curto romance. Mas nunca registramos isso como um feito da memória. Humanos simplesmente se empanturram com informação espacial.

O princípio do palácio da memória, continuou, é usar a nossa memória espacial excepcional para estruturar e armazenar informação cuja ordem não surge de forma tão natural — nesse caso, a lista de tarefas de Ed.

— O que você vai descobrir é que, do mesmo modo que é impossível se confundir em relação à ordem dos quartos de uma casa, é igualmente óbvio que, depois de eu localizar três bambolês, um snorkel e uma máquina de gelo seco, minha próxima tarefa será enviar o e-mail para Sofia.

O ponto crucial era escolher um palácio da memória com o qual eu estivesse intimamente familiarizado.

— Para o seu primeiro palácio da memória, gostaria que você usasse a casa onde cresceu, já que é um espaço que talvez conheça muito bem — disse Ed. — Vamos enfileirar os itens da minha lista, um a um, ao longo de um caminho que serpenteie a casa da sua infância. Quando chegar a hora de você lembrar a lista, tudo o que você terá que fazer será retraçar os passos que você estará a ponto de dar na sua imaginação. A expectativa é que todos os objetos que você memorizar daqui a pouco saltem de volta na sua mente. Agora, diga-me: a casa da sua infância é um bangalô?

— Está mais para uma casa de tijolos de dois andares — respondi.

— Tem uma linda caixa de correio perto da entrada de carro?

— Não, por quê?

— Pena. Seria um excelente primeiro local para depositar a imagem do primeiro item na nossa lista de tarefas. Mas tudo bem. Podemos começar na entrada da garagem. Quero que você feche os olhos e tente visualizar com o máximo de detalhes possível um grande frasco de picles de alho exatamente onde o carro deve ser estacionado.

Eu não estava muito seguro sobre o que eu tinha que visualizar.

— O que é picles de alho? É uma espécie de iguaria inglesa? — perguntei.

— Ahn, não, é apenas o tipo de salgadinho que se leva para um fim de semana nas montanhas. — Ele abriu outro sorriso malicioso. — Agora, é muito importante tentar lembrar essa imagem multissensorialmente. — Quanto mais ganchos associativos tem uma nova informação, com mais firmeza ela se encaixa na rede de coisas que você já sabe e com maior probabilidade permanece na memória. Assim como S de modo espontâneo e involuntário transformava cada som que passava pelos ouvidos em um coro de cores e aromas, o autor do *Ad Herennium* conclamava seus leitores a fazer o mesmo com cada imagem que quisessem lembrar.

— É importante que você processe essa imagem de maneira profunda, dedicando-lhe o máximo de atenção possível — continuou Ed. — Coisas que prendem sua atenção são mais fáceis de recordar, e atenção não é algo que simplesmente você possa querer: tem que ser agarrada pelos detalhes. Ao colocar imagens elaboradas, envolventes, vívidas na mente, é mais ou menos garantido que o cérebro acabe armazenando uma memória robusta, digna de confiança. Então, tente imaginar o agradável cheiro dos picles de alho e exagere nas proporções. Imagine estar provando-o. Deixe o sabor se espalhar pela língua. E tenha certeza de que você se observa fazendo isso na entrada da garagem. — Se eu não sabia o que eram picles de alho, sabia menos ainda o gosto que ele teria. Entretanto, imaginei um grande vidro do negócio orgulhosamente estacionado na entrada da garagem dos meus pais.

(Eu o encorajo, leitor, a me acompanhar nessa trajetória. Tente imaginar um vidro de picles de alho na entrada da sua garagem ou, se você não tem garagem, fora da sua casa. Tente visualizá-lo mesmo.)

— Agora que você instalou um quadro multissensorial completo do vidro de picles de alho, ande em direção à sua casa e visualize o próximo item da lista de tarefas na porta da frente. É o queijo cottage. Feche os olhos e imagine uma enorme piscina rasa de queijo cottage. Conseguiu?

— Acho que sim.

(E você?)

— Agora imagine a Claudia Schiffer nadando na piscina de queijo cottage. Quero que você a imagine nadando nua e cheia de creme. Está imaginando isso? Não quero que perca nenhum detalhe aqui.

O *Ad Herennium* dá conselhos detalhados sobre a criação de imagens para o palácio da memória: quanto mais divertidos, obscenos e bizarros, melhor. "Quando vemos no dia a dia coisas insignificantes, ordinárias, banais, em geral não conseguimos lembrá-las porque a mente não foi interrompida por nenhuma novidade, nenhuma maravilha. Mas, se vemos algo excepcionalmente baixo, vergonhoso, extraordinário, ótimo, inacreditável ou risível, *disso* será mais fácil se lembrar por um longo tempo."

Quanto mais vívida a imagem, maiores as chances de ela ficar cravada no seu *locus*. Eu estava aprendendo que o que forma único um grande mnemonista é a habilidade de criar essas boas imagens sem erro, de criar na mente uma cena tão diferente de qualquer coisa vista antes que não pode ser esquecida. E fazer tudo muito rápido. É por isso que Tony Buzan diz a qualquer um que o Campeonato Mundial é menos um teste de memória do que de criatividade.

Formar imagens ajuda a ter uma mente suja. A evolução programou o cérebro para achar duas coisas muito interessantes e, portanto, memoráveis: piadas e sexo — especialmente, ao que parece, piadas sobre sexo. (Você se lembra do que Rhea Perlman e Manute Bol estavam fazendo na primeira página desse livro?) Mesmo tratados de memória de épocas relativamente pudicas enfatizam esse ponto. Pedro de Ravena, autor do mais famoso texto sobre memória do século XV, pede perdão aos castos e religiosos antes de revelar "um segredo sobre o qual me tenho (devido à modéstia) silenciado durante muito tempo: se você desejar lembrar com presteza, disponha as imagens das mais belas virgens nos lugares da memória; a memória é maravilhosamente excitada por imagens de mulheres".

Achei, no entanto, um pouco difícil ficar excitado com Claudia Schiffer e sua piscina de queijo cottage. O vento gélido maltratava meu nariz e minhas orelhas.

— Hum, Ed, talvez nós pudéssemos continuar essa lição em um lugar fechado? — sugeri. — Deve haver uma Starbucks por perto.

— Não, não. Esse ar frio é bom para o cérebro — respondeu. — Agora, preste atenção. Acabamos de entrar pela porta da sua casa. Quero que você vire à direita com o seu olho mental. Qual é o próximo cômodo em que você vai entrar? — perguntou.

— A sala de estar. Tem um piano lá.

— Perfeito. Nosso terceiro item é salmão defumado na turfa. Vamos imaginar que embaixo das cordas do piano há um monte de turfa fumegante. E que, logo em cima das cordas do piano, está um salmão das Hébridas. Huuuummm... você consegue sentir o cheiro? — Ele inspirou no ar frio.

De novo, eu não tinha certeza do que salmão defumado na turfa era, mas parecia salmão defumado comum, e foi o que eu visualizei.

— O cheiro é ótimo — disse, com os olhos ainda fechados. *(Se você não tem um piano em casa, apenas coloque o salmão em algum lugar à esquerda da porta da frente.)*

O item seguinte na lista eram seis garrafas de vinho branco, que decidimos colocar no sofá branco manchado, junto do piano.

— Antropomorfizar as garrafas de vinho é uma boa ideia — sugeriu Ed. — Imagens animadas tendem a ser mais memoráveis do que imagens inanimadas. — Esse conselho também vem do *Ad Herennium*. O autor instrui os leitores a construir imagens de "excepcional beleza ou de feiura única", colocá-las em movimento e orná-las de modo a torná-las mais marcantes. Poderíamos "desfigurá-las, por exemplo, manchando com sangue, sujando de lama ou lambuzando com tinta vermelha", ou então prosseguir "acrescentando certos efeitos cômicos às imagens".

— Talvez você possa imaginar os vinhos discutindo entre si os méritos de cada um — sugeriu Ed.

— Assim, o sr. Merlot está falando...

— Merlot *não* é um vinho branco, Josh — interrompeu Ed, com uma risadinha de perplexidade. — Em vez disso, vamos imaginar que o chardonnay está insultando a qualidade terrosa do sauvignon blanc, enquanto o gewürztraminer não consegue conter o riso às custas do rieslings... Esse tipo de coisa.

Achei que essa era uma imagem divertida, que com certeza se fixaria na minha mente. Mas por quê? O que faz seis garrafas esnobes, antropomorfizadas, de vinho branco serem mais memoráveis do que as palavras "seis garrafas de vinho"? Bem, para começar, visualizar tal imagem insólita envolve mais deleite mental do que simplesmente ler quatro palavras. No processo de despender todo esse esforço mental, eu estava formando conexões mais duráveis entre os neurônios que codificam aquela memória. Mas, ainda mais importante, o aspecto memorável das quatro garrafas de vinho conversando é uma função da sua novidade. Apesar de já ter visto muitas garrafas de vinho na vida, nunca vi uma que conversasse. Se eu fosse apenas tentar lembrar as palavras "seis garrafas de vinho", essa memória em breve se fundiria com todas as minhas outras memórias de garrafas de vinho.

Pense: você se lembra de quantos almoços da semana passada? Você se lembra do que comeu hoje? Espero que sim. E ontem? Aposto que isso exige um momento de esforço. E anteontem? E uma semana atrás? Não se trata tanto da memória do almoço da semana passada ter desaparecido; se lhe for fornecida a pista certa, como onde você comeu ou com quem você estava, talvez recorde o que estava no prato. Mas antes, é difícil lembrar o almoço da semana passada porque seu cérebro o reduziu junto com todos os outros almoços que você teve a *apenas outro almoço*. Quando tentamos recordar algo na memória pertencente a uma categoria que inclui tantos casos como "almoço" ou "vinho", muitas memórias competem por nossa atenção. A memória do almoço da última quarta-feira não necessariamente desapareceu; é que falta o gancho certo para pescá-la em um mar de memórias da hora do almoço. Mas um vinho que fala... Isso é único. É uma memória sem concorrência.

— A seguir temos três pares de meias — continuou Ed. — Será que não há um lustre por perto, onde você possa pendurá-los?

— Sim, tem um lustre bem perto do sofá — respondi.

(Se você ainda estiver me acompanhando, deve pôr as seis garrafas de vinho e os três pares de meia em algum lugar no primeiro cômodo da sua casa.)

— Esplêndido. Conheço dois modos de fazer com que meias atraiam a nossa atenção. O primeiro é que elas sejam bem velhas e fedorentas. O outro é fazer delas aquelas incríveis meias de algodão com cores maravilhosas que você nunca conseguiria encontrar de verdade. Vamos fazer as meias do último tipo. Gostaria que você as visse penduradas no lustre. E, visto que muitas vezes é bom ter também um pouco de bobagem sobrenatural, talvez você pudesse imaginar um elegante fantasma dentro das meias que as estica e as puxa. Tente ver mesmo. Imagine a sensação daquelas macias meias de algodão roçando suavemente a sua testa.

Desse modo, segui Ed pela casa onde cresci, depositando imagens pelo caminho enquanto passava de um cômodo a outro em minha imaginação. Na sala de jantar, visualizei três mulheres com bambolês em cima da mesa. Entrando na cozinha, vi um homem com um snorkel mergulhando na pia e uma máquina de gelo seco soltando fumaça pela bancada. *(Você está me acompanhando?)* Depois, passei para o quartinho. O item seguinte era "mandar um e-mail para Sofia".

Abri os olhos para pedir ajuda a Ed e o vi lambendo a borda de um papel para fazer cigarro.

— Com o que se parece "mandar um e-mail para Sofia"?

— Ah, essa é difícil — disse ele, abaixando o cigarro. — Veja, "mandar um e-mail" não é fácil de gravar por si só. Quanto mais abstrato, menos memorável. Precisamos tornar o e-mail concreto de algum jeito. — Ed fez uma pausa e pensou por um momento. — O que eu gostaria de propor é que você imagine um travesti mandando o e-mail. Você pode fazer isso? E você precisará associar esse travesti a Sofia. Qual a primeira imagem que lhe vem à mente quando digo a palavra "Sofia"?

— A capital da Bulgária — respondi.

— Josh, você é mesmo muito culto. Parabéns. Mas, que pena, isso não é muito memorável. Em vez disso, vamos pegar a Sophia Loren. E vamos imaginá-la no colo do travesti que digita no computador. Visualizou? Você foi envolvido o suficiente por essa imagem? Esplêndido.

O ritmo da produção de imagens agora acelerava. Deixei a sala de estudos e visualizei uma mulher atraente dentro de um *catsuit* cor de pele ronronando no corredor. Coloquei Paul Newman em uma alcova próxima e um alce no alto da escada que leva ao porão. Desci pelas escadas até a garagem, onde depositei uma imagem de Ed sentado em uma cadeira de diretor gritando ordens por um megafone gigante. Então me imaginei apertando o botão que levanta a porta da garagem e caminhando para o jardim, onde um alpinista com arreios usava uma corda para subir em um carvalho de grande porte. E a imagem final, um barômetro, foi instalada junto à cerca do quintal.

— Para imaginar que é um BAR-ômetro, você deve ver uma coluna como um termômetro colocada em uma travessa de petiscos de bar — sugeriu Ed. Tendo completado o circuito pela minha casa, abri os olhos.

— Muito bem — disse Ed com um lento e deliberado aplauso. — Agora, acredito que você vai verificar que o processo de recordar essas memórias é incrivelmente intuitivo. Veja, normalmente as memórias são armazenadas mais ou menos ao acaso em redes semânticas, ou redes de associações. Mas agora você armazenou um grande número de memórias em um contexto muito controlado. Devido ao modo como funciona a cognição espacial, tudo o que você tem a fazer é retraçar os passos pelo palácio da memória, e, espera-se, elas simplesmente vão saltar na sua mente por cada ponto em que você depositou imagens. E tudo o que você deve fazer é retraduzir essas imagens nas coisas que você estava tentando saber em primeiro lugar.

Fechei os olhos e me vi de volta à entrada da garagem da casa dos meus pais. O enorme vidro de picles de alho estava exatamente onde eu o deixara. Tomei o caminho para a porta da frente. Lá estava Claudia Schiffer, esfregando-se sedutoramente com uma esponja em uma piscina de queijo cottage.

Abri a porta e virei à esquerda: senti bem presente o cheiro do peixe colocado sobre as cordas do piano, curando na fumaça de turfa. Senti o sabor na minha língua. Podia ouvir o vozerio agudo daquelas garrafas de vinho desdenhosas no sofá e sentia os três pares de meias no lustre roçando suavemente a minha testa. Não conseguia acreditar que realmente funcionava. Falei em voz alta para confirmar os cinco primeiros itens da lista de coisas a fazer de Ed.

— Picles de alho! Queijo cottage! Salmão defumado na turfa! Seis garrafas de vinho! Três pares de meia!

— Sensacional! — berrou Ed ao vento gelado. — Sensacional! Os predicados do material do KL7 estão aqui!

Bem, eu sabia que a minha performance não podia ser *tão* excepcional, tendo em vista as façanhas muito mais impressionantes que eu tinha testemunhado na véspera. No entanto, sentia-me muito bem com o meu sucesso. Continuei andando pela casa, colhendo as migalhas de pão das imagens exóticas que tinha depositado antes. "Três bambolês na sala de jantar! Snorkel na pia! Máquina de gelo seco na bancada!" Para a minha surpresa e satisfação, todas as 15 imagens estavam bem onde eu as tinha deixado. Mas fiquei me perguntando se essas memórias realmente estariam fixadas. Daqui a uma semana eu ainda me lembraria da lista de tarefas de Ed?

— Exceto pelo episódio de uma bebedeira homérica ou um bofetão no rosto, você vai descobrir que essas imagens estarão fixadas na mente por muito mais tempo do que você esperaria — prometeu Ed. — E se você revisitar o seu palácio da memória mais tarde esta noite e, de novo, amanhã à tarde, ou talvez uma semana depois, essa lista deixará uma impressão duradoura. E, tendo feito isso com 15 palavras, poderá fazer também com 1.500 palavras, desde que tenha um palácio do tamanho apropriado para armazená-las. E, após dominar as palavras aleatórias, poderá partir para as coisas realmente divertidas, como baralhos e *O ser e o tempo*, de Heidegger.

Capítulo 6

Como memorizar um poema

Minha primeira tarefa foi começar a colecionar arquitetura. Antes de poder iniciar qualquer nível sério de treinamento, primeiro necessitava de um estoque de palácios da memória à minha disposição. Eu saía para passear pela vizinhança. Eu visitava casas de amigos, o parque infantil local, o Oriole Park em Camden Yards, em Baltimore, a ala leste da Galeria Nacional de Artes. E eu viajei de volta no tempo: ao meu colégio, ao ensino fundamental, à casa na rua Reno onde minha família viveu até os meus quatro anos. Concentrei-me no papel de parede e na disposição dos móveis. Tentei sentir o assoalho debaixo dos meus pés. Rememorei os incidentes marcantes que ocorreram em cada cômodo. Entalhei, em cada edifício, locais que serviriam como escaninhos para as minhas memórias. O objetivo, segundo Ed, era conhecer tão bem essas construções — ter um conjunto de associações com tanta riqueza e textura para cada canto de cada cômodo — que, quando chegasse a hora de aprender algum corpo novo de informação, eu pudesse correr por meus palácios, espalhando imagens tão rápido quanto pudesse esboçá-las em minha imaginação. Quanto mais eu conhecesse o edifício, quanto mais me sentisse em casa, maior aderência teriam as minhas imagens, e mais fácil seria reconstruí-las mais tarde. Ed acreditava que eu necessitava por volta de uma dúzia de palácios da memória apenas para começar o meu treinamento. Ele tinha várias centenas, uma metrópole de armazéns.

Nesse ponto, para deixar tudo às claras, devo dizer uma ou duas palavras sobre como levava a vida na época que comecei minha prática diária do treinamento de memória. Eu era um recém-formado e tentava trabalhar como jornalista, morando à custa dos meus pais na casa onde tinha crescido, em Washington D.C. Dormia no quarto com um par de bandeirolas dos Baltimore Orioles em cima da janela e um livro de poesias de Shel Silverstein na prateleira, e trabalhando em um escritório improvisado no porão, em uma escrivaninha colocada entre a esteira de ginástica do meu pai e uma pilha de caixas cheias de velhas fotografias de família.

Meu escritório era coberto com *post-it* e longas listas com tarefas que precisava cumprir: retornar telefonemas, pesquisar ideias para artigos, completar afazeres pessoais e profissionais. Mais confiante depois do sucesso no Central Park, selecionei os itens mais urgentes, converti-os em imagens e arquivei-os em um palácio da memória que eu tinha construído com a casa de campo da minha avó. “Fazer a inspeção do carro” virou uma imagem do inspetor Bugiganga dando voltas com um velho Buick na entrada da garagem. “Achar o livro sobre reis africanos” deu um motivo para imaginar Shaka Zulu bradando uma lança na porta da frente. “Reservar passagem para Phoenix” levou-me a transformar a sala de estar em uma paisagem de deserto e de *canyons* e a imaginar uma fênix renascendo das cinzas no antigo bufê. Tudo estava muito bem, tudo estava muito bom, e até um pouco divertido, mas também era exaustivo. Percebi que, após memorizar uns dez *post-it*, sentia-me fisicamente cansado, como se meu olho mental estivesse ficando injetado, irritado. Era muito mais difícil do que parecia e menos eficiente do que supunha. E ainda havia alguns itens na parede com os quais não tinha a menor ideia do que fazer. Como deveria transformar números de telefone em imagens? O que deveria fazer com endereços de e-mail? Caí na cadeira com um punhado de *post-it* colados na palma da mão e olhei para a parede, que agora voltava a aparecer em alguns pontos, e me perguntei para que servia, afinal, tudo aquilo. Na verdade, aquelas notas estavam funcionando muito bem apenas coladas na parede. Com certeza a arte da memória tinha aplicações mais valiosas.

Levantei-me e peguei um volume da *Norton Anthology of Modern Poetry* da minha estante. O livro era um tijolo de 1.800 páginas que eu tinha comprado em um sebo havia um tempo e que não tinha aberto mais do que duas vezes. Se a antiga arte da memória era boa para alguma coisa, imaginei que com certeza seria para aprender a decorar poesia. Sabia que Simônides não era um herói do mundo antigo por ter descoberto um meio inteligente de lembrar listas de itens a fazer. Sua descoberta pretendia servir como um projeto humanizante. E o que poderia ser mais humanizante do que confiar a poesia à memória?

Eu já sabia que Ed estava sempre memorizando alguma coisa. Havia muito tempo ele tinha decorado o grosso de *Paraíso perdido* (a uma taxa de duzentas linhas por hora, contou) e abrira lentamente seu caminho por Shakespeare. "Minha filosofia de vida é que uma pessoa heroica deve ser capaz de resistir cerca de dez anos de confinamento solitário sem ficar terrivelmente entediada", disse. "Visto que uma hora de memorização fornece cerca de dez consistentes minutos de poesia recitada e que aqueles dez minutos têm conteúdo suficiente para manter uma pessoa ocupada um dia inteiro, imagino que se pode retirar ao menos um dia de diversão de uma hora de memorização... se alguma vez acontecer de a pessoa se encontrar em confinamento solitário."

Essa visão de mundo deve muito à coleção de textos sobre memória da Antiguidade e da Idade Média que Ed tentou me empurrar de forma implacável. Para esses autores, uma boa memória não tinha a ver apenas com a possibilidade de ter um acesso fácil à informação, mas de fortalecer a ética pessoal e tornar-se uma pessoa mais completa. Uma memória treinada era a chave para cultivar "julgamento, cidadania e piedade". O que se memorizava ajudava a modelar o próprio caráter. Assim como o segredo para se tornar um grande mestre do xadrez era aprender antigos jogos, o segredo para se tornar um grande mestre da vida era aprender antigos textos. Quando em apuros, ao que poderíamos recorrer em relação a como agir senão nas profundezas da memória? Uma mera leitura não resulta necessariamente em aprendizado — um fato com o qual me confronto toda vez que tento lembrar o conteúdo de um livro que acabei de ler. Para *realmente* aprender um texto, deve-se memorizá-lo. Como colocou o poeta holandês do começo do século XVIII Jan Luyken: "One book, printed in the Heart's own wax/ Is worth a thousand in the stacks."[3]

O modo antigo e medieval de ler era totalmente diferente do modo como lemos hoje. As pessoas não apenas memorizavam textos, mas ruminavam — mastigavam e depois regurgitavam como bolo alimentar — e, no processo, tornavam-se íntimas deles como se fossem parte delas. Como Petrarca disse em carta a um amigo: "Eu como de manhã o que digiro à noite; eu engulo como um rapaz o que ruminaria como um velho. Absorvi inteiramente esses escritos, implantando-os não só na minha memória, mas também na minha essência." Diziam que santo Agostinho estava tão embebido nos Salmos que estes, tanto quanto o próprio latim, constituíam a linguagem por excelência na qual ele escrevia.

Essa é uma fantasia sedutora: imaginei que, se eu pudesse aprender a memorizar como Simônides, seria capaz de guardar um monte de poesias de cor. Poderia dar uma passada pelo

[3] Em tradução livre, "Um livro impresso na cera do coração/ Vale por mil no balcão". (N. da T.)

melhor verso e *realmente* absorvê-lo. Imaginei tornando-me um desses admiráveis (embora às vezes insuportáveis) indivíduos que sempre têm uma citação conveniente a acrescentar em uma conversa. Imaginei tornando-me um repositório ambulante de versos.

Decidi tornar a memorização uma parte de minha rotina diária. Como usar fio dental. Com a diferença de que de fato eu iria fazer. Toda manhã, depois de acordar e de tomar café, mas antes de ler o jornal, tomar banho ou vestir roupas apresentáveis, eu sentava à escrivaninha e tentava passar dez a 15 minutos trabalhando num poema.

O problema era que eu não estava me saindo nada bem. Quando me sentava e tentava preencher um palácio da memória com o "Jaguadarte" de Lewis Carrol, um poema de 28 versos compostos quase inteiramente de palavras *nonsense*, não conseguia transformar "briluz" ou "lesmolisas touvas" em imagens, acabando por memorizar o poema no automático, o que era mesmo o que eu não deveria estar fazendo. A seguir, tentei "Canção de amor de J. Alfred Prufrock", um poema que sempre amei e do qual sabia alguns trechos. No quarto, as mulheres vinham e iam/ Falando de Michelângelo.[4] Como poderia esquecer isso? Ou melhor, como poderia lembrar? Deveria colocar uma imagem de mulheres indo e vindo, falando de Michelângelo no banheiro do meu tio? E como deveria ser essa imagem? Ou deveria formar uma imagem de mulheres, uma imagem de vinda, uma imagem de ida e uma imagem de Michelângelo? Estava confuso. E isso estava levando muito tempo. As técnicas de memória, que pareciam tão promissoras enquanto eu me encolhia, com os dedos dormentes, com Ed, sobre uma pedra no Central Park, não estavam funcionando muito agora que eu estava sozinho no porão da casa dos meus pais. Senti como se tivesse provado

[4] Tradução livre. No original: "In the room the women come and go/ Talking of Michelangelo." (N. da T.)

um par de tênis na loja, e depois, quando os usara em casa, tivessem provocado bolhas. Era evidente que eu estava fazendo algo errado.

Voltei ao meu recém-adquirido volume do *Rhetorica ad Herennium* e abri na parte que discute a memorização de palavras. Esperava encontrar alguma pista de por que eu estava me saindo tão mal, mas tudo o que o velho livro de dois mil anos podia oferecer era consolação. O autor reconhece de bom grado que decorar poesia e prosa é extremamente difícil. Mas o ponto é exatamente este. Ele explica que aprender textos vale a pena não porque é fácil, mas porque é custoso. "Acredito que aqueles que desejam fazer coisas fáceis sem problemas e sem trabalho devam primeiro treinar com as coisas mais difíceis", escreve.

TENDO COMEÇADO A FUÇAR as técnicas de memória, eu ainda não tinha ideia do verdadeiro escopo do empreendimento no qual estava embarcando. Ainda considerava meu projeto um experimento casual e inofensivo. Tudo o que eu queria saber era se eu realmente poderia aprimorar minha memória, e, se sim, quanto. Claro que não tinha levado a sério o desafio de Tony Buzan de competir no Campeonato de Memória dos Estados Unidos. Afinal de contas, havia mais de trinta atletas mentais que treinavam todos os anos para o evento, realizado em março em Nova York. Não havia razão para achar que um jornalista que com frequência esquece o próprio número do seguro social poderia competir contra os maiores nerds da memória do país. Mas, como logo fiquei sabendo, os norte-americanos estão para o circuito de memória como os jamaicanos para o circuito de *bobsled*: os piores em qualquer competição, ainda que tenham mais estilo, mas que, no cenário internacional, estejam abaixo da média tanto em termos de técnica quanto de treinamento.

Apesar de os melhores mnemonistas norte-americanos poderem memorizar centenas de números aleatórios em uma hora, os recordes dos Estados Unidos passam vergonha frente aos europeus. Em geral, ninguém no país leva o esporte tão a sério ao ponto de parar de beber três meses antes do Campeonato Mundial, como o octocampeão de memória Dominic O'Brien costumava fazer, e, pelas aparências, poucos competidores se envolvem no regime de treinamento físico rigoroso que Buzan recomenda. (Um de seus primeiros conselhos não solicitados para mim foi entrar em forma.) Ninguém toma diariamente copos de óleo de fígado de bacalhau ou suplementos de ômega-3. Somente um norte-americano, o tetracampeão nacional Scott Hagwood, foi admitido no KL7.

Embora os Estados Unidos realizem o campeonato nacional por tanto tempo, o melhor memorizador norte-americano acabou entre os cinco maiores uma única vez, em 1999. Talvez o fato de os Estados Unidos não produzirem nenhum dos melhores competidores de memória do mundo fale algo sobre nosso caráter — não somos tão obcecados por detalhes quanto os alemães, tão meticulosos quanto os britânicos ou tão dedicados quanto os malaios. Ou talvez, como um europeu me sugeriu, os norte-americanos enfraqueceram sua memória porque estão preocupados com o futuro, enquanto os povos do outro lado do Atlântico se voltam mais para o passado. Qualquer que seja a razão, ficou claro que, se eu desejasse aprender mais sobre a arte da memória — se quisesse estudar com os melhores do mundo —, teria que ir para a Europa.

Após várias semanas batalhando, com vários graus de êxito, para mobiliar meus palácios da memória com poesia, achei que era hora de pedir ajuda para elevar meus esforços ao próximo nível. O avô dos eventos do circuito de memória internacional anual, o Campeonato Mundial de Memória, seria realizado em Oxford, na Inglaterra, no fim do verão. Decidi que precisava ir e convenci a revista *Discover* a me enviar para escrever um artigo sobre a competição. Liguei para Ed perguntando se eu podia ficar na sua casa. Oxford era sua terra natal — onde ele tinha crescido, estudado e agora vivia com os pais em uma propriedade rural nos arredores da cidade, em uma casa de pedra do século XVII chamada Mill Farm.

Quando cheguei a Mill Farm (ou simplesmente "Milf", como Ed às vezes se referia) numa tarde ensolarada de verão, poucos dias antes do Campeonato Mundial de Memória, Ed me cumprimentou e carregou minhas malas para o quarto, o mesmo onde ele tinha crescido, com roupas espalhadas pelo chão e nove décadas de almanaques de críquete nas prateleiras. Em seguida, me levou à ala mais antiga da casa, um celeiro de pedra de quatrocentos anos, reformado, ligado à cozinha. Havia um piano no canto e tecidos coloridos pendendo do teto, restos de uma festa dada anos atrás nunca removidos. Nos fundos da sala estava uma longa mesa de madeira com oito maços de cartas dispostas na cabeceira.

— É aqui que eu treino — Ed disse, apontando uma sacada que se sobressaía na parte superior do celeiro. — Imagens de dígitos binários descem aos borbotões por aquelas escadas logo ali, à direita do cômodo. É exatamente aqui que você esperaria que um campeão de memória se exercitasse, não é?

Antes do jantar, um amigo de infância de Ed chamado Timmy passou para dar um alô. Descemos para encontrá-lo na mesa conversando com os pais de Ed, Teen e Rod, enquanto a irmã mais nova, Phoebe, cortava legumes na cozinha. Timmy dirigia uma companhia de desenvolvimento de aplicações on-line. Ele chegou numa BMW, com uma camisa polo franzida e um belo bronzeado.

Teen me apresentou e explicou, com uma risadinha, que Ed era o meu técnico de memória. Timmy não pôde acreditar que Ed ainda estava brincando com todo esse negócio de memória. Não tinha passado tempo o bastante desde que ele fora àquela viagem maluca para Kuala Lumpur?

— Edward, você não está nervoso com o fato de seu pupilo o ultrapassar? — perguntou Teen, aparentemente querendo zombar do filho.

— Não acho que isso seja motivo de preocupação para ninguém — disse eu.

— Bem, acho que eu proporcionaria um tremendo impulso para a educação — respondeu Ed, orgulhoso.

— Você acha que poderia fazer com que Ed tenha um trabalho comum? — perguntou Rod a Timmy.

Ed riu.

— Sim, poderia talvez dar cursos de treinamento de memória para seus empregados.

—Você poderia fazer programação — ofereceu Teen.

— Eu não sei programar.

— Seu pai pode lhe ensinar.

Rod fez uma pequena fortuna nos anos 1990 projetando softwares de computador e se aposentou cedo para levar uma vida de lazer e de atividades excêntricas. Tem se dedicado à apicultura e à jardinagem. Gostaria de tirar Mill Farm da rede elétrica pelo exercício de seus antigos direitos sobre a água e instalando um gerador hidrelétrico no riacho que corre perto da casa. Teen dá aula para crianças com deficiências de desenvolvimento em uma escola local, lê muito e joga tênis. Ela é bastante tolerante com as excentricidades de Ed, mas também tem esperanças comedidas de que Ed possa algum dia direcionar seus muitos talentos em uma direção mais focada, talvez mais útil socialmente.

— E que tal direito, Edward? — perguntou ela.

— Considero direito um jogo de zero a zero e, portanto, sem propósito — disse Ed. — Ser um bom advogado significa, normalmente, maximizar a injustiça. — Ed inclinou-se para mim. — Eu era um jovem bem promissor aos 18 anos.

Isso fez com que Phoebe metesse o bedelho:

— Mais ainda quando tinha 13.

Enquanto Ed estava no banheiro, perguntei a Rod se ele ficaria desapontado se seu filho acabasse como o próximo Tony

Buzan, um guru da autoajuda muito rico. Rod ponderou sobre a questão por alguns segundos e pôs a mão no queixo.

— Acho que eu preferiria que ele se tornasse um advogado.

Na manhã seguinte, na sala de avaliação da Universidade de Oxford, que recebia os maiores mnemonistas do mundo, Ed se espalhava em um sofá de couro, usando um boné amarelo e uma camiseta com os dizeres "Ed Kicks Ass–220" em letras garrafais na altura do peito, acima de uma ameaçadora fotografia dele mesmo, um desenho de um golpe de caratê e uma fotografia de um traseiro feminino de calcinha. (Além de transmitir um tom de ameaça para os adversários com um pouco de conversa chula, explicou ele, as três palavras "Ed Kicks Ass" ["Ed chuta o traseiro"] são um mnemônico que o ajuda a lembrar o número 220.) Fumava um cigarro (ele não leva muito a sério a parte do treinamento físico do esporte) e saudava calorosamente cada um dos competidores que vinham pelo corredor. Ele me informou que, desde a última vez que nos víramos, tinha conseguido um afastamento por prazo indefinido de seu programa de doutoramento em Paris para realizar "outros projetos". Ele também contou que os grandes planos dele e de Lukas para uma Oxford Mind Academy tinham sido abandonados por um tempo quando, não muito depois do Campeonato de Memória dos Estados Unidos, Lukas queimou gravemente os pulmões quando um truque de cuspir fogo deu errado.

Campeonatos de memória podem ser eventos patologicamente competitivos, e Ed descreveu a ostentação da sua camiseta como parte de uma "campanha de intimidação ostensiva", visando "em geral elevar a qualidade da gozação entre competidores... especialmente os alemães". Com esse objetivo, ele trouxe para o campeonato cópias de uma descarada folha de estatísticas, que estava entregando para a imprensa e seus companheiros de competição. O texto falava de seu caráter (na terceira pessoa) — "Irreverente, enérgico, pronto para qualquer coisa (especialmente para ontem)" — e de seu regime de treinamento — "Levantar cedo, ioga, saltos e superalimentos (incluindo mirtilos e óleo de fígado de bacalhau), quatro horas de treinamento e duas garrafas de vinho (proveniente do solo rico em potássio de Languedoc-Roussillon, no sul da França) por dia, um período de trinta minutos de reflexão ao pôr do sol, mantendo um diário on-line." Fazia menção de que suas "habilidades únicas" incluíssem sonhos lúcidos e sexo tântrico. Também descrevia Tony Buzan como "um campeão de dança de salão e um mentor durante toda minha puberdade" e suas crenças sobre o futuro da memória competitiva: "Espera-se que se torne um esporte olímpico antes de 2020", quando ele "planeja se aposentar para uma vida de sinestesia e senilidade". Seus planos para depois do campeonato: "Revolucionar a educação ocidental."

Sentado no sofá próximo a ele, estava o lendário campeão de memória Ben Pridmore, um homem que, até aquele momento, eu conhecia apenas pelo Google e pela fama. (Ouvi falar que ele podia memorizar um baralho de cartas na mesma velocidade em que as virava.) Ben usava uma camiseta gasta com dizeres do escritor infantil Dr. Seuss ("Um peixe, dois peixes, peixe vermelho, peixe azul"), com um colarinho todo alargado e uma pochete engraçada. Também portava um chapéu de agente funerário de couro australiano com uma enorme aba negra que confessava ter usado todos os dias durante os últimos seis anos. "É o meu truque", disse com suavidade. "Faz parte da minha alma." A seus pés estava uma mochila preta e rosa com as palavras "Pump it up" grafitadas na parte de trás. Ele nos informou que havia 22 maços de cartas dentro dela e que pretendia memorizar tudo no dia seguinte em apenas uma hora.

Careca, barba escura, óculos enormes e olhos abertos e vivazes, Ben parecia um personagem saído dos desenhos de

Robert Crumb. Tinha até os mesmos ombros encolhidos e o mesmo andar encurvado. As solas dos sapatos arrebentados batiam no chão como chinelos. Ele falava com um suave sotaque, ligeiramente nasal, de Yorkshire, que transformava "my" em "me". "I hate *me* voice" ["Eu odeio *mi* voz"], disse ele, explicando por que tinha sido tão reservado ao retornar meus telefonemas nas semanas anteriores. Uma das primeiras informações que dividiu comigo foi que ele acreditava ser o mais jovem a ter evadido de uma universidade na Inglaterra. "Fui admitido na Universidade de Thames quando tinha 17 anos, mas larguei seis meses depois. Agora estou com 28, o que é um pouco deprimente. Estou começando a me sentir como o ancião dos esportes de memória. Sabe, em outros tempos fui um dos novatos mais bem-cotados."

A má sorte parecia ter tomado conta de Ben. Ele não tinha intenção de participar do Campeonato Mundial de Memória. Em vez disso, dedicou os últimos seis meses para memorizar os primeiros cinquenta mil dígitos da constante matemática pi, que planejava recitar na Olimpíada dos Esportes da Mente, um festival de sete dias que seria realizado uma semana depois do Campeonato Mundial. Esse teria sido um novo recorde mundial. Mas um misterioso mnemonista japonês de nome Akira Haraguchi surgiu do nada para memorizar 83.431 dígitos apenas um mês antes. Ele levou 16 horas e 28 minutos para recitá-los. Ben leu sobre a façanha na internet e foi obrigado a reavaliar seus planos. Em vez de tentar aprender outros 33.432 dígitos, ele desistiu e se dedicou a defender o título de campeão mundial. Gastou quase todo tempo livre das últimas seis semanas limpando seus palácios da memória dedicados ao pi de modo que pudesse reutilizá-los no campeonato de memória.

A maioria dos atletas do circuito da memória conhece o esporte do mesmo modo que eu: em determinado momento observaram alguém realizar um truque de memória extravagante, acharam legal, aprenderam o macete por detrás e então foram para casa e tentaram por conta própria. Mas Ben pulou um passo crucial. Ele viu alguém memorizando cartas, achou legal e foi para casa tentar fazer o mesmo. Ninguém lhe contou como fazer. Sem usar qualquer técnica, ele só olhava as cartas repetidas vezes até ficarem impressas na cabeça. E o fato surpreendente é que ele continuou fazendo o mesmo durante vários meses, com a suposição de que no fim ele ficaria mesmo bom nisso. Conseguiu reduzir seu tempo para 15 minutos usando apenas a memorização automática, um feito por muitos aspectos mais impressionante do que seu recorde mundial de 32 segundos usando técnicas. Foi quando se apresentou no seu primeiro campeonato mundial, em 2000, que descobriu o palácio da memória. Depois do primeiro dia de eventos (ele terminou perto do último lugar), foi a uma livraria, comprou um dos livros de Tony Buzan, decidiu que aquilo era uma coisa para a qual tinha talento e esqueceu todos os outros campos de interesse extracurriculares, incluindo a tentativa de ter uma vida dedicada a assistir a todos os 1.001 desenhos lançados pela Warner Bros. entre 1930 e 1968.

Ben está preparando um livro chamado *How to Be Clever* [Como ser mais inteligente], que ensina a calcular o dia da semana de cada data da história, a memorizar um maço de cartas e a arrasar em um teste de QI. "O livro é sobre fazer as pessoas pensarem que você é um geniozinho sem que de fato se torne mais inteligente", contou. "O problema é que não tenho escrito muito porque sempre tenho coisas mais importantes para fazer, como assistir a desenhos. Se eu tentasse escrever um livro sério sobre como melhorar a vida de todos nós, eu produziria um lixo porque não tenho a menor ideia de como melhorar a minha vida."

O FAVORITO PARA LEVAR o título de Ben no campeonato era o dr. Gunther Karsten, o padrinho do esporte na Alemanha, um homem de 43 anos, calvo e com um rosto angular, que tinha ganhado todas as competições nacionais desde 1998. Gunther se apresentou usando o que descobri ser seu uniforme: um imponente par de protetores de ouvido negros e óculos de sol metálicos cujas lentes eram completamente opacas, exceto por dois pequenos orifícios. "Estímulos exteriores", como Gunther chama, são a *bête noir* do memorizador. (Um mnemonista dinamarquês aposentado costumava competir usando viseiras de cavalo.) Ele também usava uma fivela dourada com suas iniciais gravadas, uma corrente de ouro sobre uma camiseta branca apertada e calças de marinheiro pretas que balançavam na bainha. Gunther contou que, na universidade, foi modelo fotográfico para os carros da Nissan e, dependendo de como o olhasse, era parecia vilão de filme de James Bond, ora um patinador de gelo envelhecendo. Ele estava em ótima forma física e era, como logo pude constatar, um competidor feroz. Apesar de ter uma das pernas ligeiramente mais curta do que a outra (devido a uma doença óssea infantil), ele participa — e ganha — de provas de corrida para a meia-idade. Levava consigo uma maleta de metal brilhante, trancada, cheia de maços de cartas (entre vinte e trinta que ele planejava memorizar. Não me dizia o número exato por medo de que a informação chegasse a Ben Pridmore.

A competição teve lugar no grande salão coberto com painéis de carvalho de um dos antigos edifícios de Oxford, com altas janelas góticas e enormes retratos do terceiro conde de Litchfield e do 14º conde de Derby. A sala estava disposta da mesma maneira de quando era usada durante o período escolar, para aplicar exames nos estudantes de graduação de Oxford. Havia quatro dúzias de carteiras, sobre as quais estava preso um cronômetro digital de 15 centímetros de altura, usado para a última e mais excitante prova da competição: a memorização de cartas, em que os competidores corriam para decorar um único baralho o mais rápido possível.

Diferente do Campeonato de Memória dos Estados Unidos, que tinha apenas cinco provas, nenhuma com mais de 15 minutos de duração, o Campeonato Mundial é referido com frequência como um "decatlo mental". Suas dez provas, chamadas "disciplinas", estendem-se por três exaustivos dias e testam a memória dos competidores de modos ligeiramente diferentes. Os participantes têm que memorizar um poema nunca antes publicado, com a extensão de várias páginas, páginas de palavras aleatórias (recorde: 280 em 15 minutos), listas de dígitos binários (recorde: 4.140 em trinta minutos), maços de cartas embaralhadas, uma lista de datas históricas, nomes e rostos. Algumas disciplinas, denominadas "provas de velocidade", testam quanto os participantes podem memorizar em cinco minutos (recorde: 405 dígitos). Duas disciplinas de maratona testam quantos maços de cartas e dígitos aleatórios podem ser memorizados em uma hora (recordes: 2.080 dígitos e 27 maços de cartas).

O primeiro Campeonato Mundial de Memória foi realizado no chique Athenaeum Club de Londres, em 1991. "Pensei: isso é insano", recorda-se Tony Buzan. "Temos campeonatos de palavras cruzadas. Temos campeonatos de xadrez, bridge, pôquer, damas, buraco e *go*. Temos campeonatos de feira de ciências. E para o maior, o mais fundamental de todos os processos cognitivos do ser humano, memorizar, não há um campeonato." Ele também sabia que a ideia de um campeonato mundial de memória teria um apelo irresistível para a mídia e seria um meio interessante de promover seus livros sobre treinamento mental.

Com o auxílio do amigo Raymond Keene, grande mestre de xadrez britânico que escreve uma coluna diária sobre xadrez no *Times* de Londres, Buzan enviou cartas a algumas pessoas que ele sabia que estavam envolvidas em treinamento de memória e publicou um anúncio no jornal divulgando a competição. Sete pessoas apareceram, incluindo uma enfermeira psiquiátrica chamada Creighton Carvello, que memorizou o número de telefone de todos os Smith nas listas amarelas de Middlesbrough, e Bruce Balmer, que estabeleceu um recorde ao memorizar duas mil palavras estrangeiras em um único dia. Vários competidores usavam smoking.

Os COMPETIDORES NÃO ADOTAM mais um traje tão rígido, mas o restante tornou-se muito mais sério no campeonato desde 1991. O que começou como uma competição de um dia foi expandido para ocupar um fim de semana inteiro. De todas as disciplinas no decatlo de memória de três dias, a primeira de todas, a do poema, era a mais temida. Devido aos meus esforços balbuciantes para memorizar poesia, era a única prova que queria acompanhar mais de perto. Todo ano, Gunther faz lobby para retirar a prova da competição, ou ao menos criar regras que sejam mais — como ele diz — "objetivas". Mas foi com a poesia que a memorização começou, e extirpá-la da competição porque alguns competidores acham-na difícil iria contra a premissa subjacente ao campeonato de que a memorização é uma atividade criativa e humanizante. Assim, um novo poema inédito é encomendado todo ano para o Campeonato Mundial. No início da competição, no começo dos anos 1990, ele era escrito pelo poeta laureado britânico Ted Hughes, referido por Tony Buzan como "um velho amigo". Desde a morte de Hughes, em 1998, o poema tem sido escrito pelo próprio Buzan. Esse ano, o poema de 108 versos livres, intitulado "Miserare", vem de uma coleção denominada *Réquiem para Ted*. Ele começa assim:

> Com a maioria das coisas do Universo
> Estou feliz:
> Supernovas
> A Nebulosa Cabeça de Cavalo
> O Caranguejo

As nuvens do tamanho de anos-luz
Que são o Ventre das Estrelas[5]

Ele continua com a lista de coisas com as quais Tony Buzan está feliz, incluindo "as frias bolas de Deus", e termina assim:

Eu <u>não</u> estou feliz
Que Ted
Esteja Morto[6]

Os competidores tinham 15 minutos para memorizar o máximo de versos possível e então trinta minutos para escrevê-los em uma folha de papel. Para obter o ponto inteiro por verso, ele teria que reproduzir perfeitamente, inclusive cada letra maiúscula e sinal de pontuação. Quem não sublinhasse o "não" em "não estou feliz" ou quem se equivocasse pensando que Ted estava "morto" sem um "m" maiúsculo perderia metade do ponto pelo verso.

A questão de qual é a melhor maneira de memorizar um texto ou uma fala preocupa os mnemonistas há milênios. Os primeiros tratados de memória descreviam dois tipos de rememoração: *memoria rerum* e *memoria verborum*, memória para as coisas e memória para as palavras. Ao abordar um texto ou um discurso, pode-se tentar lembrar sua essência ou tentar lembrá-lo literalmente. Quintiliano, o mestre romano de retórica, desprezava a *memoria verborum*, sustentando que criar um vasto número de imagens não só era ineficiente, a partir do momento em que se exigiria um palácio da memória gargantuesco, como também instável. Se nossa memória para um discurso depender do conhecimento de cada palavra, então

[5] Tradução livre. No original: "With most thing in the Universe/ I am happy:/ Supernovas/ The Horse Head Nebula/ The Crab/ The light-years-big clouds/ That are the Womb of the Stars." (N. da T.)

[6] Tradução livre. No original: "I am <u>not</u> happy/ That Ted/ Is Dead." (N. da T.)

não apenas você terá muito mais para lembrar, como também, se esquecer uma única palavra, terminará aprisionado em um cômodo do seu palácio da memória olhando uma parede em branco, perdido e incapaz de continuar.

Cícero concordava que o melhor meio de memorizar um discurso era ponto a ponto, e não palavra por palavra, empregando a *memoria rerum*. Em *De Oratore*, ele sugeria que um orador, ao fazer um discurso, deve ter uma imagem para cada grande tópico que deseja cobrir e colocar cada uma dessas imagens em um *locus*. De fato, a palavra "tópico" vem do grego *topos*, lugar. (A locução "em primeiro lugar" é um vestígio da arte da memória.)

O cérebro não é muito bom em lembrar as palavras com precisão, fato que podemos verificar no famoso exemplo das escutas do caso Watergate, de 1973. Em seu testemunho perante o Comitê de Investigação de Watergate do Senado, John Dean, o conselheiro do presidente Richard Nixon, relatou aos congressistas o conteúdo de dúzias de encontros relacionados ao encobrimento da invasão. Para o desespero do presidente e para o deleite do comitê, Dean foi capaz de repetir literalmente muitas conversas ocorridas no Salão Oval. Sua rememoração foi tão detalhada e talvez tão precisa que os repórteres passaram a chamá-lo de "o gravador humano". Na ocasião, ainda não estava revelado que havia de fato um aparelho no Salão Oval gravando as conversas que ele reconstruíra de memória.

Enquanto o país acompanhava as implicações políticas dessas gravações, o psicólogo Ulric Neisser viu as fitas como uma valiosa base de dados. Neisser comparou as transcrições com o testemunho de Dean, analisando em que a memória de Dean acertou ou errou. Não apenas Dean não lembrava as citações específicas com exatidão — isto é, *verborum* —, como também não lembrou os pontos essenciais do que estava sendo discutido — *rerum*. Mas, mesmo quando as memórias estavam erradas em episódios isolados, observa Neisser, "havia um sentido inteiramente correto em sua fala". Os temas principais do testemunho estavam íntegros: "Nixon queria que o acobertamento fosse bem-sucedido; ficou satisfeito quando deu certo; ficou perturbado quando começou a ser desvendado; estava perfeitamente disposto a considerar que atividades ilegais estendessem seu poder ou confundissem seus inimigos." John Dean não descreveu de modo deturpado, argumenta Neisser: ele errou nos detalhes, mas apreendeu corretamente o conteúdo importante. Todos fazemos o mesmo quando tentamos recontar nossas conversas, porque, sem um treinamento especial, a memória tende a prestar atenção apenas ao assunto geral.

Faz sentido que os cérebros trabalhem desse modo. O cérebro é um órgão que nos exige muito. Ele corresponde a apenas 2% da massa corporal, mas consome um quinto do oxigênio que respiramos e é onde um quarto da glicose é queimada. O cérebro é a peça mais dispendiosa do nosso corpo do ponto de vista energético e foi adestrado de maneira impiedosa pela seleção natural para ser eficiente nas tarefas em que se envolve. Pode-se dizer que toda a razão de ser do nosso sistema nervoso é, desde os órgãos sensoriais que se alimentam de informação ao aglomerado de neurônios que a interpreta, fornecer um sentido ao que está acontecendo no presente e ao que irá acontecer no futuro, para que possamos responder do melhor modo possível. Deixando de lado as emoções, o ato de filosofar, as neuroses e os sonhos, o cérebro, no sentido mais básico, é fundamentalmente uma máquina de previsão e de planejamento. E, para funcionar de maneira eficiente, eles têm que encontrar ordem no caos das possíveis memórias. Da vasta quantidade de dados despejados pelos sentidos, o cérebro deve rapidamente separar as informações que têm maior probabilidade de dar algum suporte ao futuro, prestar atenção a elas e ignorar o ruído. Muito do caos que o filtro de nosso cérebro não deixa passar é constituído por palavras, porque com muita frequência a linguagem para transmitir uma ideia é apenas uma maquiagem. O que importa é *res*, o significado dessas palavras. E é disso que os cérebros se lembram muito bem. Na vida real, é raro que se peça a alguém que recorde *ad verbum* de algo, fora em depoimentos no congresso ou em prova de poesia do Campeonato Mundial de Memória.

Até o último tique do relógio da história, transmissão cultural significava transmissão oral, e a poesia, passada pelo boca a boca, era o meio primordial de se transferir informação de um lugar a outro e entre gerações. A poesia oral não era simplesmente um meio de contar histórias importantes ou adoráveis, ou de projetar a imaginação. Era, como defende o classicista Eric Havelock, "um repositório colossal de conhecimento útil, uma espécie de enciclopédia de ética, política, história e tecnologia que o verdadeiro cidadão devia aprender como o cerne de seu equipamento cultural". As grandes obras orais transmitiam uma herança cultural partilhada, guardada para uso comum não em estantes, mas em cérebros.

Nas culturas orais do mundo todo, existiram memorizadores profissionais para transmitir a herança. Na Índia, toda uma classe de sacerdotes era encarregada de memorizar os Vedas com perfeita fidelidade. Na Arábia pré-islâmica, indivíduos conhecidos como *rawi* estavam muitas vezes na companhia de poetas para serem seus memorizadores profissionais. Os ensinamentos de Buda foram passados por uma cadeia de tradição oral por quatro séculos antes de serem registrados por escrito no Sri Lanka no primeiro século a.C. E por séculos um grupo de gravadores de aluguel chamados *tannaim* (literalmente, "recitadores") memorizava a lei oral em nome da comunidade judaica.

As mais famosas obras da tradição oral do Ocidente, e as primeiras a serem estudadas de forma sistemática, foram a *Odisseia* e a *Ilíada* de Homero. Os dois poemas — possivelmente os primeiros a terem sido escritos com o alfabeto grego — foram por muito tempo considerados arquétipos literários. Contudo, mesmo que tenham sido celebrados como modelos aos quais toda a literatura deveria aspirar, as obras-primas de Homero também foram por muito tempo fonte de constrangimento entre os eruditos. Os primeiros críticos modernos sentiam que, de algum modo, elas eram qualitativamente diferentes de tudo o que veio depois — e mesmo um pouco peculiares. Por exemplo, ambos os poemas eram curiosamente repetitivos no modo como se referiam aos personagens. Ulisses era sempre o "astuto Ulisses". A aurora tinha sempre "róseos dedos". Por que alguém escreveria dessa forma? Algumas vezes os epítetos pareciam completamente fora de registro. Por que chamar o assassino de Agamenon de o "irrepreensível Egisto"? Por que se referir a "Aquiles de pés rápidos", mesmo quando ele estava parado? Ou a "risonha Afrodite", mesmo quando estava aos prantos? Em termos tanto de estrutura quanto de tema, a *Odisseia* e a *Ilíada* seguem fórmulas de um modo curioso, ao ponto da previsibilidade. As mesmas unidades narrativas — reunião de exércitos, defesas heroicas, desafios entre rivais — reaparecem de forma repetida, apenas mudando os personagens e as circunstâncias. No contexto dessas obras-primas, tão elegantemente tecidas, as esquisitices pareciam difíceis de explicar.

No âmago das inquietações sobre essas primeiras obras da literatura estavam duas questões fundamentais. Em primeiro lugar, como a literatura grega poderia ter surgido do nada com duas obras-primas? Com certeza algumas histórias menos primorosas devem ter aparecido antes, mas as duas estão entre as primeiras de que se tem um registro. E, em segundo lugar, quem exatamente foi o autor? Ou será que foram autores? Não há relatos históricos de Homero, e não existe nenhuma biografia confiável, exceto por algumas pistas autorreferenciais embutidas nos próprios textos.

Jean-Jacques Rousseau foi um dos primeiros críticos modernos a sugerir que Homero pode não ter sido um autor no sentido contemporâneo: uma única pessoa que se sentava, escrevia uma história e então publicava para que outros a lessem. Em *Ensaios sobre a origem das linguagens*, de 1781, o filósofo suíço sugere que a *Odisseia* e a *Ilíada* poderiam ter sido "escritas apenas nas memórias dos homens. Tempos depois, foram laboriosamente recolhidas em escritos" — embora sua inquirição sobre o tema só tenha chegado até esse ponto. Também escrito no século XVIII, um diplomata e arqueólogo inglês chamado Robert Wood sugeriu que Homero era iletrado, e que suas obras tiveram que ser guardadas na memória. Essa era uma teoria revolucionária, mas Wood não conseguiu embasá-la com uma hipótese que explicasse como Homero poderia ter realizado um feito mnemônico tão espantoso.

Em 1795, o filólogo alemão Friedrich August Wolf argumentou pela primeira vez que as obras de Homero não só não tinham sido *escritas* por Homero, como também elas não eram nem mesmo *de* Homero. Em vez disso, eram uma coleção dispersa de canções transmitidas por gerações de bardos gregos e que somente foram redigidas em alguma data tardia.

Em 1920, um intelectual de 18 anos chamado Milman Parry considerou a questão da autoria no caso de Homero em sua dissertação de mestrado na Universidade de Berkeley, na Califórnia. Ele sugeriu que a razão de os épicos de Homero parecerem distintos do restante da literatura era porque eles *eram* uma literatura diferente. Parry tinha descoberto o que Wood e Wolf não perceberam: a evidência de que os poemas tinham sido transmitidos oralmente estavam exatamente ali, no próprio texto. Todas aquelas esquisitices estilísticas, incluindo a estrutura em fórmulas, os elementos recorrentes da trama e os epítetos bizarramente repetitivos — "astuto Ulisses" e "Atena dos olhos cinzentos" —, que sempre deixaram os leitores embasbacados, eram na realidade uma espécie de impressão digital deixada por um oleiro: vestígios concretos de como os poemas foram construídos. Eram recursos mnemônicos que ajudavam o(s) bardo(s) a acertar a métrica e o padrão do verso e a lembrar a essência dos poemas. O maior autor da Antiguidade na verdade era, argumentava Parry, apenas "um de uma longa tradição de poetas orais que compunham sem qualquer auxílio da escrita".

Parry percebeu que, se quiséssemos criar poemas para decorar, a *Odisseia* e a *Ilíada* seriam exatamente esse tipo. Dizem que os clichês constituem o pior pecado que um escritor pode cometer, mas para a tradição oral eles são essenciais. A grande razão pela qual os clichês se integram com tanta facilidade na fala e na escrita — sua memorabilidade insidiosa — é exatamente o importante papel que desempenham na contação de histórias. E a *Odisseia* e a *Ilíada*, desculpe-me o clichê, estão enredados neles. Em uma cultura dependente da memória, é fundamental, nas palavras de Walter Ong, que as pessoas "tenham pensamentos memoráveis". O cérebro tem mais facilidade de se lembrar do que é repetitivo, rítmico, rimado, estruturado e, acima de tudo, visualizável. Os princípios que os bardos orais descobriram, à medida que modelavam suas histórias pela citação e recitação, são os mesmos princípios mnemônicos básicos que os psicólogos redescobriram quando começaram a conduzir os primeiros experimentos científicos sobre o assunto na virada do século XX: palavras que rimam são mais fáceis de guardar do que palavras que não rimam; substantivos concretos são mais fáceis de decorar que substantivos abstratos; imagens dinâmicas são mais memoráveis do que imagens estáticas; aliteração ajuda a memória. Um furão de pele listrada dando uma enterrada é uma imagem que gruda mais do que um mustelídeo estampado executando uma atividade atlética.

A canção era o mais útil de todos os truques mnemônicos empregados pelos bardos. Como qualquer um que se pegou cantando um refrão de propaganda pode comprovar, se transformamos um conjunto de palavras em um jingle, o refrão pode nunca mais sair de nossa cabeça.

É pela descoberta de padrões e estruturas na informação que o cérebro apreende o significado do mundo, e musicar ou rimar palavras é um modo de acrescentar níveis extras de padrão e estrutura à linguagem. Essa é a razão por que os bardos da época de Homero cantavam seus poemas orais épicos, por que a Torá é marcada com pequenas notações musicais e por que as crianças aprendem o alfabeto por cantigas, e não como 26 letras isoladas. A canção é o dispositivo supremo de estruturação da linguagem.

Depois de se mudar para Harvard e de se tornar professor assistente, Parry tomou uma direção nada convencional com o seu trabalho. Em vez de se debruçar sobre antigos textos gregos, o jovem classicista partiu para a Iugoslávia em busca dos últimos bardos que ainda praticavam uma forma de poesia oral semelhante à arte homérica. Retornou a Cambridge com várias gravações que formaram a base de um novo ramo de pesquisa acadêmica das tradições orais.

Em seu trabalho de campo, Parry descobriu que, em vez de transmitir o texto de bardo para bardo e de geração para geração, os contistas contemporâneos dos Bálcãs (presumivelmente como seus antigos antecessores homéricos) comunicam um conjunto de regras e de restrições que permitiriam ao bardo — qualquer bardo — reconstruir o poema toda vez que o recitasse. Cada recontação da história não era idêntica à anterior, mas era aproximada.

Quando se perguntava aos bardos eslavos se eles repetiam as canções com exatidão, eles respondiam: "Palavra por palavra, verso por verso." E, apesar disso, se comparadas às gravações de duas apresentações, a diferença era clara. Palavras mudavam, versos eram trocados de lugar, passagens desapareciam. Os bardos eslavos não exageravam na autoconfiança, eles simplesmente não tinham o conceito da recordação literal. Não que isso devesse ser surpreendente. Sem a escrita, não havia meio de verificar se algo estava sendo recitado com precisão.

A variedade embutida na poesia das tradições orais permite que o bardo adapte o material à sua audiência e também que surjam versões mais memoráveis do poema. Os folcloristas têm comparado os poemas orais a pedras polidas pela água. As muitas recitações os tornam lisos à medida que os pedaços mais difíceis de recordar são desbastados, ou tornam-se mais fáceis de reter e de repetir. Digressões irrelevantes são esquecidas. Palavras longas ou raras são evitadas. Dadas a imagética, a aliteração e a necessidade de se respeitar a métrica do verso, o bardo dos épicos no dia a dia não tem muitas palavras possíveis para escolher. A estrutura escreve o poema. De fato, o trabalho dos sucessores de Parry mostrou que quase todas as palavras da *Odisseia* e da *Ilíada* se encaixam em algum tipo de esquema ou padrão que torna os poemas mais fáceis de lembrar.

NÃO É COINCIDÊNCIA QUE a arte da memória tenha sido inventada por Simônides exatamente na época em que o uso da escrita estava em ascensão na Grécia antiga, por volta do século V a.C. A memória não era mais uma garantia, como fora durante o período ágrafo da Grécia. As velhas técnicas dos bardos de Homero, de ritmo e de fórmulas, não eram mais adequadas para manter na mente os pensamentos novos e complexos que as pessoas começavam a ter. "A apresentação oral de poesia das origens perdeu seu propósito funcional e foi relegada ao papel secundário de entretenimento, que já existia, mas que até então não era o único", escreve Havelock. Não mais sobrecarregada pelas exigências da transmissão oral, a poesia estava livre para se tornar arte.

Na época em que o autor do *Ad Herennium* sentou-se para escrever o manual de oratória, no século I a.C., a escrita já era um ofício de séculos, uma parte tão fundamental no mundo romano quanto os computadores no mundo de hoje. Os poemas de seus contemporâneos — Virgílio, Horácio e Ovídio escreveram suas obras-primas no século do *Ad Herennium* — foram feitas para o papel. Cada palavra era meticulosamente selecionada, o produto de um único artista expressando sua visão singular. E uma vez alicerçadas, as palavras eram consideradas invioláveis. Se tivesse a intenção de guardar tal poesia na memória, recorria-se à *memoria verborum*. A *rerum* simplesmente não funcionaria.

O autor anônimo de *Ad Herennium* sugere que o melhor método para recordar a poesia *ad verbum* é repetir um verso duas ou três vezes antes de tentar vê-lo dentro de uma série de imagens. É mais ou menos o método que Gunther Karsten usa na competição de poema. Ele atribui a cada palavra um ponto numa rota. Mas esse método tem um problema evidente: há muitas palavras que não podem ser visualizadas. Com o que se parece o conectivo "e"? Ou um artigo "o"? Uns dois mil anos atrás, Metrodoro de Escepsis, um contemporâneo de Cícero, ofereceu uma solução ao dilema de tentar ver o invisível. Metrodoro desenvolveu um sistema de imagens-abreviaturas que poderia significar conjunções, artigos e outros conectivos sintáticos. Isso lhe possibilitava memorizar de forma literal qualquer coisa que lesse ou ouvisse. O repertório de símbolos de Metrodoro parece ter sido amplamente usado na Grécia Antiga. O *Ad Herennium* menciona que "a maioria dos gregos que escreveu sobre memória escolheu listar imagens que correspondessem às muitas palavras de maior uso, de modo que as pessoas que desejassem fixar essas imagens pudessem tê-las à mão sem despender esforço procurando-as". Embora Gunther não use os símbolos de Metrodoro — infelizmente perdidos na história —, ele criou o próprio dicionário de imagens para cada uma das duzentas palavras mais comuns que não podem ser visualizadas facilmente. "E" é um círculo ("e" é, em alemão, *und*, que rima com *rund*, "redondo"). O artigo "a" é alguém andando de joelhos (em alemão *die*, que rima com *knie*, "joelho"). Quando o poema atinge um ponto final, ele dá uma martelada em um prego nesse local.

Gunther poderia memorizar com a mesma tranquilidade um manual para consertar videocassete e um poema shakespeariano. Na verdade, um manual provavelmente seria bem mais fácil porque está repleto de palavras concretas, fáceis de visualizar, como "botão", "televisão" e "tomada". O desafio de memorizar poesia é o seu caráter abstrato. O que você faria com palavras como "efêmero" ou "ego", impossíveis de *ver*?

A forma de Gunther de criar uma imagem para o inimaginável é muito antiga: visualizar uma palavra com o som parecido, ou um trocadilho, em seu lugar. O teólogo e matemático inglês do século XIV Thomas Bradwardine, depois escolhido como arcebispo de Canterbury, elevou esse tipo de memorização literal ao seu nível de desenvolvimento mais alto e mais absurdo. Ele descreveu o método de *memoria sillabarum*, ou "memória por sílabas", que poderia ser usado para memorizar palavras que fossem difíceis de visualizar. O sistema de Bradwardine consistia em quebrar a palavra em sílabas e então criar uma imagem para cada uma baseada em outra palavra que começasse com a mesma sílaba. Por exemplo, se quisermos lembrar a sílaba "ab-", podemos imaginar um abade. Para "ba-", pode-se visualizar um atirador de besta (*balistarius*). A cadeia dessas sílabas, quando reunidas, se torna uma espécie de jogo de rebus. (Poderíamos lembrar o grupo pop sueco Abba como um abade sendo atingido por uma besta.) Esse processo de transformar palavras em imagens envolve uma espécie de recordação por esquecimento: para memorizar uma palavra a partir da sonoridade, o significado é deixado de lado. Bradwardine poderia mesmo traduzir a benção mais piedosa em uma cena ridícula. Para lembrar a sentença básica de um sermão que começa com "*Benedictus Dominus qui per*", ele via

"São Bento dançando para a esquerda com uma vaca branca de tetas supervermelhas, que carregava uma perdiz, enquanto sua mão direita ou mutilava ou acariciava são Domingos".

A arte da memória sempre foi, desde as origens, um tanto imprópria. Preocupados com a imagética gótica e algumas vezes bastante obscena, era de se esperar que os pudicos acabassem lhe dirigindo severas críticas. O que é espantoso, de certo modo, é que o casamento casual do reverente com o irreverente que Bradwardine praticava em sua imaginação não fosse mais escandaloso para alguns membros mais conservadores do clero. Quando finalmente veio, o ataque moralista foi liderado pelo reverendo puritano do século XVI, William Perkins de Cambridge. Ele denunciou a arte da memória como idólatra e "ímpia porque faz apelo a pensamentos absurdos, insolentes, torpes, e tudo o que estimula e acende afecções carnais depravadas". Realmente carnais. Perkins ficou muito enfurecido com a confissão de Pedro de Ravena de que usava a imagem libidinosa de uma jovem para excitar sua memória.

Das dez provas do Campeonato Mundial de Memória, a do poema foi a que gerou o maior número de estratégias. Mas, geralmente, os AMs adotam duas linhas de ação, que acabam por resultar em uma segregação por sexo. Enquanto Gunther e a maioria dos homens do circuito preferem uma estratégia metódica, as mulheres tendem a abordar o desafio de modo mais emocional. Corinna Draschl, uma austríaca de 15 anos que usava camiseta, meias e boné de beisebol vermelhos, contou que não podia memorizar um texto se não entendesse o seu significado. Mais do que isso, tinha que compreender o que o texto provocava. Ela quebrava o poema em pequenas porções e então atribuía uma série de emoções a cada curto segmento. Em vez de associar palavras e imagens, ela o fazia com sentimentos. "Eu sinto o que o escritor sente, o que ele quer dizer. Imagino se ele está feliz ou triste", disse ela no corredor ao lado do salão de competição. Isso se assemelha a como os atores são ensinados a memorizar roteiros. Muitos contam que quebram as falas em unidades chamadas "batidas", cada uma envolvendo uma intenção ou objetivo específico por parte do personagem, com o qual eles treinam para se identificar. Essa técnica, conhecida como o Método de representação, foi criada na Rússia por Konstantin Stanislavski na virada no último século. Stanislavski estava interessado na técnica não por seu potencial mnemônico, mas por ser uma ferramenta que auxilie o ator a representar seu personagem com mais realismo. Entretanto, o Método de representação é uma técnica para fornecer a uma fala mais ganchos associativos, mergulhando-a num contexto de pistas tanto emocionais quanto físicas. O Método de representação é um modo de tornar as palavras memoráveis. De fato, estudos demonstraram que se pedirmos a alguém que memorize uma sentença como "Pegue uma caneta" é mais provável que ela se fixe quando a pessoa literalmente pegar uma caneta enquanto memoriza a frase.

No final, Gunther acabou perdendo para Corinna Draschl na prova de poesia, e perdendo também o campeonato. O primeiro prêmio foi para um de seus protegidos, um estudante de direito bávaro de 18 anos, quieto e intensamente concentrado, chamado Clemens Mayer, que falava um inglês espasmódico e que deixou claro não ter interesse algum em praticar a língua comigo. Depois de sofríveis provas de números falados e de nomes e rostos, Ben Pridmore ficou com o quarto lugar geral, abaixou a aba de seu chapéu preto e saiu do salão sozinho, jurando que começaria a se preparar no dia seguinte para retomar o título no ano seguinte.

Ed se saiu ainda pior. Dos mais de sessenta competidores, ele foi um dos únicos 11 que não conseguiram memorizar o maço de cartas nas duas etapas da prova de velocidade: é como se um atacante de futebol perdesse um pênalti duas vezes. Ele acelerou para tentar um tempo mais baixo e para alcançar as posições mais altas, mas perdeu o controle e se deu mal. Terminou no frustrante 11° lugar geral e saiu amuado, ensopado em suor. Corri atrás dele e o segurei para perguntar o que tinha acontecido.

— Excesso de ambição — foi tudo o que conseguiu dizer, balançando a cabeça. — Vejo você lá em casa.

Ele atravessou a Magdalen Bridge para achar algum pub onde pudesse assistir a um jogo de críquete e beber Guinness até esquecer a derrota.

De pé na frente da sala de exames de Oxford, observando os competidores coçarem a cabeça e rodarem as canetas enquanto tentavam recordar "Miserare", percebi com muita clareza o quanto era estranho que tivéssemos chegado a este ponto: o único lugar onde a antiga arte da memória era praticada, ou ao menos celebrada, era naquela pequenina competição, uma bizarra subcultura. Num dos centros de conhecimento de maior importância do mundo estão os últimos vestígios da gloriosa Era do Ouro da Memória.

É difícil não sentir como se uma tremenda involução tivesse ocorrido entre aquela Era do Ouro e a nossa, comparativamente sem graça. As pessoas costumavam labutar para enriquecer a mente. Investiam na aquisição de lembranças do mesmo modo que investimos na aquisição de coisas. Mas hoje em dia, fora da sala de exames com portas de carvalho de Oxford, a vasta maioria de nós não confia na própria memória. Encontramos atalhos para evitar contar com ela. Queixamo-nos a respeito o tempo todo e vemos mesmo os pequenos lapsos como evidências de que está começando a falhar completamente. Como a memória, outrora tão essencial, acabou tão marginalizada? Por que essas técnicas desapareceram? Como, perguntei-me, nossa cultura acabou se esquecendo de como lembrar?

Capítulo 7

O fim do lembrar

Antigamente, não havia nada para fazer com os pensamentos, exceto lembrá-los. Não havia alfabeto para transcrevê-los nem papel para registrá-los. Tudo que precisasse ser preservado a memória preservava. Qualquer história que fosse recontada, qualquer ideia que fosse transmitida, qualquer informação que fosse passada, primeiro tinha que ser lembrada.

Hoje muitas vezes parece que lembramos muito pouco. Quando acordo, a primeira coisa que faço é checar a minha agenda, que lembra a minha programação, e assim não tenho que fazê-lo. Quando entro no carro, insiro o meu destino no GPS, cuja memória espacial supera a minha. Quando começo a trabalhar, aperto o "play" do gravador digital ou ligo o notebook para guardar o conteúdo das minhas entrevistas. Tenho fotografias para guardar as imagens que quero lembrar, livros para armazenar conhecimento e, agora, graças ao Google, raramente preciso lembrar qualquer coisa além dos termos corretos de pesquisa para ter acesso à memória coletiva da humanidade. Eu cresci na época em que tinha que apertar sete botões ou rodar um disco fazendo clic-clic, o que me fazia saber de cor os números de todos os meus amigos próximos e da minha família. Hoje talvez não saiba mais do que quatro números de telefone. E isso é provavelmente mais do que a maioria das pessoas sabe. De acordo com uma pesquisa realizada em 2007 por um neuropsicólogo do Trinity College, de Dublin, um terço dos britânicos com menos de trinta anos não consegue lembrar nem mesmo o *próprio* telefone sem usar a memória de dispositivos móveis. A mesma pesquisa mostra que 30% dos adultos não conseguem recordar os aniversários de mais do que três familiares. Nossas engenhocas acabaram com a necessidade de lembrar essas coisas.

Esquecer números de telefone e datas de aniversário é apenas um pequeno exemplo da erosão das lembranças do dia a dia, mas integra um percurso bem maior de substituição da memória natural por uma superestrutura de dispositivos tecnológicos — que vai do alfabeto ao BlackBerry. As tecnologias de armazenamento externo de informação ajudam a tornar nosso mundo moderno possível, mas também mudam a maneira como pensamos e utilizamos nosso cérebro.

NO *FEDRO* DE PLATÃO, Sócrates descreve como o deus egípcio Thoth, o inventor da escrita, encontrou-se com Tamus, o rei do Egito, e se ofereceu para conceder sua maravilhosa invenção ao povo egípcio. "Eis um ramo do saber que irá... aprimorar suas memórias", Thoth disse ao rei egípcio. "Minha descoberta fornece um remédio tanto para a memória quanto para a sabedoria." Mas Tamus estava relutante em aceitar o presente. "Se os homens aprenderem isso, o esquecimento instalar-se-á em suas almas", respondeu. "Eles cessarão de exercer a memória e tornar-se-ão esquecidos; confiarão apenas no que está escrito e trarão as coisas à lembrança não mais de dentro de si, mas com o auxílio de sinais exteriores. O que inventaste não é um remédio para a memória, mas apenas para o lembrete. E não é verdadeira sabedoria o que ofereces a teus discípulos, mas apenas mera aparência dela, pois, aos lhes dizer transmitir muitas coisas sem ensinar-lhes nada, fará com que se considerem homens de grande saber, embora sejam em maioria ignorantes em relação a tudo. E, como homens repletos não de sabedoria, mas da pretensão da sabedoria, tornar-se-ão um fardo para seus companheiros."

Sócrates prossegue sua crítica à ideia de transmitir o próprio conhecimento pela escrita, dizendo que seria "singularmente simplório acreditar que palavras escritas possam fazer qualquer coisa além de lembrar a alguém que ele já sabe". Escrever, para Sócrates, jamais poderia ser algo mais do que um apoio para a memória — uma maneira de retirar uma informação que já está na cabeça. Sócrates temia que a escrita pudesse levar a cultura por uma trilha traiçoeira de degradação intelectual e moral porque, ainda que houvesse um aumento da quantidade de conhecimento disso disponível, as pessoas iriam se assemelhar a recipientes vazios. Fico me perguntando se Sócrates não teria apreciado uma flagrante ironia: foi somente porque seus discípulos Platão e Xenofonte descreveram o desdém pela palavra escrita que temos conhecimento hoje em dia.

Sócrates viveu no século V a.C., uma época em que a escrita estava em ascensão na Grécia e seus próprios pontos de vista tornavam-se antiquados. Por que ele descartava a ideia de colocar a tinta no papel? Reter as memórias na folha pareceria uma maneira imensamente superior de guardar conhecimento a tentar mantê-lo no cérebro. O cérebro sempre comete erros, esquece, lembra de maneira incorreta. A escrita faz com que superemos essas limitações biológicas fundamentais. Permite que nossas memórias sejam retiradas do armazém falível do cérebro e depositadas no menos falível papel, sobre o qual podem se tornar permanentes e — espera-se, vez ou outra — disseminadas por toda parte através do tempo. A escrita permite que as ideias sejam passadas de geração em geração, sem o temor da espécie de mutação natural que necessariamente faz parte das tradições orais.

Para entender por que a memória era tão importante no mundo de Sócrates, temos que compreender algumas coisas sobre a evolução da escrita e as diferenças tanto na forma quanto na função dos primeiros livros. Temos que nos remontar no tempo, de volta a uma época pré-imprensa, antes dos índices e dos sumários, antes dos textos reunidos em códices com páginas costuradas na borda, antes dos sinais de pontuação, antes das letras em caixa-baixa, antes mesmo de haver espaços entre as palavras.

Atualmente escrevemos as coisas de forma precisa para que não precisemos lembrá-las. Mas, até pelo menos a Baixa Idade Média, os livros não serviam como substitutos para a memória, mas antes como auxílios para ela. Como coloca Tomás de Aquino, "as coisas são escritas em livros materiais para auxiliar a memória". Lia-se para lembrar, e os livros eram os melhores instrumentos disponíveis para imprimir a informação na mente. Na verdade, era frequente copiar os manuscritos apenas para auxiliar o copista a memorizá-los.

Nos tempos de Sócrates, os textos gregos eram escritos em longos rolos contínuos — alguns deles com até vinte metros de comprimento —, obtidos grudando-se folhas de caniços de papiro prensados, retirados do delta do Nilo. Era trabalhoso ler esses textos, e mais ainda escrevê-los. Seria difícil inventar um meio de acessar informação menos amistoso ao usuário. Na verdade, foi apenas por volta de 200 a.C. que os primeiros sinais de pontuação foram inventados por Aristófanes de Bizâncio, diretor da Biblioteca de Alexandria. E não passavam de um simples ponto embaixo, no meio ou em cima da linha, permitindo ao leitor saber a duração da pausa das sentenças. Fora isso, as palavras se fundiam em uma sequência interminável de letras maiúsculas conhecida como *scriptio continua,* sem quebras, seja por espaços, seja por pontuação. Palavras que começavam em uma linha estendiam-se para a próxima sem sequer um hífen.

COMOVOCEPODEVERNAOEMUITOFACILLERTEXTO
SESCRITOSSEMESPACOOUPONTUACAODEQUAL

QUERTIPOOUMESMOPOSICIONARDEMODOUTIL
QUEBRASDELINHAMASESSAERAEXATAMENTE
AFORMADASINSCRICOESNAGRECIAANTIGA

Diferente das letras deste livro, que formam palavras portadoras de valor semântico, as letras escritas em *scriptio continua* funcionavam mais como notas musicais. Elas indicavam os sons que deveriam ser emitidos pela boca do leitor. Reconstituir esses sons em porções discretas de palavras que pudessem ser compreendidas exigia que antes fossem ouvidos. E, assim como é difícil para todos — exceto para os músicos mais talentosos — ler notas musicais sem realmente cantá-las, também era difícil ler textos em *scriptio continua* sem pronunciá-los em voz alta. De fato, sabemos que até a Idade Média a leitura era uma atividade quase sempre praticada em voz alta, uma espécie de apresentação, na maior parte das vezes realizada perante um público. "Emprestem-me sua orelha" é uma frase repetida com frequência nos textos medievais. Quando santo Agostinho, no século IV d.C., observou seu professor santo Ambrósio lendo para si mesmo sem mover a língua ou murmurar, julgou o comportamento tão incomum que acabou por mencioná-lo em suas *Confissões*. Talvez só no século IX, aproximadamente a mesma época em que o espaçamento tornou-se comum e o catálogo de sinais de pontuação se enriquecia, o papel forneceu informação suficiente para tornar comum a leitura silenciosa.

As dificuldades associadas à leitura desses textos indicava que havia uma relação entre leitura e memória muito diferente da que temos atualmente. Visto que a leitura com o texto em *scriptio continua* era difícil, recitá-lo em voz alta com fluência exigia que o leitor tivesse algum grau de familiaridade com ele. A pessoa — na maior parte das vezes, um homem — tinha que se preparar com o texto, pontuá-lo em sua mente, memorizá-lo — em parte ou na íntegra —, porque transformar uma sequência de sons em significado não é algo que se possa fazer na hora. Era preciso aprender o texto antes de apresentá-lo. Afinal de contas, o modo como se pontuava um texto escrito em *scriptio continua* poderia fazer toda a diferença do mundo. Como a historiadora Jocelyn Penny Small assinala, GODISNOWHERE tem um significado bem diferente de quando é transcrito como GOD IS NOW HERE [Deus está agora aqui] e como GOD IS NOWHERE [Deus está em nenhum lugar].

Além do mais, um rolo escrito dessa forma tinha que ser lido do princípio ao fim para se depreender qualquer coisa. Um rolo tinha apenas uma entrada, a primeira palavra. Por ter que ser desenrolado para ler e por não haver sinais de pontuação ou parágrafos para quebrar o texto — para não falar em numeração das páginas, sumário, divisão em capítulos e índice —, era impossível encontrar uma informação específica sem passar por todo o texto, de cabo a rabo. Não é um material fácil de consultar... até ser decorado. Esse é um ponto central. Textos antigos não podiam ser depreendidos de imediato. Você não pode tirar um rolo da estante e logo encontrar um excerto específico, a não ser que já tenha intimidade com o texto inteiro. O rolo não existia para conservar conteúdo externamente, mas para auxiliar o leitor a navegar por seus conteúdos internamente.

Um dos últimos sobreviventes dessa tradição de recitar é a leitura da Torá, o antigo rolo que pode levar mais de um ano para ser escrito. A Torá não tem vogais ou pontuação (embora tenha espaços, uma inovação que os judeus desenvolveram antes dos gregos), o que faz com que seja extremamente difícil lê-la de primeira. Embora a ordem de não recitar a Torá de memória seja clara, não há como ler uma seção *sem* investir bastante tempo familiarizando-se com o texto, como qualquer garoto pós-*bar mitzvah* pode testemunhar. Posso confirmar por experiência própria. No dia em que me tornei um homem, eu era apenas um papagaio com quipá.

Apesar de anos de linguagem nos condicionarem a não perceber, a *scriptio continua* tem muito mais em comum com o modo como falamos do que as divisões artificiais em palavras desta página. Sentenças faladas fluem unidas sem descontinuidades, como um longo som estendido e indistinto. Não falamos com espaços. Onde termina uma palavra e começa outra é uma convenção linguística relativamente arbitrária. Se você observar um registro das ondas sonoras de alguém falando, é praticamente impossível dizer onde estão os espaços, e essa é uma das razões da dificuldade de treinar computadores para reconhecer a fala. Sem uma inteligência artificial elaborada capaz de representar o contexto, um computador não tem como saber a diferença entre "The stuffy nose may din liquor" ["O nariz entupido pode gritar bebida"] e "The stuff he knows made him lick her" ["O conhecimento dele o fez derrotá-la"].

Durante um tempo, os escribas latinos tentaram separar as palavras com pontos, mas no século II d.C, houve um regresso — o que mais pareceu um gigantesco e muito curioso passo para trás — à velha *scriptio continua* usada pelos gregos. Os espaços não foram vistos na escrita ocidental por mais de novecentos anos. Com a perspectiva atual, a separação de palavras parece uma obviedade, mas o fato de ter sido experimentada e rejeitada diz muito sobre o modo como as pessoas costumavam ler, assim como o fato de a palavra em grego antigo mais comumente usada para denotar "ler" ser *ánagignósko*, que significa "saber de novo" ou "rememorar". Ler era um ato de recordação: do ponto de vista moderno, poderia haver uma relação mais estranha entre leitor e texto?

Atualmente, vivendo no meio de um dilúvio de palavras impressas — acredita que dez bilhões de volumes foram impressos ano passado? —, é difícil imaginar como era ler na era pré-Gutenberg, quando um livro era um objeto feito à mão, raro e custoso, que poderia tomar meses de trabalho de um escriba para ser produzido. Mesmo no já recente século XV deveriam existir algumas dúzias de cópias de um texto, e essas cópias talvez estivessem presas com corrente a uma escrivaninha ou atril de biblioteca de uma universidade, que, se contivesse uma centena de outros livros, poderia ser considerada particularmente bem-guarnecida. Se você fosse um erudito medieval e lesse um livro, saberia que jamais veria aquele texto de novo, e, assim, teria um valor altíssimo o fato de você lembrar o que lia. Você não poderia puxar um livro da prateleira e consultá-lo para uma citação ou uma ideia. Para começar, as prateleiras modernas, com suas fileiras de livros e dorsos para fora, ainda não tinham sido inventadas — isso só aconteceu por volta do século XVI. Além disso, livros tendiam a ser objetos pesados, de difícil portabilidade. Foi somente no século XIII que a tecnologia da encadernação de livros atingiu o ponto em que a Bíblia pudesse ser compilada em um único volume, em vez de ser uma coleção de livros independentes, e ainda assim pesava mais de cinco quilos. Mesmo se por acaso você tivesse nas mãos o texto de que precisasse, seriam mínimas as chances de encontrar o que quer que estivesse procurando sem ler tudo do princípio ao fim. Os índices ainda não eram comuns, nem paginação ou sumários.

Mas essas ausências foram sendo gradualmente supridas. E, à medida que o próprio livro se transformava, também se tornava crucial o papel da memória na leitura. Por volta do ano 400, o códice de pergaminho, com suas folhas de páginas costuradas no dorso como um livro de capa dura moderno, substituiu completamente os rolos como o meio preferido de leitura. O leitor não precisava mais desenrolar um longo documento para encontrar uma passagem: O leitor tinha apenas que virar a página certa.

A primeira Bíblia em um único volume, um grande índice que consumiu o trabalho de quinhentos monges de Paris, foi compilada no século XIII, por volta da época em que a divisão por capítulos foi introduzida. Pela primeira vez um leitor poderia se referir à Bíblia sem ter que memorizá-la antes. Poderia encontrar uma passagem sem sabê-la de cor ou sem ter lido o texto do princípio ao fim. Em seguida, outros livros com índices alfabéticos, números de páginas e sumário começaram a aparecer e, à medida que isso ocorria, de novo auxiliaram a mudar a essência do que era o livro.

O problema do livro antes do índice e do sumário é que se tornava impossível de se navegar por seu conteúdo. O que torna o cérebro uma ferramenta tão incrível não é somente o mero volume de informação que ele contém, mas a facilidade e a eficiência com que se podem encontrar esses dados. O cérebro usa o maior sistema de indexação de acesso aleatório jamais inventado — um que os cientistas da computação nem chegaram perto de replicar. Enquanto um índice no fim de um livro fornece um único endereço — um número de página — para cada assunto, o cérebro tem centenas senão milhares de endereços. Nossas lembranças são associativas, não lineares. Você não precisa saber onde uma determinada memória está armazenada para encontrá-la. Ela simplesmente aparece — ou não — quando você precisa. Devido à densa rede que interconecta nossas memórias, podemos pular de memória para memória e de ideia para ideia com muita rapidez. De Barry White à cor branca (*white*, em inglês), ao leite, à via Láctea, é uma longa viagem conceitual, mas um curto passeio neurológico.

Índices constituíram um grande avanço porque permitiram que os livros fossem acessados do mesmo modo não linear que acessamos nossas memórias internas. Ajudaram a transformar o livro em algo como um CD, em que você pode pular diretamente para a música que deseja, diferente de fitas cassete, que o forçam a passar de maneira laboriosa por grandes faixas de material até encontrar o que está procurando. Em parceria com a paginação e o sumário, o índice mudou o que o livro era e o que poderia oferecer aos estudiosos. O historiador Ivan Illich sustenta que isso representa uma invenção de tal magnitude que "parece razoável falar de uma Idade Média pré-índice e de outra pós-índice". À medida que os livros se tornavam cada vez mais fáceis de consultar, o imperativo para guardar seu conteúdo na memória tornou-se cada vez menos relevante, e o significado de erudito começou a evoluir do ter informação interna ao saber onde encontrá-la no mundo labiríntico da memória externa.

Para os nossos ancestrais, o objetivo do treinamento da memória não era se tornar um "livro vivo", mas uma "unidade viva", um índice ambulante de tudo o que foi lido, de toda a informação adquirida. Envolvia mais do que meramente possuir uma biblioteca interna de fatos, citações e ideias; tratava-se da construção de um esquema organizacional para acessar tudo isso. Considere, por exemplo, Pedro de Ravena, o grande jurista italiano (também, ao menos essa é a impressão, um dos campeões da autopromoção da época) e autor de um dos mais famosos livros de treinamento da memória do século XV. Intitulado *Phoenix*, foi traduzido para várias línguas e publicado em toda a Europa. Seu livro foi simplesmente o mais famoso de uma série de tratados sobre o assunto criados a partir do século XIII e que auxiliaram a tornar as técnicas de memória — durante muito tempo apanágio exclusivo de eruditos e monges — acessíveis a uma gama mais ampla de médicos, advogados, comerciantes e do público em geral que apenas desejavam se lembrar de coisas. Desse período, encontram-se livros sobre toda sorte de assuntos mnemônicos, como usar a arte da memória no jogo, não perder a data de débitos e memorizar a carga de navios, o nome de conhecidos e as cartas do baralho. Pedro, por sua vez, gabava-se de ter memorizado vinte mil questões jurídicas, mil textos de Ovídio, duzentos discursos e frases de Cícero, trezentas passagens de filósofos e sete mil textos das Escrituras, assim como uma série de outras obras clássicas.

Por lazer, Pedro poderia reler livros guardados em seus muitos palácios da memória. "Quando deixo a minha terra para peregrinar pelas cidades da Itália, posso dizer que de fato levo comigo tudo o que me pertence", escreveu. Para armazenar todas essas imagens, Pedro começou com cem mil *loci*, mas ele sempre erguia novos palácios da memória em suas viagens pela Europa. Ele construiu uma biblioteca mental de fontes e citações sobre todos os assuntos importantes, classificada em ordem alfabética. Vangloriava-se, por exemplo, de ter arquivado em seu cérebro, com letra A, as fontes de assuntos *de alimentis, de alienatione, de absentia, de arbitris, de appellationibus, et de similibus quae jure nostro habentur incipientibus in dicta littera A* [sobre provisões, sobre propriedades estrangeiras, sobre ausências, sobre juízes, sobre apelações e sobre temas relativos à nossa lei que começam com a letra A]. A cada informação era atribuída um endereço específico. Quando desejava falar de determinado tópico, entrava na câmara pertinente do palácio pertinente e retirava a fonte pertinente.

Quando o objetivo da leitura é, como para Pedro de Ravena, a recordação, a abordagem de um texto é inteiramente diferente daquela feita pela maioria de nós nos dias de hoje. Agora valorizamos a leitura rápida e dinâmica, o que gera uma espécie de superficialidade em nossa leitura e no que extraímos dos livros. Você não pode ler uma página num minuto — como você, leitor, provavelmente está lendo este livro, e esperar se lembrar de tudo para sempre. Se quisermos lembrar algo, devemos nos deter a ele, lê-lo repetidas vezes, sem parar.

Em seu ensaio "Primeiros passos para uma história da leitura", Robert Darnton descreve um deslocamento da leitura "intensiva" para a "extensiva", que ocorreu a partir do momento em que os livros começaram a proliferar. Até relativamente pouco tempo atrás, as pessoas liam "intensivamente", segundo Darnton. "Elas tinham apenas uns poucos livros —

a Bíblia, um almanaque, uma ou duas obras religiosas — e os liam muitas vezes, em voz alta e em grupos, de modo que uma pequena gama de literatura tradicional se tornava impressa em suas consciências com profundidade."

Depois do surgimento da imprensa, por volta de 1440, a situação começou a mudar de forma gradual. Um século depois de Gutenberg, o número de livros impressos aumentou 14 vezes. Tornou-se possível, pela primeira vez, pessoas de poucos recursos terem uma pequena biblioteca em suas casas e, um conjunto de memórias externas de fácil consulta.

Hoje lemos "extensivamente", sem muito foco, e, com raras exceções, um livro é lido apenas uma vez. Valorizamos a quantidade em vez da qualidade da leitura. Não temos escolha, se quisermos acompanhar a cultura geral. Mesmo nos campos especializados, seria uma tarefa de Sísifo tentar permanecer no topo da montanha cada vez mais alta de palavras erguida no mundo todos os dias.

Poucos de nós fazem verdadeiro esforço para lembrar o que foi lido. Quando leio um livro, o que espero que permaneça comigo até o ano seguinte? Se é uma obra de não ficção, talvez a tese, se o livro tiver uma. Uns poucos detalhes saborosos, quem sabe. Se é ficção, um esboço genérico da trama, algo sobre os personagens principais (ao menos seus nomes) e uma opinião geral sobre o livro. E mesmo esses elementos estão propensos a desvanecer. Olhar as minhas prateleiras, ver os livros que sugaram tantas das minhas horas desperto é sempre uma experiência deprimente. *Cem anos de solidão*: realismo mágico e um bom livro. É tudo. Nem sequer me lembro de quando o li. De *O morro dos ventos uivantes*, duas coisas: aula de literatura do colégio e um personagem chamado Heathcliff. Não consigo dizer se gostei ou não.

Não creio que eu seja um mau leitor flagrante. Suspeito que muitas pessoas, talvez mesmo a maioria, sejam como eu. Lemos, lemos e lemos, e esquecemos, esquecemos e esquecemos. Então, para que se incomodar? No século XVI, Michel de Montaigne exprimiu o dilema da leitura extensiva: "Folheio os livros, não estudo os livros", escreveu. "O que retenho deles é algo que não reconheço, como qualquer pessoa. É apenas material aproveitado por meu julgamento crítico, e os pensamentos e ideias internalizados; o autor, o lugar, as palavras e outras circunstâncias esqueço imediatamente." Ele prossegue explicando como, "para compensar a traição e a fraqueza da memória", adotou o hábito de escrever atrás de cada livro uma breve opinião, de maneira a ter ao menos uma noção geral do que se tratava e o que ele achou após a leitura.

Poderíamos pensar que, com o advento da imprensa e com a capacidade de desafogar os cérebros da carga das lembranças, colocando-as no papel, as antigas técnicas da memória iriam se tornar irrelevantes de imediato. Mas não foi o que aconteceu. Pelo menos não num primeiro momento. De fato, paradoxalmente, bem no momento em que uma interpretação clara da história teria sugerido que a arte da memória rumava à obsolescência, ela sofreu seu maior renascimento.

Desde a época de Simônides, a arte da memória envolve a criação de espaços arquitetônicos na imaginação. Mas no século XVI um filósofo e alquimista italiano chamado Giulio Camillo — conhecido como Divino Camillo por seus admiradores e como "O Charlatão" por seus detratores — teve a ideia genial de concretizar o que por dois mil anos foi um conceito etéreo. Ele imaginou que esse sistema poderia funcionar muito melhor se alguém transformasse a metáfora do palácio da memória em um edifício real. Ele projetou a criação de um "teatro da memória" que serviria como uma biblioteca universal de todo o conhecimento da humanidade. Parece um conto de Borges, mas foi bastante real, com subsídios bastante reais, e tornou Camillo um dos homens mais famosos da Europa. O rei Francisco I da França o fez prometer que os segredos do seu teatro nunca seriam revelados a ninguém, exceto a ele, e investiu quinhentos ducados em sua construção.

O palácio da memória de Camillo, construído em madeira, tinha o formato de um anfiteatro romano, mas o próprio espectador, em vez de escolher um assento e olhar para baixo, em direção ao palco, posicionava-se no centro e olhava em volta, para um edifício redondo de sete andares. Por todo o teatro, havia pinturas cabalísticas e mitológicas, assim como inúmeras fileiras, gavetas e caixas cheias de cartas, em que se inscrevia tudo o que era conhecido e — afirmava-se — tudo o que fosse cognoscível, incluindo citações de grandes autores, classificadas de acordo com o assunto. Era preciso apenas meditar sobre uma imagem emblemática e a totalidade do conhecimento armazenado naquela seção do teatro viria à mente de imediato, permitindo "discursar sobre qualquer tema com a fluência típica de Cícero". Camillo preconizava que "por meio da doutrina dos *loci* e das imagens, poderíamos guardar e dominar todos os conceitos humanos e todas as coisas do mundo".

Essa era uma proposição grandiloquente, e, em retrospectiva, soa como um truque de mágica. Mas Camillo estava convencido de que havia um conjunto de símbolos mágicos que poderiam representar organicamente todo o cosmos. Assim como a imagem do travesti representava a tarefa de enviar e-mail naquele primeiro palácio da memória que construí para a lista de Ed, Camillo acreditava que algumas imagens podiam englobar conceitos vastos e profundos sobre o universo. E que, ao memorizar essas imagens, poderíamos ser capazes de compreender as conexões ocultas subjacentes a tudo.

Um modelo em escala do teatro de Camillo foi exibido em Veneza e em Paris, e centenas — talvez milhares — de cartas foram desenhadas para preencher as caixas e as gavetas do monumento. Os artistas Ticiano e Salviati foram sondados para pintar as imagens simbólicas do teatro. Porém, parece que o projeto não foi mais longe do que isso. O teatro nunca foi terminado, e tudo o que resta do grande esquema é um breve manifesto publicado postumamente, "*A ideia do teatro*", ditado no leito de morte ao longo de uma semana. Com verbos usados no futuro, sem quaisquer imagens ou diagramas, o texto é, no mínimo, confuso.

Embora a história tenha quase esquecido o homem que prometia a melhor tecnologia de rememoração — o "divino" perdeu para o "charlatão" em quase todas as avaliações —, a reputação de Camillo foi restabelecida no século XX, graças aos esforços da historiadora Frances Yates, que ajudou a reconstruir as plantas do projeto em seu livro *A arte da memória*, e à professora de literatura italiana Lina Bolzoni, que esclareceu a importância do teatro de Camillo como uma verdadeira apoteose das ideias sobre memória de toda uma era, e não como um trabalho de maluco.

O Renascimento, com suas novas traduções dos antigos textos gregos, trouxe a renovação do fascínio pela antiga ideia de Platão de que havia uma realidade ideal transcendente, da qual o nosso mundo não passava de uma pálida sombra. Na visão neoplatônica do universo de Camillo, as imagens da mente eram um modo de acessar aquele reino ideal, e a arte da memória era a chave secreta para descerrar a estrutura oculta do universo. A memória foi transformada, de uma ferramenta da retórica, como tinha sido na Antiguidade, ou de um instrumento de devota meditação, como foi para os filósofos escolásticos medievais, em uma arte puramente mística.

Mais do que o próprio Camillo, o maior praticante dessa forma sombria e mística de mnemônica foi o monge dominicano Giordano Bruno. Em seu livro *De Umbris Idearum*, publicado em 1582, Bruno promete que essa arte "auxiliará não apenas a memória, mas também todos os poderes da alma". O treinamento da memória, para Bruno, era a chave para a iluminação espiritual.

Bruno tinha literalmente encontrado uma nova transformação para a antiga arte da memória. Inspirado no místico e filósofo catalão do século XIII, o palindrômico Ramon Llull, inventou um dispositivo que permitia converter qualquer palavra em uma imagem única. Imaginou uma série de rodas concêntricas, cada uma com 150 pares de letras em seu perímetro, correspondentes a todas as combinações possíveis entre as trinta letras do alfabeto (as 23 do latim clássico mais sete letras gregas e hebraicas que não tinham equivalente no alfabeto latino) e as cinco vogais: AA, AE, AI, AO, AU, BA, BE, BI etc. Na roda mais interna, as 150 combinações de duas letras eram emparelhadas, uma a uma, com diferentes figuras mitológicas ou ocultas. No perímetro da segunda roda havia 150 ações e categorias — "velejando", "no tapete", "quebrado" — correspondentes a outro conjunto de pares. A terceira roda consistia em 150 adjetivos; a quarta, de 150 objetos; e a quinta, de 150 "circunstâncias", como "vestido em pérolas" ou "montado em um monstro marinho". Ao alinhar as rodas corretamente, qualquer palavra de até cinco sílabas poderia ser traduzida em uma imagem única, vívida. Por exemplo, a palavra *crocitus*, "o grasnar de um corvo" em latim, torna-se a imagem da deidade romana "Piluno avançando rapidamente montado em um asno, com uma atadura no braço e um papagaio na cabeça". Bruno estava convencido de que essa invenção obscura e divinamente tortuosa era um grande avanço para a arte da memória, equivalente em escala, ele prometia, ao salto tecnológico de gravar letras em árvores para a impressão.

O pensamento de Bruno, permeado de magia e de ocultismo, incomodou profundamente a Igreja. Suas ideias heterodoxas, que incluíam heresias como a crença no heliocentrismo copernicano e a convicção de que Maria não era de fato virgem, acabaram por lançá-lo nos braços impiedosos da Inquisição. Em 1600, ele foi queimado na fogueira no Campo dei Fiori em Roma, e suas cinzas foram dispersas no rio Tibre.

Atualmente existe uma estátua de Bruno na praça onde ele fora imolado, como uma luz para os livres-pensadores e atletas mentais do mundo todo.

Uma vez que o Iluminismo deu cabo da obsessão do Renascimento com estranhos teatros da memória e rodas llullianas, a arte da memória entrou em uma nova, mas não menos insana, era: a era do projeto "tornar-se inteligente rapidamente", da qual até hoje não escapamos. Mais de cem tratados foram publicados no século XIX, com títulos como "Mnemotécnica americana" ou "Como se lembrar". Eles se assemelham muito aos livros de aprimoramento de memória que podem ser encontrados na seção de autoajuda das livrarias atuais. O mais famoso desses manuais de mnemônica foi escrito pelo professor Alphonse Loisette, um "médico da memória" norte-americano que, apesar de sua prolífica capacidade de recordação, "esqueceu que tinha nascido Marcus Dwight Larrowe e que nunca obtivera um diploma", como observou um artigo. O fato de eu ter conseguido encontrar 136 cópias usadas do livro de Loisette de 1886, *Physiological Memory: the Instantaneous Art of Never Forgetting* [Memória psicológica: a arte instantânea de nunca esquecer], à venda na internet por apenas 1,25 dólar, é uma evidência da sua imensa popularidade de outrora.

O livro de Loisette é essencialmente uma coleção de sistemas mnemônicos para decorar um amontoado de trivialidades, como a ordem dos presidentes dos Estados Unidos, os condados da Irlanda, o alfabeto telegráfico Morse, os regimentos territoriais britânicos, os nomes e as funções de nove pares de nervos cranianos. Loisette alegava que seu sistema não tinha a menor relação com a mnemônica clássica, da qual ele desdenhava, e que tinha descoberto inteiramente sozinho as "leis da memória natural".

Loisette cobrava algo em torno de 25 dólares (mais de quinhentos dólares na moeda corrente) para transmitir seu conhecimento aos discípulos em seminários realizados por todo o país, incluindo aulas em quase todas as universidades de prestígio da costa leste. Os iniciados no "sistema Loisette" eram obrigados a assinar um contrato de sigilo, sob multa de quinhentos dólares (mais de dez mil dólares atuais) caso divulgassem os métodos do professor. Era possível, pelo que parece, fazer um bom dinheiro mascateando segredos sobre memória para o crédulo público norte-americano. Segundo os próprios números, o doutor ganhou o equivalente hoje a meio milhão de dólares em uma temporada de 14 semanas no inverno de 1887.

Naquele ano, Samuel L. Clemens, mais conhecido como Mark Twain, cruzou com Loisette pela primeira vez e se inscreveu em um curso de memória que durou várias semanas. Twain costumava dizer que sua "memória só era carregada com balas de festim" e que tinha um interesse de longa data em seu aprimoramento. Ele encerrou o curso absolutamente defensor do sistema de Loisette. De fato, estava tão entusiasmado que publicou por conta própria um folheto afirmando que dez mil dólares por hora seria uma barganha para as estratégias incalculáveis que o médico lhe ensinou. Ele se arrependeria desse testemunho, mas não antes que o texto ficasse estampado em quase todo material impresso sobre Loisette.

Em 1888, G.S. Fellows, levado por "aquele agudo senso de justiça e amor inato à liberdade, característico de todo verdadeiro norte-americano", publicou o livro *"Loisette" Exposed* ["Loisette" desmascarado], que iniciava esclarecendo que o "professor" "Loisette" — sim, ambas as denominações estão entre aspas — não passava de "um impostor e de uma fraude". O livro de 224 páginas revelava que seus métodos eram extraídos de fontes antigas com uma nova roupagem, ou eram vendidos por uma exorbitância obscena. Certamente o logro e a fraude de Loisette deveriam ter sido evidentes para alguém tão versado em assuntos mundanos como Mark Twain, mas o escritor era um pródigo caçador de novidades e sempre estava interessado na próxima moda. (O investimento pessoal de trezentos mil dólares — sete milhões de dólares atuais — no compositor de Paige, um antigo competidor do linotipo, foi somente o mais desastroso dos muitos projetos ambiciosos nos quais Twain injetou dinheiro.)

O próprio Twain continuou experimentando novas técnicas de memória para auxiliá-lo nos ciclos de palestras. No início da carreira, ele escreveu a primeira letra dos tópicos que planejava abordar em sua apresentação na ponta de cada dedo, mas isso nunca funcionou porque a plateia começava a suspeitar de que ele tivesse uma espécie de estranho interesse nas mãos. Durante o verão de 1883, Twain parou de escrever *As aventuras de Huckleberry Finn* para desenvolver um jogo que ensinasse a seus filhos os nomes dos monarcas ingleses. Funcionava mapeando o comprimento dos reinados com pregadores ao longo de um caminho perto de casa. Twain estava basicamente transformando o quintal em um palácio da memória. Em 1885, ele patenteou "o construtor de memória de Mark Twain: um jogo para aprender e guardar todos os tipos de eventos e datas". Os cadernos de Twain estão repletos de páginas dedicadas a esse jogo da memória espacial.

Twain imaginava clubes nacionais organizados em torno do seu jogo mnemônico, colunas de jornal regulares, um livro e competições internacionais premiadas. Ele se convenceu de que todos os fatos históricos e científicos que um estudante norte-americano precisava saber poderiam ser ensinados por meio de sua engenhosa invenção. "Poetas, estadistas, artistas, heróis, batalhas, pragas, cataclismos, revoluções... a invenção do logaritmo, do microscópio, da máquina a vapor, do telégrafo — de toda e qualquer coisa do mundo — despejamos entre os pregadores ingleses", escreveu em 1899, em seu ensaio "How to Make History Dates Stick" ["Como fazer para decorar datas históricas"]. Infelizmente, como o compositor de

Paige, o jogo revelou-se um fiasco financeiro, e Twain foi obrigado a abandoná-lo. Escreveu ao amigo, o novelista William Dean Howells: "Se você nunca tentou inventar um jogo de salão histórico, não tente."

Como tantos antes dele, Twain se empolgou com a promessa de derrotar o esquecimento. Tomou o mesmo elixir amalucado que tinha intoxicado Giulio Camillo, Giordano Bruno e Pedro de Ravena, e sua história talvez devesse ser lida como um alerta a qualquer um que esteja embarcando no treinamento de memória. Talvez, em retrospectiva, as semelhanças entre o dr. Loisette e os atuais gurus da memória devessem me fazer abandonar meu projeto. Ainda assim continuei.

TWAIN VIVEU NUMA ÉPOCA em que as tecnologias para armazenar e recuperar memórias externas — papel, livros, os recém-inventados fonógrafo e fotografia — eram ainda precárias em relação ao que temos hoje. Ele não poderia ter previsto como a proliferação da informação digital no começo do século XXI aceleraria o ritmo com que nossa cultura passou a externalizar suas memórias. Com nossos blogs e twitters, câmeras digitais e caixas de e-mails sem limite de espaço, participar da cultura on-line agora significa criar uma esteira de memórias externas sempre presentes, sempre acessíveis, que não se perdem e que só crescem à medida que o tempo passa. Quanto mais nossas vidas se movimentam on-line, mais se captura e se preserva, e de um modo que muda dramaticamente a relação entre nossas memórias internas e externas. Ao que parece, rumamos em direção a um futuro em que teremos memórias externas "omniabrangentes", gravando enormes porções da nossa vida diária.

Estou convicto disso graças a Gordon Bell, um cientista da computação da Microsoft de 73 anos. Ele se vê como a vanguarda de um novo movimento que leva a externalização da memória ao seu extremo lógico: o fim da lembrança biológica.

"A cada dia que passa, eu esqueço mais e lembro menos", escreve Bell em seu livro *O futuro da memória: como essa transformação mudará tudo o que conhecemos*. "E se você superar esse destino? E que tal se você nunca tiver que esquecer nada, mas tiver total controle sobre o que você lembra — e quando?"

Durante a última década, Bell tem mantido uma "memória substituta" digital para suplementar a sua natural. Ela assegura um registro de toda e qualquer coisa que possa ser esquecida. Uma câmera digital em miniatura, chamada SenseCam, presa em seu pescoço, registra tudo o que passa por seus olhos. Um gravador digital captura todo som que ele ouve. Toda chamada telefônica é gravada, e todo pedaço de papel que ele lê é logo escaneado para seu computador. Bell, completamente careca, sorri com facilidade e usa óculos retangulares e uma camiseta de gola rulê preta, chama esse processo de arquivamento obsessivo de "*lifelogging*".

Toda essa gravação obsessiva pode parecer estranha, mas, graças à queda vertiginosa de preços de produtos de armazenamento digital, à ubiquidade crescente dos sensores digitais e a uma inteligência artificial mais eficiente em selecionar dados em meio à confusão constante, está se tornando cada vez mais fácil capturar e lembrar informações do mundo à nossa volta. Pode ser que nunca andemos com câmeras penduradas em nossos pescoços, mas a visão de Bell sobre um futuro em que computadores guardarão tudo o que nos acontece não é tão absurda quanto pode parecer à primeira vista.

Bell fez nome e fortuna como pioneiro da computação na Digital Equipment Corporation nos anos 1960 e 1970. (Foi chamado de o "Frank Lloyd Wright dos computadores".) É um engenheiro por natureza, o que significa que vê problemas e tenta construir soluções. Com a SenseCam, tenta consertar um problema humano elementar: esquecemos a nossa vida quase tão rápido quanto a vivemos. Mas por que a memória deveria se apagar quando há soluções tecnológicas que podem preservá-la?

Em 1998, com o auxílio da assistente Vicki Rozyki, Bell começou a preencher o seu *lifelog* escaneando sistematicamente todos os documentos das dúzias de caixas que ele tinha amontoado desde a década de 1950. Todas as fotos antigas, as cadernetas de engenheiro e os papéis foram digitalizados. Mesmo os logos de suas camisetas não escaparam do scanner. Bell, que sempre preservou tudo meticulosamente, acredita que copiou e jogou fora três quartos de todas as coisas que já possuiu. Hoje seu *lifelog* conta com 170 gigabytes e aumenta a uma taxa de cerca de um gigabyte por mês. Inclui mais de cem mil e-mails, 65 mil fotografias, cem mil documentos e dois mil telefonemas. E tudo cabe em um HD de cem dólares.

Bell é capaz de realizar proezas com a “memória substituta”. Com o buscador customizado, pode, de forma instantânea, saber onde e com quem estava em qualquer momento do tempo, e então, em teoria, verificar o que aquela pessoa disse. E porque ele tem um registro fotográfico de todo lugar onde esteve e de tudo o que viu, não tem desculpa para perder qualquer coisa. Sua memória digital jamais esquece.

Fotografias, vídeos e gravações digitais são, como livros, próteses para nossas memórias — capítulos na longa viagem que começou quando o deus egípcio Thoth encontrou-se com o rei Tamus e lhe ofereceu o dom da escrita como “um remédio tanto para a memória quanto para a sabedoria”. O *lifelogging* é o passo lógico seguinte. Talvez até mesmo o passo lógico final, uma espécie de *reductio ad absurdum* de uma transformação cultural que tem se desdobrado lentamente por milênios.

Eu queria me encontrar com Bell e ver sua memória externa em ação. Seu projeto parecia oferecer o contra-argumento decisivo para todo o esforço que eu estava investindo no treinamento da minha memória interna. Se podemos ter computadores que nunca esquecem, por que nos preocupamos em ter cérebros que lembram?

Quando o visitei na Microsoft Research, em seu imaculado escritório com vista para a baía de San Francisco, Bell quis me mostrar como a memória externa o ajuda a encontrar coisas que ele perdeu na memória interna. Pelo fato de as memórias serem associativas, encontrar um fato singular extraviado é muitas vezes um ato de triangulação. "Outro dia eu estava tentando achar uma casa que vira na internet", Bell me falou, recostado em sua cadeira. "Tudo de que me lembrava era que, naquela hora, estava falando com o corretor de imóveis ao telefone." Ele abriu uma linha do tempo de sua vida no computador, encontrou a conversa telefônica, e então puxou todos os sites que estava vendo no momento assinalado. "Chamo-as de farpas de informação", disse Bell. "Tudo de que você precisa é lembrar um gancho." Quanto mais farpas estiverem armazenadas em uma memória digital, mais fácil será encontrar o que você procura.

Bell tem uma abundância de memórias externas na ponta da língua. De longe o maior problema que enfrenta é o de como evitar o destino de Funes e de S e não se afogar em um mar de trivialidades sem importância. Muito do ato de lembrar ocorre no momento da decodificação, porque tendemos a nos lembrar daquilo a que prestamos atenção. Mas o *lifelogging* de Bell presta atenção a tudo. Seu lema é "Jamais filtre, jamais jogue fora".

— Você nunca se sente sobrecarregado com o volume de memória que coleciona? — perguntei a ele.

Ele riu da ideia.

— De jeito nenhum. Sinto que me traz uma liberdade tremenda.

A SenseCam não é uma máquina bonita. É uma caixa preta, mais ou menos do tamanho de um maço de cigarros que balança no pescoço de Bell. Não passa despercebida. Mas, pensando bem, os primeiros computadores ocupavam salas inteiras e os celulares já tiveram o tamanho de tijolos. Não é preciso usar muito a imaginação para ver futuras versões da SenseCam encaixadas em armações de óculos ou costuradas de modo imperceptível na roupa, ou mesmo inseridas sob a pele ou implantadas na retina.

Por enquanto, as memórias interna e externa de Bell não se misturam sem descontinuidade. Para acessar alguma memória externa, ele ainda tem que encontrá-la no computador e dar um "*re-input*" no cérebro pelos olhos e pelos ouvidos. Seu *lifelog* já é uma extensão, mas ainda não uma parte dele. Porém, é tão improvável que, em um futuro não muito distante, o hiato entre o que o computador de Bell sabe e o que reside em sua mente desapareça completamente? No final, nossos cérebros poderão ser conectados de um modo direto e automático aos *lifelogs*, de maneira que nossas memórias externas funcionarão e parecerão inteiramente internas. E, é claro, também serão conectadas ao maior de todos os depósitos de memórias externas: a internet. Uma memória substituta que se lembre de tudo e que possa ser acessada com a mesma naturalidade das memórias armazenadas nos neurônios. A arma decisiva na guerra contra o esquecimento.

Isso pode soar como ficção científica, mas já existem implantes cocleares que convertem ondas sonoras diretamente em impulsos elétricos levados ao cérebro e permitem que pessoas surdas ouçam. Eles já foram instalados em mais de duzentos mil humanos. E implantes cognitivos primitivos que criam uma interface direta entre cérebros e computadores já têm permitido que deficientes físicos e pacientes com a síndrome de Lou Gehrig controlem o cursor de um computador, um membro protético e mesmo uma voz digital simplesmente com a força do pensamento. Essas neuropróteses, ainda bastante experimentais e implantadas apenas em um pequeno número de pacientes, basicamente consistem em uma fiação no cérebro e possibilitam uma comunicação direta entre homem e máquina. O próximo passo será uma interface cérebro-computador que permite que a mente troque dados diretamente com um banco de memória digital, um projeto que já está sendo trabalhado por uns poucos pesquisadores de ponta e que promete ser uma grande área de pesquisa nas décadas futuras.

Você não precisa ser um reacionário, um fundamentalista ou um ludista para se perguntar se a conexão de cérebros com computadores ou se a fusão indistinta de memória interna e externa seriam, enfim, uma ideia tão maravilhosa assim. A bioética atual se vê às voltas com assuntos delicados como a engenharia genética e "esteroides cognitivos" neurotrópicos, mas esse tipo de melhoramento é apenas uma pequena prova em comparação com o que significaria um casamento pleno das memórias internas e externas. Uma pessoa mais esperta, mais alta, mais forte e resistente a doenças que viva 150 anos ainda é, no final das contas, apenas uma pessoa. Mas se pudermos dar a alguém uma memória perfeita e uma mente que se conecte diretamente a todo o conhecimento coletivo da humanidade, bem, nesse momento devemos considerar expandir nossos horizontes.

Mas, talvez, em vez de pensar nessas memórias como externalizadas ou descarregadas — como categoricamente diferentes das que residem no cérebro —, devêssemos vê-las como *extensões* das memórias internas, pois mesmo as memórias internalizadas são acessíveis apenas gradativamente. Há eventos e fatos que sei que sei, mas não sei como encontrar. Ainda que não consiga recordar onde comemorei meu aniversário de sete anos ou o nome da segunda mulher do meu primo, os fatos, contudo, estão à espreita em algum lugar do meu cérebro, aguardando a pista certa para retornarem à consciência, do mesmo modo que todos os verbetes da Wikipédia aguardam apenas um clique do mouse.

Nós, ocidentais, tendemos a pensar no ego, a essência fugidia do que somos, como se fosse alguma entidade perfeitamente delimitada. Mesmo que a moderna neurociência cognitiva rejeite a velha ideia cartesiana da alma humana que reside na glândula pineal e que controla o corpo, a maioria de nós ainda acredita que há um "eu" em algum lugar lá em cima que nos guia. Na verdade, o que tomamos como "eu" é quase com certeza algo mais difuso e nebuloso do que seria confortável contemplar. Pelo menos a maioria das pessoas supõe ser impossível que o ego possa se estender para além das fronteiras de sua epiderme em livros, computadores e *lifelogging*. Mas por que ter essa suposição? Nossas memórias, a essência de nosso ego, estão de fato ligadas a muito mais do que neurônios do cérebro. No mínimo desde os velhos tempos das diatribes de Sócrates, nossas memórias sempre se prolongaram para além do cérebro em outros reservatórios de armazenamento. O projeto do *lifelogging* de Bell apenas se concentra nessa evidência.

Capítulo 8

O teto OK

Se você visitasse o meu escritório no outono de 2005, teria visto uma nota de post-it — uma das minhas memórias externas — colada na parede acima do monitor do computador. Sempre que meus olhos desviavam da tela, eu via as palavras "Não se esqueça de lembrar", um lembrete gentil de que, durante os próximos meses até o Campeonato de Memória dos Estados Unidos, eu precisava me esforçar para substituir minha rotina de procrastinação por exercícios mnemônicos mais produtivos. Em vez de navegar na internet ou dar uma volta no quarteirão para descansar a vista, eu pegava uma lista de palavras aleatórias e tentava memorizar. Em vez de ler uma revista ou um livro no metrô, eu levava uma folha com números aleatórios. Será que eu não percebia, na época, como estava me tornando esquisito?

Comecei a tentar usar a memória no dia a dia, mesmo quando não estava me exercitando para o punhado de provas misteriosas que seriam realizadas no campeonato. Passeios pela vizinhança tornaram-se pretextos para memorizar placas de carros. Comecei a prestar uma atenção doentia a rótulos. Memorizava listas de compras. Mantinha um calendário no papel e outro na mente. Toda vez que alguém me dava um número de telefone, eu o instalava em um palácio da memória especial.

Lembrar números provou ser uma das reais aplicações diárias do palácio da memória. Eu usava uma técnica conhecida como o "Sistema Maior", inventada por volta de 1648 por Johann Winkelmann, e que não passa de um simples código para converter números em sons fonéticos. Esses sons podem ser então transformados em palavras, que, por sua vez, tornam-se imagens para o palácio da memória. O código funciona assim:

0	1	2	3	4
S	T ou D	N	M	R

5	6	7	8	9
L	Sh ou Ch	K ou G	F ou V	P ou B

O número 32, por exemplo, seria traduzido em MN; o 33, em MM; e o 34, em MR. Para dar significado a esses conjuntos, pode-se intercalar vogais. Assim, o número 32 pode ser transformado na imagem de um irmão [MaNo], o 33 seria a nossa mãe [MaMa], o 34 poderia ser a estação espacial russa Mir. Do mesmo modo, o número 86 poderia ser uma ficha; o 40, uma rosa; e o 92, uma pena. Poderíamos visualizar o número 3.219 como um irmão numa taba indígena, ou talvez uma pessoa de Manitoba. Similarmente, o 7.879 seria convertido em KFKP e poderia ser transformado em algumas imagens de utensílios de cozinha [colher, faca, copo e prato] ou na imagem de café no copo. A vantagem do Sistema Maior é que é direto, e podemos começar a usá-lo na hora. (No momento em que aprendi, imediatamente memorizei o número do meu cartão de crédito e da conta bancária.) Mas ninguém vence competições internacionais com o Sistema Maior.

Quando se trata de memorizar longas sequências de números, como cem mil dígitos do pi ou médias de rebatidas na carreira de cada membro do Hall da Fama dos Yankees de Nova York, a maioria dos atletas mentais usa uma técnica mais complexa, conhecida no World Wide Brain Club (o fórum on-line dos viciados em memória, aficionados por cubos mágicos e atletas da matemática) como "pessoa-ação-objeto", ou simplesmente PAO. A técnica remonta à mnemônica combinatória circular de Giordano Bruno e Ramon Llull.

No sistema PAO, cada número de dois dígitos, de 00 a 99, é representado por uma única imagem de uma pessoa realizando uma ação em um objeto. O número 34 pode ser Frank Sinatra (uma pessoa) cantando (uma ação) em um microfone (um objeto). Do mesmo modo, o 13 poderia ser David Beckham chutando uma bola de futebol. O número 79 poderia ser o Super-Homem voando com uma capa. Qualquer número de seis dígitos, digamos 34-13-79, poderia então ser transformado em uma única imagem que combinasse a pessoa do primeiro número com a ação do segundo e o objeto do terceiro — nesse caso, Frank Sinatra chutando uma capa. Se, em vez disso, o número fosse 79-34-13, o atleta mental poderia imaginar a imagem não menos bizarra do Super-Homem cantando em uma bola de futebol. Não há nada inerentemente sinatresco com o número 34 ou beckhamiano com o 13. Diferente do Sistema Maior, essas associações são arbitrárias e precisam ser aprendidas de antemão, o que implica muita memorização apenas para memorizar. Há um grande custo fixo em termos de tempo e de esforço para competir no circuito da memória. Mas o que torna esse sistema tão forte é que ele efetivamente gera uma imagem única para todo número, de zero a 999.999. E porque o algoritmo acaba gerando cenas improváveis, as imagens do PAO tendem a ser, por natureza, memoráveis.

O esporte da memória competitiva é impulsionado por uma medíocre corrida armamentista. Todo ano, alguém — em geral, algum competidor temporariamente desempregado ou um estudante sem muitos planos para as férias — descobre uma técnica mais elaborada de memorizar mais coisas em menos tempo, forçando o restante a correr atrás.

Ed tinha justamente passado os seis meses anteriores desenvolvendo o que descreveu como "o mais elaborado monstro mnemônico jamais empregado em um campeonato de memória". Seu novo sistema, ao qual se referia como o "PAO do Milênio", representava um upgrade do sistema de dois dígitos usado pela maioria dos competidores europeus num sistema de três dígitos que consistia em mil imagens pessoa-ação-objeto diferentes. Permitiria que ele convertesse qualquer número de zero a 999.999.999 em uma única imagem que se esperava ser impossível de se confundir com outra. "Enquanto antes eu tinha um barquinho laser de dois dígitos que disparava entre os números como um atum cheio de anfetamina, agora tenho um navio de guerra com 64 canhões de três dígitos", gabou-se Ed. "Tem um poder enorme, mas é muito difícil controlar sua potência." Ele acreditava que, se o sistema funcionasse, o esporte daria um salto quântico em qualidade.

Os atletas mentais memorizam maços de cartas mais ou menos do mesmo modo, usando o sistema PAO para que cada uma das 52 cartas seja associada a uma imagem pessoa-ação-objeto. Isso permite que cada trinca de cartas forme uma imagem única e que um baralho inteiro seja condensado em apenas 18 imagens individuais (52 dividido por 3 dá 17, sobrando uma carta).

Com o auxílio de Ed, criei laboriosamente o meu próprio sistema PAO, que envolvia imaginar 52 imagens pessoa-ação-objeto distintas. Para dispor do potencial máximo de recordação, cada imagem deve ter apelo ao que é vívido e interessante para a pessoa. Isso quer dizer que o estoque de imagens PAO de um atleta mental é um bom guia para os gremlins que vivem no seu subconsciente: no meu caso, ícones da TV dos anos 1980 e início dos 1990; no caso de Ben Pridmore, personagens de desenhos animados; no caso de Ed, modelos de lingerie e jogadores de críquete ingleses dos anos da Depressão. O rei de copas, para mim, era Michael Jackson dançando o moonwalk com uma luva branca. O rei de paus era John Goodman comendo um hambúrguer, e o rei de ouros era Bill Clinton fumando um charuto. Se eu quisesse memorizar o rei de copas, o rei de paus e o rei de ouros, nessa ordem, criaria uma imagem de Michael Jackson comendo um charuto. Mas antes de memorizar qualquer baralho, eu teria que decorar essas 52 imagens. Não é um trabalho fácil.

Mas o meu sistema PAO não é nada em comparação ao sistema que Ben Pridmore usa para as cartas. No outono de 2002, ele largou o trabalho de seis anos e meio como assistente contábil de um frigorífico em Lincolnshire, passou uma semana em Las Vegas contando cartas, então retornou à Inglaterra e passou os seis meses seguintes assistindo a desenhos animados, obtendo a qualificação de professor de inglês para estrangeiros e desenvolvendo um arsenal nuclear mnemônico novo. Em vez de criar uma única imagem pessoa-ação-objeto para cada carta do maço, Ben Pridmore despendeu horas e horas imaginando uma imagem única para cada combinação de duas cartas. Quando aparece a rainha de copas seguida pelo ás de ouros, ele vê uma imagem individual. Quando vê o ás de ouros seguido pela rainha de copas, é outra imagem. Isso é 52 vezes 52, ou seja, 2.704 combinações possíveis de cartas para as quais Ben tem uma imagem pré-memorizada. E, como Ed, ele põe três imagens em cada *locus*. Isso quer dizer que Pridmore é capaz de condensar um baralho inteiro em apenas nove *loci* (52 dividido por 6) e 27 maços de cartas embaralhados — o máximo que já conseguiu memorizar em uma hora — em apenas 234 lugares.

É difícil dizer qual é o componente mais admirável desse feito: a destreza mental ou a manual de Ben. Ele desenvolveu a habilidade de virar rapidamente duas cartas de cada vez do topo do maço e, nesse processo, abri-las apenas o suficiente para revelar o naipe e o número no canto de ambas. Quando está no auge da velocidade, olha para cada par de cartas por menos de um segundo.

Ben desenvolveu um sistema igualmente bizantino para memorizar dígitos binários. Pelo sistema, ele pode converter qualquer sequência de dez dígitos de um e zero em uma imagem individual. Isso equivale a 2^{10}, ou 1.024, imagens reservadas para cada número binário. Quando aparece o número 1101001001, ele logo o vê como uma única porção, uma imagem de um jogo de cartas. Quando vê 0111011010, ele instantaneamente invoca a imagem de um cinema. Em competições internacionais, os atletas mentais recebem folhas com 1.200 dígitos binários, trinta por linha, quarenta linhas por página. Ben transforma cada linha de trinta dígitos em uma única imagem. O número 110110100001110110100010111010, por exemplo, é um fisiculturista colocando um peixe dentro de uma lata. Na época, Ben detinha o recorde mundial por ter decorado 3.705 uns e zeros aleatórios em meia hora.

Todo atleta mental tem uma fraqueza, um calcanhar de Aquiles. O de Ben eram nomes e rostos. Sua pontuação na prova era sempre mínima. "Não costumo olhar para as pessoas enquanto falo com elas", disse. "Para falar a verdade, não tenho ideia da aparência de um monte de gente que conheço." Para resolver o problema, ele desenvolveu um novo sistema mnemônico que atribui códigos numéricos à cor dos olhos, ao tom da pele, à cor do cabelo, ao comprimento do cabelo, ao nariz e ao formato da boca. Bem acredita que, se os rostos puderem ser transformados em sequências de dígitos, será moleza recordá-los.

LOGO QUE COMECEI a treinar a memória, a perspectiva de aprender essas técnicas elaboradas parecia absurdamente desencorajadora. Mas então fiz um trato com Anders Ericsson. Eu lhe daria gravações meticulosas de todo o meu treinamento, o que forneceria dados úteis para a sua pesquisa sobre expertise. Em troca, Tres e Katy, seus alunos de pós-graduação, analisariam esses dados em busca de formas para melhorar o meu desempenho. Depois do campeonato de memória, comprometi-me a voltar a Tallahassee por alguns dias para fazer testes de *follow-up*, a fim de publicar um artigo científico sobre toda a empreitada.

Ericsson estudou o processo de aquisição de habilidades a partir de vários ângulos diferentes em campos igualmente diferentes e, se houvesse quaisquer segredos de como se tornar um expert, ele era a pessoa mais indicada para revelá-los. O que eu já sabia de extensas conversas com ele e da leitura de quase todo livro e artigo que escreveu sobre o assunto era que, em todos os domínios, ele encontrou um conjunto comum de técnicas que os indivíduos mais bem-sucedidos aplicam no processo de se tornar especialistas — princípios gerais da aquisição da expertise. Esses princípios seriam a minha arma secreta.

Nos vários meses seguintes, enquanto eu labutava no sistema PAO no porão da casa dos meus pais, Ericsson acompanhava de perto o meu desenvolvimento. Eu o mantinha a par da evolução dos meus pensamentos sobre a competição iminente, que começaram como uma curiosidade inocente para uma competitividade zelosa. Quando me encontrava em um beco sem saída, pedia conselhos a Ericsson, que inevitavelmente me recomendava algum artigo científico para me ajudar a compreender as minhas dificuldades. Em determinado momento, após poucos meses de treinamento, a minha memória parou de melhorar. Não importava o quanto eu praticasse, não conseguia memorizar um maço de cartas com mais rapidez. Eu tinha empacado e não conseguia imaginar por quê.

— O meu tempo com as cartas alcançou o teto — lamentei.

— Recomendo que você verifique a literatura sobre velocidade de datilografia — respondeu.

Quando as pessoas aprendem a usar o teclado, evolvem de um arrastado "cata-milho" para uma datilografia cuidadosa com as duas mãos, até que, por fim, os dedos movam-se sem esforço pelas teclas e todo o processo se torne inconsciente e os dedos pareçam ter independência. Nesse ponto, as habilidades da maioria das pessoas param de progredir. Elas atingem um teto. Se você pensar a respeito, é um fenômeno estranho. Afinal de contas, sempre dizem que a prática leva à perfeição, e muitas pessoas se sentam na frente de um teclado por pelo menos várias horas por dia, basicamente praticando a digitação. Por que não continuam melhorando cada vez mais?

Na década de 1960, os psicólogos Paul Fitts e Michael Posner tentaram responder à questão descrevendo os três estágios pelos quais todos passam quando estão adquirindo uma nova habilidade. Durante a primeira fase, conhecida como "estágio cognitivo", intelectualizamos a tarefa e descobrimos novas estratégias de realizá-la com mais eficiência. Ao longo da segunda, o "estágio associativo", nós nos concentramos menos, cometemos menos erros grosseiros e, de modo geral, nos tornamos mais eficientes. Finalmente, alcançamos o que Fitts denomina "estágio autônomo", quando acreditamos já estarmos bem o suficiente na realização da tarefa e só ligamos o piloto automático. Nesse estágio, perdemos o controle consciente sobre o que fazemos. Na maioria das vezes, isso é uma coisa boa. A mente tem uma coisa a menos com que se preocupar. O estágio autônomo parece ser uma daquelas características convenientes que a evolução desenvolveu para nosso benefício. Quanto menos tivermos que nos concentrar em tarefas repetitivas do dia a dia, mais tempo poderemos dedicar às coisas que realmente importam, que nunca vimos antes. E, assim, quando nos tornamos bons o suficiente em datilografia, podemos colocar a prática no fundo do armário da mente e parar de prestar atenção. Podemos ver esse deslocamento na ressonância magnética computadorizada de pessoas que estão aprendendo novas habilidades. Quando a tarefa se torna automatizada, as partes do cérebro envolvidas no raciocínio consciente tornam-se menos ativas, e outras partes assumem o lugar. Poderíamos chamar isso de o "teto OK", ponto em que decidimos que estamos OK em relação à qualidade do que estamos fazendo, ligamos o piloto automático e paramos de melhorar.

Todos nós atingimos o teto OK em quase tudo o que fazemos. Aprendemos a dirigir durante a adolescência e, tão logo nos tornamos bons para evitar multas e acidentes graves, melhoramos apenas por pequenos incrementos. Meu pai joga golfe há quarenta anos e até hoje é — embora isso vá feri-lo quando ler — péssimo. Em quatro décadas, sua deficiência não caiu nem um ponto. Como isso acontece? Ele atingiu um teto OK.

Os psicólogos costumavam pensar que esse limite marcava as fronteiras superiores da habilidade inata. Em seu livro de 1869, *Hereditary Genius,* sir Francis Galton sustentava que alguém só poderia aprimorar suas atividades físicas e mentais até atingir um muro, o qual "não poderia ultrapassar com qualquer educação ou exercício". Segundo esse ponto de vista, o melhor que podemos fazer é simplesmente o melhor que podemos fazer.

Mas Ericsson e seus colegas psicólogos que estudam o desempenho de experts têm encontrado repetidas vezes que, com o tipo certo de esforço bem-empregado, esse raramente é o caso. Eles acreditam que o muro de Galton tem menos a ver com nossos limites inatos do que com o que consideramos ser um nível aceitável de performance.

O que distingue os especialistas da maioria de nós é que eles tendem a se engajar em uma rotina muito direcionada, altamente focada, que Ericsson intitulou "prática deliberada". Após estudar os melhores dos melhores em muitos campos diferentes, o pesquisador descobriu que os que têm o maior nível de realizações tendem a seguir o mesmo padrão geral de desenvolvimento. Articulam estratégias para se manterem conscientes fora do estágio autônomo, enquanto praticam sempre com três coisas em mente: concentração na técnica, orientação aos objetivos e requisição de feedback constante e imediato sobre o desempenho. Em outras palavras, eles se forçam a se manter na "fase cognitiva".

Músicos amadores, por exemplo, são mais propensos a gastar o tempo de prática tocando música enquanto os profissionais despenderão esforços com exercícios tediosos ou se concentrarão em partes difíceis de peças. Os melhores patinadores do gelo passam mais tempo treinando saltos que realizam menos enquanto os patinadores menores trabalharão mais nos saltos que eles já dominam. A prática deliberada, por natureza, deve ser dura.

Quando desejamos ser bons em alguma coisa, como gastar o tempo para praticar é menos importante do que a quantidade de tempo a gastar. De fato, em todos os domínios de expertise rigorosamente examinados, do xadrez ao violino, ou ao basquete, demonstrou-se que o número de anos de prática tem pouca relação com a qualidade da performance. Meu pai pode achar que acertar o buraco de uma lata no porão de casa é uma boa forma de exercício, mas, a não ser que ele esteja se desafiando e se monitorando — revendo, respondendo, repensando, remexendo —, isso nunca vai fazê-lo melhorar de maneira flagrante. Somente a prática regular não basta. Para melhorar, devemos nos observar falhar e aprender com erros.

O melhor meio de sair do estágio autônomo e não estagnar no teto OK é, como Ericsson descobriu, exercitar o fracasso. Um dos modos de fazer isso é colocar-se na mente de alguém mais competente na tarefa que se está tentando dominar e tentar imaginar como aquela pessoa resolveria o problema. Benjamin Franklin foi, ao que parece, o praticante pioneiro dessa técnica. Em sua autobiografia, descreve como costumava ler ensaios dos grandes pensadores e tentava reconstruir os argumentos do autor de acordo com a própria lógica. Ele então relia o ensaio e comparava a sua reconstrução com as palavras originais para ver como a própria cadeia de pensamento se alinhava com a do mestre. Os melhores jogadores de xadrez seguem uma estratégia semelhante. Eles muitas vezes passam horas jogando de novo os jogos de grandes mestres, um movimento por vez, tentando entender o pensamento do expert em cada passo. De fato, o melhor preditor da habilidade em xadrez de um jogador não é o total de tempo que ele jogou com adversários, mas, antes, o total de tempo que ele passou sozinho tentando compreender as antigas partidas.

O segredo do aprimoramento em uma habilidade é reter algum grau de controle consciente enquanto se pratica — forçar a si mesmo a não ligar o piloto automático. Com a datilografia, é relativamente fácil ultrapassar o teto OK. Psicólogos descobriram que o método mais eficiente é forçar-se a digitar mais rápido do que parece confortável e se permitir cometer erros. Em um experimento conduzido, os datilógrafos eram submetidos repetidas vezes a flashes de palavras 10% a 15% mais rápidos do que seus dedos eram capazes de traduzir no teclado. No início, não conseguiam acompanhar o ritmo, mas, após alguns dias, descobriam os obstáculos e os superavam, e datilografavam então em velocidade mais alta. Ao levar a datilografia para fora do estágio autônomo e de volta ao seu controle consciente, conquistaram o teto OK.

Ericsson sugeriu que eu tentasse a mesma coisa com as cartas. Disse para eu comprar um metrônomo e tentar memorizar uma carta a cada batida. Uma vez observados meus limites, instruiu-me a aumentar o ritmo da batida em 10% a 20% e a tentar acompanhá-lo até não cometer mais erros. Toda vez que encontrasse uma carta particularmente problemática, eu deveria tomar nota dela e tentar descobrir o que me causava problemas. Funcionou, e uns dois dias depois eu estava fora do teto OK, e meu tempo de memorização começou a cair numa taxa constante.

Se não praticam de modo deliberado, mesmo os especialistas podem sentir um declínio. Ericsson deu um incrível exemplo disso. Embora você esteja inclinado a não confiar no conselho de um médico loiro platinado recém-saído da faculdade, descobriu-se que, em alguns campos da medicina, as habilidades do médico não melhoram com a prática. Os diagnósticos de mamografia, por exemplo, tendem a ser cada vez menos precisos com o passar dos anos. Por quê?

Para a maioria dos avaliadores desse exame, a prática da medicina não é deliberada, explica Ericsson. Está mais para jogar em um buraco de lata do que treinar com um técnico. Isso é porque esses profissionais em geral descobrem qual foi a precisão de seus diagnósticos semanas ou meses depois, se é que descobrem, e, nessa altura, provavelmente já esqueceram os detalhes do caso em questão e não podem mais aprender com seus acertos e erros.

Um campo da medicina em que esse definitivamente não é o caso é a cirurgia. Ao contrário dos especialistas em mamografia, os cirurgiões tendem a melhorar com o tempo. O que diferencia as duas profissões, de acordo com Ericsson, é que o resultado da maior parte das cirurgias se apresenta de imediato — o paciente melhora ou não —, o que significa que os cirurgiões estão sempre recebendo feedback sobre o desempenho. Estão sempre aprendendo o que funciona e o que não funciona, sempre se aprimorando. Compreender isso leva a uma aplicação prática da teoria da expertise: Ericsson sugere que os especialistas em mamografia sejam solicitados com regularidade a avaliar antigos casos que já tenham resultado. Desse modo, podem ter um retorno imediato sobre o desempenho.

Por meio desse tipo de resposta imediata, os especialistas descobrem novos meios de ter um desempenho cada vez melhor e elevam os tetos OK coletivos a níveis cada vez mais altos. As pessoas nadam desde a primeira vez em que ficaram com água na altura do pescoço. Poderíamos pensar que, como espécie, teríamos atingido muito tempo atrás o limite de quão rápido seríamos capazes de nadar. Contudo, novos recordes de natação se estabelecem a cada ano. Os seres humanos estão ficando cada vez mais rápidos. "Os nadadores olímpicos do início do século passado nem sequer seriam cotados para as equipes de campeonatos do colégio", observou Ericsson. Do mesmo modo, "o desempenho do medalhista de ouro da primeira maratona olímpica é o critério básico exigido para amadores na maratona de Boston". E isso é válido não apenas para as atividades físicas, mas para quase qualquer campo. O filósofo do século XIII Roger Bacon afirmava que "ninguém poderia obter proficiência na ciência da matemática pelo método até agora conhecido, a não ser que devotasse trinta ou quarenta anos ao estudo". Hoje em dia, todo o conteúdo matemático conhecido por Bacon é adquirido por um aluno médio do ensino médio.

Não há razão para acreditar que os grandes atletas de hoje tenham tanto talento inato a mais do que os grandes atletas do passado. E também não há razão para acreditar que os aperfeiçoamentos dos tênis de corrida ou dos trajes de natação — ainda que façam mesmo alguma diferença — sejam responsáveis pela totalidade desses claros aprimoramentos. O que mudou foi a quantidade e a qualidade do treinamento a que os atletas são obrigados a se submeter para alcançar o status de nível mundial. A verdade se aplica não apenas para a corrida e para a natação, mas também para o lançamento de dardo, a patinação no gelo e todas as outras atividades atléticas. Não há um único esporte cujos recordes não sejam quebrados regularmente. Se houver tetos para essas atividades, ainda não os alcançamos.

Como continuamos a nos superar? Em parte, segundo Ericsson, isso advém das barreiras que erguemos coletivamente, que são tanto psicológicas quanto inatas. Uma vez que uma marca é considerada superável, não tardará muito até que alguém a quebre. Por muito tempo pensou-se que jamais alguém poderia correr 1,5km em menos de quatro minutos. Considerava-se uma barreira inquebrável, como a velocidade da luz. Quando Roger Bannister, um estudante de medicina britânico de vinte anos, finalmente quebrou os quatro minutos em 1954, o feito foi estampado nas primeiras páginas dos jornais do mundo todo e aclamado como uma das maiores façanhas atléticas de todos os tempos. Mas tal barreira acabou virando uma comporta. Bastaram seis semanas para o australiano John Landy cumprir o percurso um segundo e meio a menos que Bannister, e dentro de poucos anos o feito tornou-se um lugar-comum. Hoje em dia, espera-se que todos os meio-maratonistas profissionais façam 1,5km em quatro minutos, e o recorde mundial caiu para 3min43,13s. No Campeonato Mundial de Memória, pelo menos metade dos recordes mundiais são quebrados todos os anos.

Em vez de pensar em melhorar a memória como algo análogo a esticar a minha altura, melhorar a minha visão ou turbinar qualquer outro atributo fundamental do meu corpo, Ericsson encorajou-me a pensar nisso mais como o aperfeiçoamento de uma habilidade — aprender a tocar um instrumento, por exemplo.

Normalmente pensamos na memória como uma coisa única, monolítica. Não é. A memória se assemelha mais a uma coleção de módulos e sistemas independentes, cada um baseado em sua rede de neurônios. Algumas pessoas têm boa memória para números, mas sempre esquecem palavras; algumas são boas em lembrar nomes, mas não uma lista de coisas a fazer. SF, o estudante de graduação que foi objeto de estudo de Ericsson, expandiu sua rede de dígitos em dez vezes, mas não aumentou a capacidade de memória geral. Em vez disso, tornou-se simplesmente um expert em memorização de dígitos. Quando tentava memorizar listas de consoantes aleatórias, ele conseguia lembrar somente sete delas.

Isso, mais do que qualquer outra coisa, é o que diferencia os memorizadores de elite dos de segundo escalão: os primeiros abordam a memorização como uma ciência, desenvolvem hipóteses sobre suas limitações, conduzem experimentos e rastreiam dados. "É como desenvolver um dispositivo tecnológico, ou trabalhar em uma teoria científica.", disse certa vez o bicampeão mundial Andi Bell. "Você tem que analisar o que está fazendo."

Se eu quisesse ter qualquer chance de me catapultar para a elite do circuito competitivo da memória, minha prática teria que ser focada e deliberada. Isso significaria a obrigação de coletar dados e analisá-los para obter feedback. E também significaria que toda essa operação precisaria ser acelerada.

Criei uma planilha no meu laptop para manter um registro do tempo de prática e de qualquer dificuldade que eu encontrasse pelo caminho. Fiz gráficos de tudo e anotei os pequenos avanços contínuos de resultados em um diário:

19 de agosto: 22 cartas em 2:57.

20 de agosto: 28 cartas em 2:39. Um bom tempo.

24 de agosto: 38 cartas em 4:40. Não tão bom.

8 de setembro: Sentado na Starbucks, procrastinando em vez de trabalhar em um artigo atrasado. Memorizei 46 dígitos em cinco minutos... Patético. Então fiz 48 cartas em 3:32. Finalmente decidi mudar minhas imagens para os quatro naipes. Adeus, atrizes; alô, atletas mentais. Paus = Ed Cooke; ouros = = Gunther Karsten; copas = Ben Pridmore; espadas = eu.

2 de outubro: Fiz setenta palavras aleatórias em 15 minutos. Não é bom! Perdi pontos porque confundi "crescer" com "crescimento" e "bicicleta" com "motocicleta". De agora em diante, quando uma palavra tiver múltiplos cognatos, fazer uma nota mental cuidadosa em um palácio próximo da imagem problemática!

16 de outubro: Acabei de memorizar 87 palavras aleatórias. Estou concentrado no relógio e desviando o olhar para a sala em vez de memorizar. Estou perdendo tempo. Concentre-se, cara, concentre-se!

Atenção é, obviamente, um pré-requisito para a lembrança. De modo geral, quando esquecemos o nome de um novo conhecido é porque estávamos muito ocupados pensando no que iríamos dizer em seguida. Parte da razão de as técnicas como imagética visual e palácio da memória funcionarem tão bem é o fato de reforçarem um grau de atenção e consciência que normalmente nos falta. Não podemos criar a imagem de uma palavra, um número ou o nome de uma pessoa sem nos determos a ela. E não podemos nos deter a alguma coisa sem torná-la interessante. O problema era que eu estava ficando entediado, permitindo que o meu olho mental vagasse. Não importa quão cruas, vívidas e explícitas sejam as imagens inscritas nos palácios da memória, pode-se somente olhar para páginas de números por algum tempo antes de começar a imaginar se não há algo mais interessante acontecendo na sala ao lado. Como o som das tacadinhas de golfe.

Ed, que tinha adquirido o hábito de se referir a mim como "filho", "jovem" e "Herr Foer", insistia que a cura para a minha distração residia em um upgrade do meu equipamento. Todos os mnemonistas sérios usam protetores de ouvido. Certos competidores mais sérios usam antolhos para limitar o campo de visão e eliminar distrações periféricas. "Acho que são ridículos, mas, no seu caso, seriam um bom investimento", disse Ed em um dos seus acompanhamentos por telefone, duas vezes por semana. Naquela tarde, fui a uma loja de ferragens e comprei um par de protetores auriculares industriais e óculos de segurança laboratoriais de plástico. Pintei-os com spray de tinta preta e então furei um pequeno orifício em cada lente. Daí em diante, sempre os usava no meu treinamento.

Era fácil explicar para as pessoas que eu estava vivendo com os meus pais para economizar uns trocados enquanto tentava decolar como escritor. Mas o que estava fazendo no porão da casa deles, com páginas de números coladas nas paredes e antigos anuários do colégio (comprados no mercado das pulgas) abertos no chão, se não era totalmente vergonhoso, pelo menos era algo sobre o que mentir.

Quando meu pai me visitava no porão para ver se eu gostaria de dar umas tacadas com ele por uns minutos, eu rapidamente escondia as folhas com números que estava memorizando e fingia estar trabalhando em alguma outra coisa, como um artigo que alguma publicação me recompensaria com um cheque, que, por sua vez, poderia acabar nas mãos de um senhorio. Algumas vezes eu tirava os protetores de ouvido e os óculos especiais e descobria que meu pai estava de pé na soleira da porta, apenas me observando.

Se Ericsson era o meu professor, Ed tinha assumido o papel de guru e empresário. Ele estabeleceu um cronograma para os quatro meses seguintes, com marcas a cumprir e um regime rigoroso de treinamento de meia hora toda manhã mais duas sessões de explosão de cinco minutos à tarde. Um programa de computador me testava e mantinha registros detalhados das minhas falhas, de maneira que eu pudesse analisá-las depois. Enviava os meus tempos a Ed periodicamente por e-mail, e ele respondia com sugestões sobre como poderia melhorar.

Decidi então que era hora de voltar a Mill Farm para me encontrar ao vivo com meu técnico. Programei a viagem à Inglaterra para coincidir com a festa de aniversário de 25 anos de Ed, um evento épico de que ele falava desde a minha primeira visita, ao Campeonato Mundial de Memória.

A festa foi realizada no velho celeiro de pedra de Milf, no qual Ed passara a melhor parte da última semana transformando em um tubo de ensaio para a sua filosofia de festas. “Estou tentando descobrir um quadro para a manipulação de conversa, espaço, movimento, humor e expectativas, de modo que possa ver como esses fatores se influenciam entre si”, contou-me. “Para acompanhar todos esses parâmetros, trato as pessoas não como entidades voluntárias, mas como autômatos — partículas, na realidade — que colidem durante a festa. E, como anfitrião da festa, levo muito a sério a responsabilidade em fazer com que as colisões ocorram do melhor modo possível."

Panos cintilantes pendiam das vigas até o chão, dividindo o celeiro em uma série de pequenos cômodos. A única entrada ou saída era por uma rede de túneis, que somente podiam ser atravessados resvalando a própria barriga. O piano de cauda foi transformado em forte, e se formou um círculo ao redor da lareira com uma coleção de sofás esfarrapados amontoados em frente às mesas.

— Atravessar a série de túneis será uma aventura. As pessoas terão que batalhar um pouquinho; portanto, ao chegarem, experimentarão um sentimento de gratidão, alívio e realização e estarão comprometidas com o projeto de ter uma boa experiência, com maior vigor e imaginação possíveis. Penso que o seu treinamento de memória é muito semelhante a isso. Embora soe estúpido dizer 'Sem esforço não há realização', isso é verdade. Temos que nos machucar, passar por um período de estresse, um período de questionamento, um período de confusão. E então, saindo de todo esse caos, podemos desfrutar as mais ricas tapeçarias.

Arrastei-me atrás dele por um túnel escuro de cerca de dez metros e emergi em uma sala cheia de balões até a altura do pescoço. Cada sala, explicou Ed, deveria funcionar como uma câmara de um palácio da memória. Sua festa foi planejada para ser memorável ao máximo. "Muitas vezes temos apenas uma ligeira sensação do que aconteceu em uma festa porque é um espaço simples, não diferenciado", disse. "Uma das vantagens desse tipo de arranjo é que as experiências de cada sala são mantidas nela e isoladas de outras experiências. Quando sair da festa, a pessoa terá um belo repertório de eventos, sobre os quais poderá se debruçar durante a meia-idade e a velhice."

De modo a facilitar a interação social, Ed sentia que era crucial que os participantes não se reconhecessem. Ben Pridmore, que tinha feito uma viagem de trem de quatro horas desde Derby, usava uma capa preta e a aterrorizante máscara de um devorador de gente dos mohawk, chamado por ele de Grunch. Lukas Amsüss (recuperado do seu fiasco como engolidor de fogo), que tinha pegado um avião de Viena só para a festa, trajava um uniforme austríaco do século XIX com uma faixa e medalhas. Um dos antigos amigos de Ed de Oxford estava vestido com um *collant* de tigre. Outro se apresentou com o rosto pintado de preto e dread nos cabelos. Ed usava uma peruca ondulada, vestido, calcinha e sutiã generosamente guarnecidos. Em reconhecimento ao fato de eu ser o único norte-americano da festa, meu rosto foi pintado de Capitão América.

O ponto alto da noite era o evento das cartas. Pouco antes da meia-noite, Ed reuniu seus cinquenta e tantos convidados e anunciou que, em homenagem ao seu um quarto de século, dois dos maiores memorizadores de todos os tempos se enfrentariam em uma competição. Ben, ainda usando a capa preta, mas sem a máscara de Grunch, empoleirava-se em uma poltrona de saco de feijão num dos extremos de uma longa mesa coberta com copos de plástico de sangria vazios e os restos do cordeiro assado no espeto, sobre uma fogueira no quintal. Lukas sentava-se no outro extremo com o uniforme militar austríaco.

— Primeiro, gostaria de fornecer aos aqui reunidos alguns detalhes sobre as capacidades de memorizar maços de cartas desses dois indivíduos — anunciou Ed. — Lukas foi um dos primeiros no mundo a romper a barreira dos quarenta segundos para um maço de cartas. Por muito tempo, na comunidade da memória, que consta de 11 membros, isso foi considerado como o 1,5km em quatro minutos. Ele quebrou a marca repetidas vezes e, durante um tempo, foi o campeão mundial em memorizar cartas. Ele também é um dos membros fundadores de uma notável sociedade de memorizadores conhecida como KL7. É claro, sua memória extraordinária seria muito melhor se ele não estivesse bêbado — disse Ed hiperbolicamente. Lukas ergueu sua taça de plástico na direção dele. — Sabe, Lukas me apresentou uma máquina divertida e útil que construiu com seus amigos de engenharia em Viena que permite beber quatro copos de cerveja em menos de três segundos. Ela tem um mecanismo de válvula que tiveram que adquirir junto a uma companhia aeroespacial. Infelizmente, Lukas a tem utilizado um pouco demais nos últimos tempos. Não tem memorizado um maço de cartas já faz quase um ano. Contudo, na última vez que decorou, obteve um tempo de 35,1s.

Ed voltou-se para Ben:

— Pridmore, aqui, detém o atual recorde mundial de cartas, com 31,03 segundos. E ele é britânico. — Isso suscitou uma onda de hurras selvagens entre os convidados. — Ben também decorou 27 maços de cartas em uma hora... o que é apenas, para ser franco, desnecessário.

Ben descruzou os braços e falou:

— Lukas e eu conversamos e pensamos que, como Ed tem a 17ª posição no ranking mundial...

— Está zombando de mim — protestou Ed. Ele não sabia que um punhado de jovens alemães o tinha ultrapassado nos rankings internacionais.

— Decidimos não competir, a não ser que você consiga dizer o nome de todas as pessoas desta sala.

Houve mais uma onda de hurras selvagens, que Ed tentou aquietar. Ele estava quase conseguindo até que, após ter dado volta em um quarto do salão, topou com o amigo de um amigo que afirmou nunca ter encontrado antes. Ele pediu silêncio, convidou dois participantes a embaralhar os maços de cartas e então entregou estes a Lukas e a Ben. O cronômetro foi disparado. Cada um tinha um minuto.

Mal foi virada meia dúzia de cartas e ficou claro que Lukas, que manteve a cabeça erguida apenas por um esforço de permanecer acordado, não tinha condições de usar suas faculdades cognitivas mais elevadas. Ele pôs o maço na mesa e, encabulado, declarou:

— Pelo menos ainda estou à frente de Ed no ranking internacional.

Ed empurrou-o com força para fora do seu lugar e sentou onde ele estava.

— Por ocasião do meu 25º aniversário é um prazer anunciar que um dos competidores no meu evento-vitrine está bêbado demais para competir e que vou ter que substituí-lo! — Os maços foram de novo embaralhados, e o cronômetro, zerado. — Agora, Pridmore, pode se acalmar, certo?

Depois de um minuto de memorização silenciosa, Ben e Ed, por turnos, anunciaram as cartas, enquanto um juiz autonomeado fazia a conferência.

Ed: "Valete de paus." Viva!

Ben: "Dois de ouros." Ohhh!

Ed: "Nove de paus." Viva!

Ben: "Quatro de espadas." Ohhh!

Ed: "Cinco de espadas." Viva!

Ben: "Ás de espadas." Ohhh!

Depois de cerca de quarenta cartas, Ben balançou a cabeça negativamente e pôs as mãos sobre a mesa.

— Para mim chega.

Ed saltou da cadeira, os seios artificiais batendo no queixo.

— Eu sabia que Ben Pridmore iria rápido demais! Eu sabia! Ele é demais, esse cara!

— Quantas vezes você ganhou o Campeonato Mundial? — reagiu Ben, com mais acidez na voz do que eu jamais tinha ouvido antes.

— Vamos esclarecer o recorde em uma competição um contra um, Ben?

— Você entendeu que perder foi o meu presente de aniversário para você?

Enquanto Ed circulava pelo salão trocando cumprimentos e abraçando as mulheres, Ben se esgueirava para a sua poltrona-saco e acariciava sua capa. Um dos colegas bêbados de Ed em Oxford, impressionado com a performance de Bem — como tinha que ser, mesmo que ele tenha perdido —, aproximou-se dele e lhe entregou uma pequena pilha de cartões de crédito. Disse que se conseguisse memorizá-los poderia fazer uso deles.

Depois do evento das cartas, a festa migrou para fora, em torno de uma fogueira construída na clareira, onde uma roda de dança tribal de bêbados se estendeu até o amanhecer. Quando finalmente fui dormir, um pouco antes do nascer do sol, Ed e Ben ainda estavam sentados à mesa da cozinha, desfiando as combinações de números binários mais bizarras e engraçadas que pudessem imaginar.

DEPOIS DE DORMIR, CURADOS DA RESSACA, Ed e eu passamos a tarde treinando à mesa da cozinha. Apresentei para ele três problemas particulares para os quais precisava do seu auxílio, sendo o mais premente o fato de eu misturar imagens. Quando se está memorizando um maço de cartas, não há tempo suficiente para formar imagens com todos os detalhes e a riqueza que o *Ad Herennium* recomenda. Você vai tão rápido que em geral consegue só o equivalente a um vislumbre de cada passada. De fato, mais do que qualquer outra coisa, a arte da memória envolve determinar o mínimo de uma imagem que você precisa ver para torná-la memorável. Foi apenas pela análise dos dados registrados que percebi que estava confundindo sistematicamente o sete de ouros — Lance Armstrong andando de bicicleta — com o sete de espadas — o jóquei galopando num cavalo. Algo na ação de movimento nesses dois contextos muito diferentes estava me provocando soluços cognitivos.

Perguntei a Ed o que deveria fazer a respeito.

— Não tente ver a imagem toda — disse. — Não precisa. Apenas foque um elemento particular do que você está tentando visualizar. Se é a namorada, assegure-se de que, antes de qualquer coisa, você veja o sorriso dela. Exercite estudar a brancura de seus dentes e o modo como mexe os lábios. Outros detalhes a farão memorável, mas o sorriso será a chave. Algumas vezes, uma pontada de azul com cheiro de ostra pode ser toda a recordação de que você precisa de uma imagem, mas se você conhece bem o seu sistema, será capaz de retraduzir. Muitas vezes, quando você realmente está em disparada, os únicos traços deixados pela visualização rápida de um maço de cartas será uma série de emoções sem qualquer conteúdo visual. Outra opção é mudar as imagens, de maneira que não sejam tão semelhantes — nem tão mundanas.

Fechei os meus olhos e tentei imaginar Lance Armstrong pedalando em um morro íngreme. Tomei como um ponto especial o modo como seus óculos escuros reflexivos mudavam do azul para o verde enquanto se mexiam em relação à luz do sol. Então pensei no jóquei e cheguei à conclusão de que ele seria muito mais marcante se fosse um anão com um sombreiro, montando em um pônei. Esse pequeno ajuste talvez tenha reduzido o meu tempo em dois segundos.

— Bom trabalho com as cartas! — desejou Ed quando mostrei minha última planilha. — É apenas uma questão de cinco horas ou pouco mais de exercício antes de as imagens se tornarem totalmente automáticas. Não tenho dúvidas de que o recorde norte-americano de memorizar cartas será brincadeira de criança. Que felicidade!

É claro, em virtude de toda reanálise e movimento de vaivém que caracteriza a prática deliberada, Ed me avisou que sempre haveria o risco de sobrecarregar o pensamento no esporte da memória, visto que cada mudança no nosso sistema mnemônico deixa para trás um traço que pode nos assombrar durante a competição. E, se há algo que um atleta mental queira evitar desesperadamente é, para uma única carta ou número, disparar múltiplas imagens no dia do jogo.

Outro problema que descobri nas minhas sessões é que as imagens das cartas se desvaneciam muito rápido. Quando eu chegava ao final de um maço de cartas ou de uma sequência de números, as imagens do início se transformavam em tênues fantasmas. Mencionei isso na reunião com Ed.

— Bem, você tem que conhecer melhor as suas imagens — foi a resposta dele. — A partir de hoje, pegue um naipe de cada vez e fique um tempo meditando sobre cada personagem. Pergunte-se qual a sua aparência, o que sentem, qual o seu cheiro, gosto, som; como andam, o modelo de suas roupas, a atitude social, as preferências sexuais, a propensão à violência gratuita. Após adquirir esse tipo de intimidade com eles, tente fazer com que tudo aconteça de uma só vez: sinta a força total de suas características físicas e sociais, todas de uma vez, como em uma banda larga imaginária, e então imagine-os frequentando a sua casa e fazendo as atividades de rotina, de tal modo que você se acostume com eles em sua densidade e riqueza, mesmo em situações normais. Desse modo, quando aparecerem em um maço de cartas, os personagens sempre oferecerão uma característica aparente que se fixará nos arredores.

Eu ainda precisava da ajuda de Ed com outro problema. Seguindo as recomendações de Pedro de Ravena e do *Ad Herennium*, minha coleção de imagens PAO incluía alguns atos provocantes ainda ilegais em uns poucos estados do sul dos Estados Unidos e um tanto de outros que deveriam ser. E, a partir do momento em que memorizar um baralho com o sistema PAO exige recombinar imagens pré-memorizadas para criar novas imagens memoráveis, isso invariavelmente significa inserir membros da família em cenas tão escandalosas que eu temia fazer um aprimoramento da minha memória em detrimento da saúde de meu subconsciente. Os atos indecentes que a minha avó tinha que cometer para me fazer recordar o oito de copas são impronunciáveis (senão, como eu poderia antes ter antecipado, inimagináveis).

Expliquei a minha situação embaraçosa a Ed. Ele me entendeu perfeitamente: "Acabei tendo que expurgar minha mãe do maço", disse. "Recomendo-lhe que você faça o mesmo."

Ed era um técnico exigente, que me repreendia pelo "caráter apático" do treinamento. Se eu passasse mais do que uns poucos dias sem lhe enviar os meus tempos, ou reconhecesse que não estava, de fato, me exercitando meia hora por dia, como tinha me ordenado, recebia uma reprimenda cáustica via e-mail.

"Você tem que incrementar o seu treinamento porque é inevitável que a sua performance caia durante o próprio torneio", avisou. "Você poderia ter a perfeita mentalidade esportiva e na realidade elevar o seu escore, mas você tem que trabalhar com a suposição de que você vai se sair melhor no exercício do que no torneio."

Em minha defesa, "apático" não seria bem a palavra que eu teria escolhido. Agora que eu havia ultrapassado o teto OK, minha pontuação começava a melhorar praticamente a cada dia. As folhas de números aleatórios que tinha memorizado se empilhavam na gaveta da minha escrivaninha. As páginas de versos que eu tinha decorado, marcadas com orelhas, acumulavam-se no meu exemplar do *Norton Anthology of Modern Poetry*. Comecei a acreditar que, se continuasse naquele ritmo, poderia de fato ter uma chance na competição.

Ed me enviou uma citação do venerável mestre de artes marciais Bruce Lee, para me servir de inspiração: "Não há limites. Há tetos, mas você não deve permanecer sob eles, deve ultrapassá-los. Se isso te matar, isso te matou." Copiei o pensamento em uma nota de *post-it* que grudei na parede. Então rasguei-a e memorizei-a.

Capítulo 9

O Décimo Talentoso

Não muito depois de meu retorno da Inglaterra, encontrei-me sentado em uma cadeira de armar no porão da casa dos meus pais, às 6h45, de cuecas, usando protetores auriculares e óculos especiais, tendo, no meu colo, uma folha com oitocentos dígitos aleatórios e, no olho mental, a imagem de um gnomo de jardim vestindo lingerie (52632) em cima da mesa da cozinha da minha avó. De repente me surpreendi, perguntando-me — curiosamente, pela primeira vez — o que afinal estava fazendo comigo mesmo. Percebi que tinha ficado obcecado com os outros competidores. Com o auxílio das estatísticas mantidas no servidor do circuito da memória, familiarizei-me com cada um de seus pontos fortes e fracos e comparava os meus resultados aos deles com regularidade compulsiva. O adversário mais preocupante não era o detentor do título de campeão, Ram Kolli, consultor de negócios de 25 anos de Richmond, Virginia, mas Maurice Stoll, importador de produtos de beleza dos arredores de Fort Worth, Texas, e um talento em decorar números que tinha trinta anos e que foi criado na Alemanha. Eu o encontrara na competição do ano anterior. Ele tinha cavanhaque, cabeça raspada, e falava com um intimidador sotaque alemão (qualquer característica alemã é intimidadora em uma disputa de memória). Era um dos poucos norte-americanos que cruzaram o Atlântico para competir em uma disputa europeia (ele terminou em 15º lugar no Campeonato Mundial de Memória de 2004 e em sétimo na Copa Mundial de Memória daquele ano). Era recordista norte-americano tanto em números (144 dígitos em cinco minutos) quanto em cartas (um baralho em 1min56s). Suas únicas fraquezas eram poesia (ocupava a 99ª posição no mundo) e insônia. Todos concordavam que ele poderia ter ganhado a competição do ano anterior, mas em vez disso empacou e terminou em quarto porque teve apenas três horas de repouso na véspera. Nesse ano, se conseguisse ir para a cama na hora certa, ele seria, ao que me parecia, o favorito para o título. E eu estava labutando rigorosamente meia hora por dia para garantir que ele não ganharia.

À medida que mergulhava cada vez mais fundo no treinamento mental, comecei a questionar se o tipo de memorização praticada pelos AMs não era algo semelhante à cauda de um pavão: impressionante não por sua utilidade, mas por sua profunda inutilidade. Não seriam essas antigas técnicas nada mais que "fósseis intelectuais", como o historiador Paulo Rossi certa vez colocou, fascinantes pelo que contam a respeito das mentes de uma era que se foi, mas deslocadas do mundo moderno como canetas de pena de ganso ou rolos de papiro?

Esta sempre foi a crítica contra as técnicas de memória: são impressionantes, mas, em última instância, inúteis. O filósofo do século XVII Francis Bacon declarou: "Não tenho qualquer estima pela repetição de uma grande quantidade de nomes ou de palavras após ouvi-los (...) não mais do que pelos truques dos acrobatas, funâmbulos, dançarinos: aquilo que um faz com a mente os outros fazem com o corpo, façanhas esquisitas e sem valor." Ele julgava que a arte da memória era fundamentalmente "estéril".

Quando o missionário jesuíta seiscentista Matteo Ricci tentou introduzir as técnicas de memória aos chineses que estudavam para o exame do serviço civil imperial, houve resistência. Ele planejava primeiro atraí-los com as habilidades de estudo europeias antes de tentar atraí-los para o deus europeu. Os chineses objetaram que o método dos *loci* exigia muito mais trabalho do que a repetição contínua e afirmaram que a sua maneira de memorizar era mais simples e rápida. Eu poderia entender quais motivos teriam.

A DEMOGRAFIA MÉDIA DA NOSSA competição de memória é quase a mesma da do público de um concerto do "Weird Al" Yankovic (cinco de espadas). A esmagadora maioria dos competidores é masculina, branca, jovem e aficionada por truques de todo tipo. É por isso que é impossível não notar uma dúzia de estudantes que todo ano se apresenta no Campeonato de Memória dos Estados Unidos em trajes bem-comportados. Eles são da escola Samuel Gompers Vocational, em South Bronx, e seu professor de história, Raemon Matthews, é discípulo de Tony Buzan.

Se eu pensava que a arte da memória era uma forma de pavoneamento mental, Matthews se propôs a demonstrar o contrário. Ele apelidava o grupo de estudantes que treinava para o campeonato nacional de o "Décimo Talentoso", em referência à noção de W.E.B. Du Bois de que um corpo de elite de afro-americanos poderia tirar a raça da pobreza. Quando conheci Matthews, no Campeonato Mundial de Memória de 2005, ele estava andando, ansioso, de um lado para outro no fundo do salão, enquanto aguardava que saíssem as pontuações dos seus estudantes na prova de palavras aleatórias. Vários estudantes tinham chances de terminar entre os dez primeiros, mas, no que concernia a ele, o verdadeiro teste de memória viria dois meses e meio depois, quando eles se submeteriam ao exame para o New York State Regents. Até o fim do ano, ele esperava que seus estudantes tivessem memorizado todos os fatos, datas e conceitos do seu livro de história norte-americana usando as mesmas técnicas que empregavam no Campeonato de Memória dos Estados Unidos. Ele me convidou para fazer uma visita à sua sala de aula para testemunhar técnicas de memória sendo usadas "no mundo real".

Para aceitar a oferta, tive que passar por um detector de metais, e um policial teve que revistar a minha bolsa para que eu pudesse entrar no edifício da escola Gompers. Matthews acredita que a arte da memória será a saída para retirar seus alunos de uma região onde nove entre dez estudantes estão abaixo da média em escrita e matemática, quatro em cinco vivem na linha de pobreza e quase metade não termina o ensino médio. "A memorização de citações permite que uma pessoa tenha mais crédito", disse ele, enquanto eu me sentava no fundo da sala. "Quem é que vai impressioná-lo mais: uma pessoa que tem uma ladainha de opiniões próprias ou um historiador que pode se fundamentar nos grandes pensadores que vieram antes dele?"

Eu escutei um estudante recitar literalmente um parágrafo inteiro de *O coração das trevas* para responder a uma questão sobre comércio global no século XIX. "Quando chegar a hora de fazer o exame final, ele vai vir com uma citação assim", disse Matthews, vestido com esmero, de cavanhaque e cabelos bem-aparados e um forte sotaque do Bronx. Todos os trabalhos feitos em aula por seus estudantes devem conter ao menos duas citações memorizadas, apenas um dos pequenos feitos de memória que ele exige dos alunos. Após as aulas, seus estudantes voltam para uma atividade extracurricular de técnicas de memorização. "É a diferença entre apenas ensinar uma criança a multiplicação e lhe dar uma calculadora", comenta Matthews, sobre as habilidades de memória que ele transmite a seus alunos. Não é de surpreender que todos os membros do Décimo Talentoso passaram no exame do Regents nos últimos quatro anos, e 85% deles tiveram uma pontuação mínima de noventa. Matthews ganhou duas vezes o prêmio de melhor professor do ano de toda a cidade.

Os alunos do Décimo Talentoso devem usar camisa social e gravata e, em certas ocasiões, como nas reuniões da escola, luvas brancas. A sala é decorada com pôsteres de Marcus Garvey e Malcolm X. Quando se formam, recebem um pano de Kente com os dizeres "Décimo Talentoso" gravados em dourado. No início da aula, os alunos ficam de pé atrás de suas carteiras, dispostas em um par de alas uma de frente para a outra, e recitam em uníssono um manifesto de três minutos que começa assim: "Somos o melhor que nossa comunidade tem a oferecer. Não alcançaremos menos de 95% em qualquer exame de história. Somos a vanguarda do nosso povo. Ou caminhe com a nossa glória e chegue ao topo conosco, ou se coloque de lado. Pois, quando chegarmos ao topo, voltaremos e o ergueremos conosco."

As 43 crianças da sala de Matthews eram estudantes de honra que tiveram que passar por uma banca examinadora apenas para serem selecionados para o Décimo Talentoso. E Matthews os fazia trabalhar duro. "Não temos férias", queixou-se um deles a mim, enquanto Matthews estava de pé próximo o suficiente para ouvir. "Você trabalha agora para que possa descansar depois", disse o professor. "Você carrega os livros agora para que outra pessoa possa carregá-los depois."

O sucesso dos alunos de Matthews suscita questões sobre o objetivo da educação, tão antigas quanto a própria escola, e que nunca foram resolvidas. O que significa ser inteligente e o que exatamente as escolas deveriam ensinar? Como o papel da memória no sentido convencional foi reduzido, qual seria o seu lugar na pedagogia contemporânea? Por que se preocupar com o aprimoramento da memória das crianças com fatos se, no final, elas estão sendo preparadas para um mundo de memórias externalizadas?

Na minha educação fundamental e de ensino médio, em escolas públicas e privadas, lembro-me de que fui obrigado a memorizar exatamente três textos: o discurso de Gettysburg, no terceiro ano, o discurso "Eu tenho um sonho", de Martin Luther King Jr., no quarto ano, e o solilóquio de Macbeth "Amanhã, amanhã e amanhã", no primeiro ano do ensino médio. E foi tudo. Para os ideais da educação moderna, a única atividade mais antiética do que a memorização é o castigo corporal.

O lento desaparecimento da memorização na sala de aula tem suas raízes filosóficas no polêmico romance de Jean-Jacques Rousseau, *Emílio, ou da educação*, de 1762, no qual o filósofo suíço imagina uma criança criada por uma "educação natural", aprendendo apenas pela autoexperiência. Rousseau abominava a memorização, assim como qualquer outra forma de restrição pela educação institucional. "Ler é a grande praga da infância", escreveu. O currículo tradicional, acreditava, era um pouco mais do que fátua "heráldica, geografia, cronologia e linguagem".

A ideologia educacional contra a qual Rousseau se rebelou com certeza entorpecia a mente e necessitava urgentemente ser corrigida. Mais de cem anos depois da publicação de *Emílio*, quando o caçador de corruptos dr. Joseph Mayer Rice visitou escolas públicas em 36 cidades, ele ficou horrorizado com o que viu, e chamou uma escola da cidade de Nova York de uma das "mais desumanizadoras instituições que já vi: cada criança sendo tratada como se tivesse uma memória e uma faculdade de fala, mas não uma individualidade, uma sensibilidade, uma alma". Na virada do século XX, a memorização ainda era o meio preferido de colocar informação na cabeça das crianças, especialmente sobre história e geografia. Podia-se esperar que os alunos memorizassem poesia, grandes discursos, datas históricas, tabelas de multiplicação, vocabulário latino, capitais dos estados, a ordem dos presidentes dos Estados Unidos e muito mais.

Os exercícios de memorização não tinham apenas a ver com a transferência de informação do professor para o aluno, mas também se pensava que eles, de fato, tinham um efeito construtivo no cérebro das crianças, que se beneficiariam de seus efeitos pelo resto de suas vidas. Os exercícios rotineiros, pensava-se, fortaleciam a faculdade da memória. *O que* era decorado era importante, mas também o era o simples fato de que a memória estava sendo exercitada. O mesmo acreditava-se que era verdade para o latim, que, na virada do século XX, era ensinado para quase metade dos alunos do ensino médio dos Estados Unidos. Os educadores acreditavam que, ao ensinar uma língua morta, com suas incontáveis sutilezas e difíceis declinações, estavam treinando o cérebro no pensamento lógico e auxiliando na construção de uma "disciplina mental". O tédio era, na realidade, visto como uma virtude. E os professores tinham o apoio de uma teoria científica popular, conhecida como "psicologia das faculdades", que defendia que a mente consistia em um punhado de "faculdades" que poderiam ser treinadas individualmente por meio de exercícios rigorosos, como fazemos com os músculos.

Por volta do final do século XIX, um grupo de psicólogos de ponta começou a questionar a base empírica da "psicologia das faculdades". Em seu livro de 1890, *Princípios de psicologia,* William James propôs-se a verificar "se certa quantidade de treinamento diário de aprendizado de poesia pela memorização encurtaria o tempo que se leva para aprender um tipo inteiramente diferente de poesia". Ele passou mais de duas horas em oito dias consecutivos memorizando os primeiros 158 versos do poema "O sátiro", de Victor Hugo, gastando em média cinquenta segundos por verso. Com esta base estabelecida, James passou à memorização de todo o primeiro livro de *Paraíso perdido*. Quando voltou a Hugo, verificou que o seu tempo de memorização na realidade tinha piorado para 57s por verso. A prática da memorização tornou a memória pior, não melhor. Essa foi apenas uma única experiência, mas estudos subsequentes do psicólogo Edward Thorndike e de seu colega Robert S. Woodworth também questionaram se "a capacidade geral de decorar" era influenciada pela prática da memorização, encontrando-se apenas ganhos menores. Concluíram que os benefícios suplementares da "disciplina mental" eram "mitológicos" e que habilidades gerais, como a memorização, não eram transferíveis como se pensava anteriormente. "Os pedagogos logo perceberam que os experimentos de Thorndike tinham abalado os fundamentos lógicos do currículo tradicional", escreveu a historiadora da educação Diane Ravitch.

Nesse vácuo se precipitou um grupo de educadores progressistas liderados pelo filósofo norte-americano John Dewey, que começou a defender a necessidade de um novo tipo de educação que representasse uma ruptura radical com o currículo constrito e os métodos do passado. Os educadores fizeram eco aos ideais românticos de Rousseau sobre a infância e puseram uma ênfase nova na educação "centrada na criança". Eliminaram a memorização repetitiva e substituíram-na por um novo tipo de "aprendizagem experimental". Os alunos estudariam biologia sem ter que decorar a anatomia das plantas apresentadas no livro, mas plantando sementes em jardins. Aprenderiam aritmética não por tabelas de multiplicação, mas por receitas de cozinha. Dewey declarou: "Prefiro uma criança que diz 'eu experimentei' a uma que diz 'eu sei'."

O último século foi ruim para a memória. Cem anos de reforma educacional progressista desvalorizaram a memorização, apontando-a como opressiva e inconsistente — não somente um desperdício de tempo, mas definitivamente prejudicial para um cérebro em desenvolvimento. As escolas não têm dado mais importância ao conhecimento bruto (a maior parte do qual, aliás, é esquecido) para, em vez disso, priorizar a habilidade de raciocínio, a criatividade e o pensamento independente.

Mas será que não estamos cometendo um erro enorme? O respeitado crítico E.D. Hirsch Jr. queixou-se em 1987: "Não podemos esperar que os jovens de hoje conheçam coisas sabidas no passado por quase qualquer pessoa com alguma cultura." Hirsch dizia que os estudantes estavam sendo entregues ao mundo sem o nível mais básico de alfabetização cultural necessário para serem bons cidadãos (o que dizer do fato de dois terços dos norte-americanos com 17 anos não saber, dentro de um intervalo de cinquenta anos, quando ocorreu a Guerra Civil?) e que era preciso uma contrarreforma da educação que re-enfatizasse os fatos em si. Os críticos de Hirsch assinalam que o currículo defendido é centrado no europeu branco, homem e conservador. Mas ninguém mais adequado para refutar esse argumento do que Matthews, que insiste que, apesar de todo o eurocentrismo do currículo, o fato é que os fatos ainda importam. Se um dos objetivos da educação é criar pessoas questionadoras e cultas, então é preciso dar aos alunos os pontos de referência mais básicos para que os guiem ao longo de uma vida de aprendizagem. E se, como o mestre do século XII Hugo de São Vítor colocava, "toda a utilidade da educação reside apenas na sua memória", então deveríamos lhes dar as melhores ferramentas disponíveis para guardar a educação na memória.

— Não uso a palavra "memória" nas minhas aulas porque é um palavrão em educação — disse Matthews. — Ensinamos macacos a memorizar, enquanto a educação é a capacidade de recuperar informação à vontade e analisá-la. Mas não podemos ter aprendizagem de nível mais alto, quando não se pode analisar, sem recuperar a informação. — E você não pode recuperar a informação sem, antes, armazená-la. A dicotomia entre "aprendizagem" e "memorização" é falsa, contesta Matthews. Não podemos aprender sem memorizar e, se feito corretamente, não podemos memorizar sem aprender.

— A memória precisa ser ensinada como uma habilidade do mesmo modo que flexibilidade e força são ensinadas para promover a saúde física e o bem-estar — sustenta Buzan, que com frequência soa como um defensor da antiga psicologia das faculdades. — Os alunos precisam aprender a aprender. Primeiro devem ser ensinados como aprender e então o que aprender.

"O sistema de educação formal provém das Forças Armadas, que recebiam as pessoas menos educadas e com as maiores deficiências educacionais, exatamente aquelas que entravam no Exército. A fim de que eles *não* pensassem, que era o desejado, faziam-nas obedecer a ordens. O treinamento militar era rígido e linear ao extremo. Forçava-se a internalização da informação nos seus cérebros e exigia-se a resposta de um modo pavloviano, sem pensar. Funcionava? Sim. Gostavam da experiência? Não, não gostavam. Quando surgiu a Revolução Industrial, os soldados foram deslocados para trabalhar nas máquinas, e assim o estilo militar foi transferido para as escolas. Funcionou. Mas não funciona a longo prazo."

Como muitas pontificações de Buzan, esta esconde um núcleo de verdade sob um invólucro de propaganda. Aprendizagem por repetição — o velho método "exercitar e matar" [*"drill and kill"*], contra o qual se rebelaram os reformadores da educação durante todo o último século — com certeza é tão velha quanto a própria educação, mas Buzan está certo em relação ao fato de que a arte da memória, que já esteve no centro da educação clássica, desapareceu completamente no século XIX.

O argumento de Buzan de que as escolas têm ensinado a memória de um modo todo errado desafia profundamente as ideias dominantes em educação, e muitas vezes ele usa uma linguagem revolucionária. Na verdade, ainda que Buzan discorde, suas ideias são mais conservadoras do que revolucionárias. Seu objetivo é voltar no tempo, para uma época em que uma boa memória ainda valia alguma coisa.

CONSEGUIR QUE TONY BUZAN dê uma entrevista não é tarefa fácil. Ele viaja para dar palestras por cerca de nove meses ao ano vangloriando-se de ter acumulado milhas o suficiente em voos para ir e voltar da Lua oito vezes. Além disso, parece cultivar o distanciamento e a inacessibilidade que são pré-requisito de qualquer guru que se respeite. Quando finalmente o encurralei atrás de uma mesa no Campeonato Mundial de Memória para discutir a possibilidade de me sentar com ele por algumas horas, ele abriu um grande fichário de três argolas e desenrolou uma planilha panorâmica colorida, com talvez um metro de comprimento. Era o seu calendário do ano anterior, preenchido com blocos de viagem contínuos, dobrados — Espanha, China, México três vezes, Austrália, Estados Unidos. Havia um período de três meses durante o qual não pôs os pés no Reino Unido. Ele disse que não teria tempo de modo algum para conversar comigo por, pelo menos, três ou quatro semanas (quando eu já teria voltado para casa, nos Estados Unidos), mas sugeriu que eu fosse visitar sua propriedade a meio caminho de Oxford, ao longo do rio Tâmisa, e tirasse algumas fotografias enquanto ele estava fora.

Respondi que não via como aprender muita coisa de uma casa vazia.

— Ah, você pode aprender bastante — disse.

Finalmente, por meio de seu assistente, consegui marcar uma hora com Buzan em sua limusine, quando ele voltava para casa, saindo dos estúdios da BBC em Londres, onde tinha acabado de dar uma entrevista para a TV. Eu tinha que ir até uma esquina em Whitehall e aguardar. “É impossível você não notar o carro do sr. Buzan.”

De fato, não dava para não notar. O carro, que apareceu cerca de meia hora atrasado, era um táxi marfim brilhante da década de 1930 e parecia ter saído de um cenário da BBC. A porta se abriu.

— Entre — disse Buzan, acenando. — Bem-vindo à minha pequena e bela sala de estar móvel.

O primeiro assunto sobre o qual falamos, porque eu tinha que perguntar, era o seu guarda-roupa peculiar.

— Eu mesmo criei o design — afirmou. Ele estava usando o mesmo terno azul-marinho incomum, com os grandes botões dourados que eu tinha visto no Campeonato de Memória dos Estados Unidos meses antes. — Eu costumava dar palestras com ternos comprados em lojas, mas me sentia preso, atrapalhavam meus gestos expansivos. Então estudei os espadachins dos séculos XV, XVI, XVII, XVIII e XIX e como os seus braços não encontravam a mínima resistência por parte de seus trajes. Aqueles franzidos e mangas largas não eram apenas para fazer bonito. Eram para arremessar e desviar. Desenho também as minhas camisas para ter liberdade de movimentos.

Tudo a respeito de Buzan parece vir de alguém tentando causar uma forte impressão. Ele nunca engole uma sílaba ou se mostra em desalinho. Suas unhas são tão bem-cuidadas quanto o couro de seus sapatos italianos. Há sempre um lenço perfeitamente dobrado no bolso do peito de seu terno. Ele termina suas cartas com *"Floreant dendritae!"* — "Que floresçam suas células cerebrais!" — e mensagens telefônicas com "Tony Buzan, câmbio, desligo!"

Quando perguntei sobre a fonte de sua incrível autoconfiança, ele contou que devia muito ao seu longo treinamento em artes marciais. Ele é faixa preta em aikidô e está muito próximo de conseguir a faixa preta de caratê. Sentado no banco de trás de sua limusine, demonstrou uma série de movimentos ab-ruptos, um corte no ar e um soco falso. "Minha maneira de usar essas técnicas é não as usando", disse. "Para que serve lutar se você sabe que pode matar o outro, isto é, um ser humano, ou que pode arrancar o seu olho, a sua língua?"

Buzan é — e sempre encontra a oportunidade para me lembrar — um homem do Renascimento moderno: estudante de dança ("dança de salão, moderna, jazz"), compositor (influências: "Philip Glass, Beethoven, Elgar"), autor de contos sobre animais (sob o pseudônimo de Mogli, em referência ao garoto de *O livro da selva*), poeta (sua última antologia, *Concordea*, consiste de poemas escritos a bordo e a respeito de seus 38 voos transatlânticos no avião supersônico Concorde) e designer (não apenas de seu guarda-roupa, mas também da casa e de muitos móveis).

Cerca de 45 minutos depois de sair de Londres, a nossa carruagem de marfim chega à propriedade de Buzan, à beira do rio Tâmisa. Ele pediu que eu não revelasse a localização por escrito. "Chame-a apenas de *Ventos nos salgueiros*."

Entrando em casa, chamada de Portões da Aurora, tiramos os sapatos e andamos nas pontas dos pés entre uma coleção de desenhos espalhada no chão, parte de um livro infantil em que estava trabalhando, "sobre um menininho que não vai muito bem na escola, mas que se sai muito bem com sua imaginação". Havia uma grande televisão com pelo menos cem fitas VHS espalhadas ao redor e uma estante na entrada que guardava a coleção completa dos *Grandes livros do mundo ocidental* da Enciclopédia Britânica, vários exemplares do suspense de ficção científica *Duna*, três do Corão, uma grande quantidade de livros escritos por Buzan, e não muito mais.

— É a sua biblioteca? — perguntei.

— Fico aqui somente três meses ao ano. Tenho bibliotecas em vários outros locais do mundo — respondeu.

Buzan se deleita viajando e sendo um cidadão do mundo. Certa vez, quando lhe perguntei onde conseguia achar concentração para escrever dois ou três livros por ano, ele disse que tinha encontrado refúgios de serenidade em quase todos os continentes. "Na Austrália, escrevo na grande barreira de corais. Na Europa, escrevo onde quer que haja um oceano. No México, escrevo. Na China, escrevo no Grande Lago do Oeste." Buzan tem viajado desde menino. Nasceu em Londres em 1942, mas se mudou aos 11 com o irmão e os pais — sua mãe era estenógrafa juramentada, seu pai, engenheiro elétrico — para Vancouver. Ele era "essencialmente um garoto normal, com problemas normais, em escolas normais".

“Meu melhor amigo de infância era um garoto chamado Barry”, contou Buzan, sentado no pátio com sua camisa cor--de-rosa desabotoada e grandes e antiquados óculos de sol presos na cabeça, protegendo seus olhos. “Ele sempre ficava na turma 1-D, enquanto eu ficava na 1-A. A 1-A era voltada para as crianças brilhantes e a D para as idiotas. Mas, quando saíamos para o campo, Barry podia identificar as coisas pelo modo como voavam sobre o horizonte. Apenas pela maneira como voavam, Barry era capaz de identificar um almirante vermelho, um tordo pintado e um melro, todos muito semelhantes. Por isso, eu sabia que ele era um gênio. E eu tinha obtido a nota máxima na prova sobre natureza, tinha tirado dez, respondendo questões como ‘Indique dois peixes que são encontrados em riachos ingleses’. Havia 103 possibilidades. Mas aí percebi que o garoto que estava na sala dos idiotas, o meu melhor amigo Barry, sabia mais do que eu — muito mais — nessa matéria em que eu supostamente era o número um. E, portanto, ele era o número um, e não eu.

“E, de repente, percebi que o sistema no qual estava inserido não sabia o que era inteligência, não sabia como identificar quem era e quem não era inteligente. Eles me consideravam o melhor, quando não era, e consideravam Barry o pior, quando de fato era o melhor. Quer dizer, não havia ambiente mais contraditório. Assim, comecei a questionar: o que é inteligência? Quem pode dizer? Quem diz que você é inteligente? Quem diz que você não é inteligente? E o que querem dizer com isso?”

Essas questões, ao menos segundo a narrativa pessoal ordenada de Buzan, perseguiram-no até ele entrar na faculdade.

A introdução de Buzan à arte da memória, o momento em que direcionou toda a sua vida para o caminho atual, ocorreu nos primeiros minutos da primeira aula do primeiro dia do primeiro ano na Universidade de British Columbia. Seu professor de inglês, um homem severo “com a compleição de um lutador muito baixo e uma cabeça calva com uns tufos ruivos de cabelo", entrou na sala de aula e, com as mãos atrás das costas, começou a bradar toda a lista de chamada perfeitamente. "Dos alunos que tinham faltado, o professor declarou o seu nome, o nome do pai, o nome da mãe, a data de nascimento, o número de telefone e o endereço", recordou-se Buzan. "E, tão logo ele acabou, olhou-nos com um sorriso malicioso no rosto. Esse foi o começo do meu caso amoroso com a memória."

Depois da aula, Buzan disparou pelo corredor atrás do professor. "Eu perguntei: 'Professor, como o senhor fez isso?' Ele se voltou para mim e respondeu: 'Filho, eu sou um gênio.' Ao que continuei: 'Senhor, isso é óbvio. Mas ainda assim gostaria de saber como o senhor faz isso.' Ele simplesmente disse: 'Não.' Todos os dias em que tínhamos inglês, pelos três meses seguintes, eu o testava. Sentia que ele tinha o Santo Graal e que não iria partilhá-lo. Ele desprezava os alunos. Achava que eram uma perda de tempo. Então, um dia ele disse: 'No princípio da miserável relação entre mim e os senhores, demonstrei o maravilhoso poder da memória humanas e ninguém nem notou; dessa forma, irei colocar no quadro-negro o código pelo qual fui capaz de realizar aquele feito extraordinário, e estou certo de que nenhum dos senhores sequer reconhecerá o tesouro posto à sua frente, essas pérolas lançadas a porcos.' Ele piscou para mim e apresentou o código. Era o Sistema Maior. Naquele momento, percebi que poderia memorizar qualquer coisa."

Naquele dia, Buzan deixou a sala de aula em transe. Ocorreu-lhe, pela primeira vez, que não tinha a mínima ideia sobre como funcionava o complicado maquinário da sua mente. E isso parecia bizarro. Se o mais simples truque de memória poderia aumentar enormemente o total de informação que uma pessoa poderia lembrar, e ninguém tinha parado para lhe ensinar até que ele tivesse vinte anos, quanto mais havia para aprender?

"Fui até a biblioteca e disse: 'Quero um livro sobre como operar o meu cérebro.' A bibliotecária me mandou à seção de medicina; voltei e repliquei: "Não quero um livro sobre como *operar* o meu cérebro, quero um livro sobre como operar *com* o meu cérebro. É um pouco diferente." Ela respondeu: 'Ah, não, não temos livros sobre isso.' Pensei então: temos manuais de operação para o carro, para o rádio, para a televisão, mas nenhum para o cérebro humano?"

Na busca de algo que pudesse elucidar o feito de seu professor, Buzan acabou na seção de história antiga da biblioteca, onde seu professor sugeriu que ele poderia encontrar algumas das ideais originais sobre o aprimoramento da memória. Começou a ler sobre a mnemônica grega e romana e a praticar as técnicas nas horas livres. Não demorou muito até que começasse a usar os conselhos do *Ad Herennium* sobre os *loci* e as imagens para estudar para as provas — e mesmo para memorizar as anotações de cursos inteiros.

Depois de se formar, Buzan permaneceu no Canadá, onde foi trabalhar em uma série de empregos inusitados, primeiro em uma fazenda ("Achei que deveria aceitar esse trabalho apenas para constar 'mexendo com bosta' no início do currículo") e depois no ramo da construção. Em 1966, no mesmo ano que Frances Yates publicou a *A arte da memória* — a primeira grande obra acadêmica moderna a mergulhar na rica história da mnemônica —, Buzan voltou a Londres para se tornar o editor de *Intelligence*, o periódico internacional da Mensa, sociedade do alto QI à qual tinha se filiado quando ainda estava na universidade. Mais ou menos na mesma época, foi contratado pela prefeitura para trabalhar como professor substituto em complicadas escolas municipais de áreas degradadas do leste de Londres.

"Eu era um tipo especial de professor, um 'paladino do oeste' do cérebro", afirmou. "Se um professor tinha problemas na sala de aula, era a mim que recorriam."

Na maior parte dos casos, Buzan tinha pouco tempo para cada classe na qual estava como substituto, no máximo alguns dias, dificilmente o suficiente para que mesmo o mais bem-intencionado dos professores pudesse acreditar que faria qualquer diferença. Em busca de meios para ajudar seus estudantes problemáticos e talvez transmitir um pouco de sua abundante autoconfiança para eles, Buzan retomou as antigas técnicas de memória que aprendera na universidade. "Eu ia pra aula e perguntava aos estudantes se eles eram burros, porque todo mundo os chamava de burros, e infelizmente eles acreditavam que eram", disse Buzan. "Foi inculcada neles a ideia da própria incapacidade. Eu dizia: 'Está certo. Vamos verificar isso.' Em seguida, aplicava um teste de memória, no qual eles falhavam. Eu dizia: 'Parece que vocês têm razão em achar que são burros.' Então lhes ensinava uma técnica de memória, aplicava outro teste, e eles acertavam vinte de vinte. Então eu dizia basicamente: 'Vocês disseram que eram burros, eu provei que vocês eram burros, e agora vocês acertaram tudo no teste.' E enfim colocava como questão: o que estava acontecendo? Para alguns dos alunos que nunca tinham tirado um dez em uma prova, isso era uma grande revelação."

Ter a oportunidade não apenas de praticar a arte da memória, mas também de ensiná-la, permitiu a Buzan que começasse a desenvolver as antigas técnicas em novas direções, em particular quando se tratava de fazer anotações. Ao longo de muitos anos, ele criou o que acreditava ser um sistema novo de anotações, que se aproveitava da antiga sabedoria do *Ad Herennium*.

"Eu estava tentando ir à essência — a geleia real — do que significa tomar notas", explicou. "Isso me levou a códigos e símbolos, imagens e flechas, sublinhados e cores." Buzan chamou esse novo sistema de Mapeamento Mental, uma expressão posteriormente registrada. Cria-se um Mapa Mental traçando linhas que vão de pontos principais a pontos secundários, que se ramificam ainda mais em pontos terciários, e assim por diante. As ideias são destiladas ao mínimo de palavras e sempre que possível ilustradas com imagens. É uma espécie de esboço, que explode de modo radial pela página em um arco-íris de cores, uma rede de associações que parece um arbusto espinhoso, ou os dendritos ramificando-se a partir de um neurônio. Por ser repleto de imagens coloridas dispostas em ordem na página, funciona como uma espécie de palácio da memória rabiscado no papel.

"Em nossa grosseira incompreensão sobre a função da memória, pensamos que a memória é operada primariamente pela repetição. Em outras palavras, você empurra para dentro da cabeça até ela ficar empanturrada com os fatos. O que não se percebia era que a memória é primariamente um processo imaginativo. Na verdade, aprendizagem, memória e criatividade são o mesmo processo fundamental direcionado para focos diferentes", diz Buzan. "A arte e a ciência da memória têm a ver com desenvolver a capacidade de criar rapidamente imagens que conectem ideias díspares. Criar é a habilidade de formar conexões similares entre imagens díspares e de elaborar algo novo para lançá-lo ao futuro de modo que se torne um poema, uma construção, uma dança, um romance. A criatividade é, de certo modo, a memória do futuro."

Se a essência da criatividade é conectar fatos e ideias díspares, então quanto mais facilidade tivermos em fazer associações e mais fatos e ideias tivermos à nossa disposição, melhor seremos em criar novas ideias. Como Buzan gosta de assinalar, Mnemosine, a deusa da memória, era a mãe das musas.

A noção de que memória e criatividade são dois lados da mesma moeda soa contrária à intuição. O ato de recordar e o de criar parecem processos opostos, não complementares. Mas considerar os dois parte do mesmo processo é, na verdade, uma ideia bastante antiga, e já era tida como óbvia em outras épocas. A raiz latina *inventio* é a base de duas palavras das línguas modernas: inventário e invenção. E, para uma mente treinada na arte da memória, as duas noções estão intimamente relacionadas. A invenção é produto do ato de inventariar. De onde vêm novas ideias senão de alguma combinação alquímica de velhas ideias? Para inventar, em primeiro lugar, é necessário um inventário próprio, um banco de ideias existentes em que se basear. Não apenas um inventário, mas um inventário indexado. É preciso um jeito de encontrar a informação certa no momento certo.

Essa é, em última análise, a principal utilidade da arte da memória. Não é apenas uma ferramenta de gravação, mas também um instrumento de invenção e de composição. "A percepção de que compor dependia de uma memória bem-equipada e seguramente acessível formava a base da educação retórica na Antiguidade", escreve Mary Carruthers. O cérebro é organizado como os escaninhos modernos, com fatos, citações e ideias mais importantes alojados em cubículos mnemônicos bem-classificados, onde nunca serão perdidos e de onde podem ser recombinados e relacionados na hora. O objetivo de treinar a nossa memória é desenvolver a capacidade de saltar de tópico para tópico e fazer novas conexões entre velhas ideias. "Na Idade Média, a memória era associada, como arte, mais à composição do que à retenção", sustenta Carruthers. "Aqueles que praticavam o ofício da memória, utilizavam-no — do mesmo modo que qualquer ofício é utilizado — para *fazer* coisas novas: orações, meditações, sermões, quadros, hinos, histórias e poemas."

Em 1973, a BBC ouviu falar do trabalho de Buzan com Mapeamento Mental e mnemônica e o convidou para um encontro com o responsável por educação da emissora. Desse encontro resultou uma série de dez programas da BBC e um livro, ambos intitulados *Use sua mente*, que por sua vez ajudaram a transformar Buzan em uma pequena celebridade britânica, o que o fez perceber que havia um enorme potencial comercial nas técnicas de memória que estava promovendo.

Ele começou a organizar suas ideias, muitas emprestadas diretamente dos tratados de memória da Antiguidade e da Idade Média, em nova roupagem, para gerar uma corrente contínua de livros de autoajuda. Até agora foram publicados aproximadamente 120 títulos, incluindo *Use Your Perfect Memory* [Use sua memória perfeita], *Make the Most of Your Mind* [Tire o máximo de sua mente], *Use Both Sides of Your Brain* [Use os dois lados do seu cérebro], *Use Your Memory* [Use sua memória] e *Master Your Memory* [Maximize sua memória]. Em dado momento, fiquei sozinho com o motorista de Buzan e acabei perguntando sua opinião a respeito do trabalho do chefe. "Carne igual, molho diferente" foi a sua avaliação.

Como reconhecimento, não há como negar que Buzan é um gênio do marketing. Ele criou franquias de instrutores licenciados nos seus métodos, treinados para ministrar cursos de aprimoramento da memória, leitura dinâmica e Mapeamento Mental. Atualmente há mais de trezentos instrutores licenciados em mais de sessenta países. Quase mil professores em todo o mundo ensinam sistemas de memória com o aval de Buzan. Ele estima que, ao longo de toda a sua carreira, as vendas brutas de todos os produtos com o selo Buzan — incluindo livros, fitas cassete, programas de TV, cursos de treinamento, jogos de perguntas e palestras — excedem trezentos milhões de dólares.

A COMUNIDADE DA MEMÓRIA COMPETITIVA se divide em dois grupos claramente separados: os que acham que Tony Buzan é o retorno de Jesus Cristo e os que pensam que ele enriqueceu comercializando ideias sobre o cérebro supervalorizadas e muitas vezes sem fundamentos científicos. Estes assinalam, não injustamente, que, enquanto prega "uma revolução global da educação", Buzan tem tido mais sucesso em criar um império comercial global do que em colocar de fato os seus métodos na sala de aula.

O que é especialmente frustrante para sujeitos como Ed, que levam a arte da memória a sério e acreditam na mensagem básica de Tony Buzan de que a arte da memória ainda acha lugar na sala de aula moderna, é que o mensageiro muitas vezes representa um tanto de embaraço.

Buzan tem o hábito complicado de cair na pseudociência e no exagero quando descreve quão maravilhosa é a revolução trazida pelo treinamento da memória e como ele tem "mudado a vida de milhões de pessoas". Ele é conhecido por dizer vários despropósitos, como: "Crianças muito novas usam 98% de todas as ferramentas do pensamento. Quando têm 12 anos, usam cerca de 75%. Ao atingirem a adolescência, o uso cai para 50%; na universidade, para menos de 25%; e chega a menos de 15% quando estão no mercado de trabalho."

O fato de Buzan poder sair por aí fazendo afirmações absurdas sobre o cérebro — não apenas alcançar uma ampla aceitação, mas ser celebrado — é uma evidência de como a fronteira da ciência do cérebro é pouco nítida e organizada e de como as pessoas querem acreditar que suas memórias são aprimoráveis. A verdade é que ainda não existe o manual de operação do cérebro que Buzan foi procurar na época da universidade.

Mas, apesar de toda a pseudociência e de todo o exagero que Buzan emprega na promoção do Mapeamento Mental, há de fato evidência científica de que o sistema funciona. Recentemente, pesquisadores da Universidade de Londres deram a um grupo de estudantes um texto de seiscentas palavras para ler, após ensinar a metade deles como tomar notas com um Mapa Mental. A outra metade recebeu instruções para tomar notas normalmente. Quando testados uma semana depois, os estudantes que usaram o Mapa Mental retiveram cerca de 10% a mais de conhecimentos factuais do texto em relação aos que utilizaram técnicas convencionais de anotação. Esse pode ser um ganho modesto, mas é com certeza significativo.

A minha impressão do Mapeamento Mental, após experimentar a técnica para delinear algumas partes deste livro, é que muito de sua utilidade provém da consciência exigida para criar o mapa. Diferente das anotações convencionais, não se pode fazer um Mapa Mental no piloto automático. Eu penso que é um meio razoavelmente eficiente de fazer um brainstorm e organizar a informação, mas de modo algum é a "ferramenta final do poder da mente" ou o "sistema revolucionário" que Buzan afirma ser.

Raemon Matthews não tem qualquer dúvida sobre a eficácia do Mapa Mental ou do treinamento da memória. No fim do ano, cada um de seus estudantes cria um Mapa Mental intrincado e detalhado de toda a história norte-americana. A maioria dos mapas ocupa um painel inteiro de três folhas da feira de ciências, com flechas conectando todas as palavras e imagens, de Plymouth Rock, em um canto, a Monica Lewinski, no outro. "Se cair uma questão em que tenham que escrever um ensaio sobre as causas da Primeira Guerra Mundial no teste, basta que eles vejam aquela parte do mapa na mente, e as respostas estarão logo ali", disse Matthews. Poderia haver uma imagem de uma mão negra para representar a organização sérvia nacionalista à qual pertencia o assassino do arquiduque Francisco Ferdinando, junto de uma metralhadora usando tênis de corrida, que representa a corrida armamentista que tomou a Europa nos primeiros anos do século XX, e um par de triângulos para representar a Tríplice Aliança e a Tríplice Entente.

Matthews aproveita qualquer ocasião para transformar fatos em imagens. "Meus alunos estavam com dificuldades em compreender as diferenças entre os sistemas econômicos de Lênin e de Stálin", contou-me. "Eu falei: 'Vejam, Lênin está no toalete, com prisão de ventre por causa de sua economia mista. Stálin entra no banheiro e pergunta: 'O que você está fazendo aqui?' E Lênin responde: 'Terra, paz e pão.' Eles nunca esquecem essa imagem."

Uma crítica válida a esse tipo de mnemônica é que ela é uma forma de conhecimento descontextualizado. É superficial, o epítome do aprendizado sem compreensão. É educação de PowerPoint, ou pior, de resumões prontos. O que pode uma imagem de Lênin e Stálin conversando no banheiro realmente dizer a respeito da economia comunista? Mas Matthews assinala que temos que começar de algum ponto e que podemos muito bem instalar na mente dos estudantes os tipos de memórias com a menor probabilidade de serem esquecidos.

Quando a informação "entra por um ouvido e sai pelo outro" é porque não tem nada para fixar. Eu mesmo verifiquei esse fato quando tive a oportunidade de ir a Xangai, numa visita de três dias para colher material para um artigo. De algum modo eu tinha conseguido passar por duas décadas de escola sem aprender sequer os fatos mais básicos sobre a história chinesa. Nunca aprendi a diferença entre Ming e Qing, ou mesmo que Kublai Khan era uma pessoa de verdade. Passei o tempo em Xangai dando voltas na cidade como qualquer bom turista, visitando museus, tentando adquirir um mínimo de conhecimento da história e da cultura. Mas a minha experiência local foi extremamente pobre. Eu não compreendia muita coisa, tanto que não era capaz de apreciar, já que não conhecia os fatos mais básicos para atrelar a outros fatos. Não era tanto uma questão de eu não *saber*, mas antes de eu não ter a capacidade de *aprender*.

Esse paradoxo — é preciso ter conhecimento para obter conhecimento — foi compreendido em um estudo no qual os pesquisadores escreveram uma descrição detalhada de metade de uma entrada de uma partida de beisebol e a deram a um grupo de fãs do esporte ("experts" seria o termo usado por Ericsson) e a um grupo de entusiastas menos fanáticos, para que fosse lida. Depois disso, testaram quanto os participantes poderiam recordar dessa parte da partida. Os fãs estruturaram as lembranças em torno de eventos importantes relacionados ao jogo, como corredores passando e *runs* que marcavam ponto. Foram capazes de reconstruir a metade da entrada nos mínimos detalhes. Quase se tem a impressão de que estavam lendo um relatório interno. Os entusiastas se lembraram de menos fatos importantes sobre o jogo e tenderam a dar detalhes superficiais, como o clima. Faltava-lhes uma representação detalhada interna do jogo, não conseguiam processar a informação recebida. Não sabiam o que era importante e o que era trivial. Não eram capazes de lembrar o que importava. Sem um quadro conceitual em que pudessem imergir o que aprendiam, eram efetivamente amnésicos.

Poderíamos dizer menos daqueles dois terços de adolescentes norte-americanos que não têm a menor noção de quando ocorreu a Guerra Civil? Ou dos 20% que não sabem contra quem os Estados Unidos lutaram na Segunda Guerra Mundial? Ou dos 44% que acham que *A letra escarlate* se referia a um julgamento de bruxas ou a uma carta?[7] A reforma progressista da educação conquistou muitas coisas. Tornou a escola muito mais agradável, muito mais interessante. Mas também nos custou enquanto indivíduos e cidadãos. A memória é como transmitimos virtudes e valores e integramos uma cultura partilhada.

É claro que o objetivo da educação não é só impingir um amontoado de fatos na cabeça dos alunos; é levá-los a entender esses fatos. Ninguém concordaria mais com isso do que Raemon Matthews. "Quero pensadores, não apenas pessoas que podem repetir o que lhes digo." Mas, mesmo que fatos por si não levem à compreensão, não se pode ter compreensão sem fatos. E o mais importante: quanto mais se sabe, mais fácil é saber mais. A memória é como uma teia de aranha que captura novas informações. Quanto mais ela captura, mais cresce. E, quanto mais cresce, mais captura.

---

[7] No original, *The Scarlet Letter*, em que "*letter*" pode significar tanto "letra" quanto "carta". (N. da T.)

As pessoas cujo intelecto eu mais admiro sempre parecem ter uma anedota conveniente ou um fato pertinente à mão. Conseguem atravessar toda a extensão do seu saber e colher em terrenos distantes. Não é preciso dizer que inteligência é mais, muito mais, do que mera memória (há eruditos que lembram muito mas compreendem pouco, assim como há velhos professores esquecidos mas compreendem muito). Contudo, memória e inteligência de fato parecem caminhar de mãos dadas, assim como boa forma física e disposição atlética. Há um circuito de feedback entre as duas. Quanto mais intimamente cada nova informação puder ser entrelaçada com a rede de informações que já conhecemos, maior será a probabilidade de ser lembrada. Pessoas que têm mais associações para prender suas memórias são mais propensas a lembrar coisas novas, que, por sua vez, farão com que conheçam mais e possam aprender mais. Quanto mais lembramos, melhor é o processamento do mundo. E, quanto melhor é o nosso processamento do mundo, mais conseguimos nos lembrar dele.

Capítulo 10

O pequeno Rain Man dentro de todos nós

Em fevereiro, um mês antes do Campeonato de Memória dos Estados Unidos, minhas suspeitas de que eu poderia de fato ter uma chance de me sair bem na competição estavam se confirmando pelas pontuações que vinha fazendo durante o treinamento. Em todas as provas, exceto no poema e nos números, meus melhores resultados se aproximavam das marcas mais altas dos campeões anteriores. Ed recomendou eu não me entusiasmar muito. "As pessoas sempre têm um desempenho ao menos 20% pior sob os holofotes", assegurou, repetindo o conselho que me dera muitas vezes antes. Ainda assim, eu estava mesmo embasbacado com meus progressos. Na prática, tinha até conseguido memorizar um maço de cartas em 1min55s, um segundo mais rápido do que o recorde nacional. Naquele dia, no meu diário de treinamento havia a seguinte observação: "Talvez eu possa realmente ganhar essa coisa!" (Além desta nota incompreensível: "Preste atenção ao que resta de cabelo no DeVito!!")

O que tinha começado como um exercício de jornalismo participativo tinha se transformado em uma obsessão. No início, eu só queria saber como era esse estranho mundo do circuito da memória e descobrir se a minha era de fato aprimorável; ou se eu poderia ter chances reais de ganhar o Campeonato de Memória dos Estados Unidos — parecia quase tão improvável quanto George Plimpton subir no ringue com Archie Moore e nocauteá-lo.

Tudo o que me foi dito — por Ed, por Tony Buzan, por Anders Ericsson — sugeria que a minha tediosa disciplina de treinamento era o único modo de alcançar uma memória mais apurada. Ninguém vem ao mundo com uma habilidade inata para lembrar montes de dígitos aleatórios e poesias lidas num relance ou para tirar fotografias com a mente.

E, contudo, vasculhando a literatura, encontram-se uns poucos casos raros aqui e ali — talvez menos de cem no último século — de *savants* com memórias extraordinárias que parecem quebrar as regras. O que é mais notável sobre esses indivíduos é que suas memórias excepcionais — "memórias incalculáveis", como têm sido chamadas — quase sempre coexistem com uma profunda deficiência. Alguns são prodígios musicais, como Leslie Lemke, um cego que tinha lesão cerebral e não conseguia andar até os 15 anos, mas que, todavia, era capaz de tocar no piano complicadas peças musicais após ouvi-las uma única vez. Alguns são prodígios artísticos, como Alonzo Clemons, que tem um QI de 40, mas que pode esculpir animais de cor, apenas tendo um breve vislumbre deles. Alguns têm habilidades mecânicas fora do comum, como James Henry Pullen, o "Gênio do Asilo de Earlswood", que era surdo e quase mudo, mas construía modelos de navio espantosamente intrincados.

Um dia, depois de memorizar 138 dígitos em uma das minhas sessões de cinco minutos de prática, estava sentando na frente da televisão, embaralhando cartas, como muitas vezes fazia para passar o tempo. Eu olhava a rainha de paus pensando em Roseanne Barr, pronto para formar uma imagem nojenta, quando começou um trailer de um novo documentário chamado *Brainman* sobre um desses raros prodígios. O tema do filme, que passou no Science Channel, era um sábio britânico de 26 anos chamado Daniel Tammet, cujo cérebro foi alterado por um ataque epilético sofrido na primeira infância. Daniel podia realizar de cabeça multiplicações e divisões complexas, aparentemente sem esforço. Podia dizer se qualquer número de um a dez mil era primo. A maioria dos *savants* tem uma única área de excepcionalidade, uma "ilha do gênio" solitária, mas Daniel tinha um verdadeiro arquipélago. Além de realizar cálculos relâmpago, ele também era um "hiperpoliglota" — termo usado para descrever um pequeno número de pessoas que sabem falar mais de seis línguas. Daniel afirmava falar dez, e o espanhol foi aprendido em um fim de semana. Ele tinha até inventado uma língua própria, chamada *mänti*. Para testar suas habilidades linguísticas, os produtores do *Brainman* levaram Daniel à Islândia e lhe deram uma semana para se tornar falante do islandês, uma das línguas mais difíceis do mundo. O apresentador que o testou em um programa de TV no final do período se declarou "maravilhado". O tutor de Daniel durante aquela semana o chamou de "gênio" e "não humano".

Os produtores do documentário também convidaram dois dos maiores neurocientistas do mundo, V.S. Ramachandran, da Universidade da Califórnia, em San Diego, e Simon Baron-Cohen, de Cambridge, para que cada um passasse um dia testando Daniel. Ambos concluíram que ele era um fenômeno único. Diferente de quase todos os outros *savants* já estudados, Daniel podia explicar o que se passava em sua cabeça — muitas vezes em nítidos detalhes. Shai Azoulai, um estudante de pós-graduação do laboratório de Ramachandran, afirmou que Daniel "poderia ser o ponto de partida para todo um novo campo de pesquisa". O dr. Darold Treffert, especialista da síndrome de *savant*, declarou que Daniel era uma das cinquenta pessoas do mundo que poderiam ser classificadas como um "*savant* prodígio".

Embora seja descrito como uma síndrome, na realidade o savantismo não é uma condição médica reconhecida, e não há um conjunto padronizado de critérios de diagnóstico. Contudo, Treffert divide os *savants* em três categorias informais: há os *savants* com "habilidade fragmentadas", que memorizam um único corpo esotérico de curiosidades, como um jovem paciente de Treffert — ele pode dizer o ano e o modelo de um aspirador de pó apenas pelo seu ruído; há os "*savants* talentosos", que desenvolveram uma área de expertise mais geral, como desenho ou música, notável apenas porque se destaca pelo forte contraste em relação à sua deficiência; e há os *savants* prodígios, que têm habilidades espetaculares dentro de quaisquer padrões, mesmo se não forem acompanhadas por deficiências em outras áreas. É uma categorização subjetiva, mas importante, acredita Treffert, porque os *savants* prodígios são membros de uma das classes de seres humanos mais raras do planeta. A descoberta de um novo *savant* prodígio como Daniel é realmente algo importante.

A mídia devorou a história de Daniel. Os jornais da Inglaterra e dos Estados Unidos traçaram perfis espetaculares do eminentemente citado "menino do cérebro incrível". Ele apareceu no *Late Show with David Letterman*, onde calculou o dia da semana em que Dave nasceu (sábado), e no *Richard & July*, a coisa mais próxima do programa da Oprah Winfrey no Reino Unido. Sua autobiografia, *Nascido em um dia azul*, tornou-se um best-seller do *New York Times* e logo atingiu o posto de número um no ranking da Amazon do Reino Unido. Daniel talvez tenha se tornado o mais famoso *savant* vivo do mundo.

O que mais me interessou em Daniel foi sua memória extraordinária. Em 2003, ele estabeleceu um novo recorde europeu ao recitar de cor os primeiros 22.514 dígitos do número pi. O feito levou cinco horas e nove minutos no porão do Museu de Ciência da Universidade de Oxford, e ele diz que não usou qualquer técnica mnemônica além de sua poderosa memória bruta. Era alguém com as mesmas espantosas habilidades dos atletas mentais, mas que trabalhava sem esforço.

Era quase impossível de acreditar. Nesse meio-tempo, eu dedicava torturantes horas para dar passeios mentais por todas as casas que eu já tivesse visitado, por cada escola em que já estudei e por todas as bibliotecas nas quais já trabalhei, para que pudessem ser convertidas em palácios da memória. Perguntei-me por que um *savant* como Daniel jamais competiu em campeonatos. Ele acabaria com todos os mnemonistas treinados, pensei.

Quanto mais eu pesquisava sobre a história de Daniel, mais crescia a minha fascinação pelas diferenças entre ele e os atletas mentais que eu tinha conhecido — e o atleta mental no qual rapidamente eu estava me tornando. Eu sabia como os mnemonistas faziam: aprimoravam suas memórias com treinamento rigoroso, usando antigas técnicas. Eu mesmo fiz isso. Mas não compreendia de onde vinham os poderes de memorização de Daniel. Ele, como no passado o jornalista S, parecia ter uma habilidade inata de recordação. Em que sentido o seu cérebro era diferente do meu? E será que ele tinha algum truque na manga que poderia me dar alguma vantagem no Campeonato de Memória dos Estados Unidos?

RESOLVI QUE IA TENTAR me encontrar com Daniel. Ele me convidou para visitá-lo na casa que dividia com o sócio, Neil, no final de uma rua sem saída arborizada, na bela cidade costeira de Kent, na Inglaterra. Acabamos passando duas tardes inteiras na sala de estar, conversando ao sabor de chá e petiscos. Daniel era magrinho, tinha cabelo loiro curto, óculos e feições de passarinho. Era educado, tinha a fala macia, era charmoso e hiperarticulado — igualmente confortável tanto em explicar a sua memória bizarra como em opinar sobre por que *The West Wing* era a série de TV americana com mais conteúdo. Acho que eu tinha ido até lá esperando encontrar alguma aberração, e então fiquei desconcertado com o fato de Daniel parecer tão surpreendentemente comum — mais até do que alguns dos

AMs que eu tinha conhecido. De fato, se ele não tivesse me contado, não tenho certeza se eu teria adivinhado que havia algo incomum com ele. Todavia, Daniel me assegurou que, apesar das aparências, ele podia ser qualquer coisa, menos normal. "Você deveria ter me visto 15 anos atrás. Você teria dito: 'Gente, esse sujeito é autista!'"

Daniel é o mais velho de nove irmãos. Ele cresceu em uma moradia subsidiada no leste de Londres e teve o que chama uma "infância muito difícil" que "parece com algo saído de Dickens". Em *Nascido em um dia azul*, ele descreve o grande ataque epilético que sofreu aos quatro anos. Foi "uma experiência sem igual, como se o espaço ao meu redor estivesse se afastando para todos os lados e a luz dentro dele escapasse e o próprio fluxo do tempo coagulasse e esticasse em um único momento que perdurava". Não tivesse seu pai corrido para levá-lo ao pronto-socorro em um táxi, muito provavelmente aquele ataque teria matado Daniel. Em vez disso, ele acredita que foi nesse momento que se tornou um *savant*.

Segundo Baron-Cohen, duas raras condições podem ter contribuído para produzir as capacidades de Daniel. A primeira é a sinestesia, a mesma desordem de percepção que afligia o jornalista S, na qual os sentidos são entrelaçados. Estima-se que haja mais de cem variedades dessa desordem. Para S, os sons invocavam uma imagética visual. No caso de Daniel, os números assumem formatos, cores, texturas e "tonalidades" emocionais distintas. O número nove, por exemplo, é alto, azul-escuro e ameaçador, enquanto o 37 é "encaroçado como um mingau" e o 89 se assemelha a neve caindo. Daniel disse que tem uma reação sinestésica para todos os números até dez mil e que experimentá-los desse jeito permitia-lhe fazer cálculos mentais rápidos sem precisar de lápis e papel. Para multiplicar dois números, ele vê cada forma de um número flutuando em seu olho mental. Intuitivamente, e, segundo ele, sem esforço, uma terceira forma, a resposta, é formada no espaço negativo entre eles. "É como uma cristalização. É como revelar um filme", contou Daniel. "A divisão é o inverso da multiplicação. Vejo o número e o parto dentro da minha cabeça. Como folhas caindo de uma árvore." Daniel acredita que suas formas sinestésicas de algum modo codificam informações importantes sobre as propriedades dos números. Os números primos, por exemplo, têm uma "qualidade do tipo de cascalho". São lisos e redondos, sem as bordas cheias de pontas dos números mais divisíveis.

A outra condição rara de Daniel é a síndrome de Asperger, uma forma de autismo com alto desempenho. O autismo foi identificado pela primeira vez pelo psiquiatra infantil Leo Kanner em 1943. Ele o descreveu como uma forma de incapacitação social, uma desordem na qual, como Kanner dizia, os pacientes "tratam as pessoas como se fossem coisas". Junto com a incapacidade de identificação, os indivíduos autistas têm muitos outros problemas, incluindo dificuldades de linguagem, uma gama muito restrita de interesses e "um desejo obsessivo de preservação da situação". Um ano depois de Kanner escrever sobre o autismo pela primeira vez, um pediatra austríaco chamado Hans Asperger observou outra desordem que parecia ser quase idêntica, exceto pelo fato de os pacientes de Asperger terem fortes capacidades linguísticas e menos prejuízos para o intelecto. Ele chamou seus jovens pacientes precoces, com a infinitude de curiosidades ocultas, de "pequenos professores". Foi somente em 1981 que a síndrome de Asperger foi reconhecida como distinta das outras.

O diagnóstico de Asperger em Daniel foi feito por Baron-Cohen, que dirige o Autism Research Centre de Cambridge e que também é uma das maiores autoridades do mundo em sinestesia. "Se você o visse hoje, não necessariamente pensaria que esse sujeito tem alguma forma de autismo", disse Baron-Cohen uma tarde, durante um chá em seu escritório no Trinity College. "Só quando ouvimos seu histórico de desenvolvimento. Eu lhe disse: 'Seu desenvolvimento sugere que, quando você era mais jovem, tinha a síndrome de Asperger, mas agora você se adaptou tanto e está progredindo tão bem que não precisa de um diagnóstico. Você é quem decide se quer ou não.' Ele respondeu: 'Sim, eu gostaria de ter.' Isso lhe deu um novo modo de ver a si próprio. Isso é ótimo. Ajusta-se perfeitamente ao seu perfil."

Em sua autobiografia, Daniel se estende nos efeitos de crescer como um Asperger não diagnosticado. "O que as outras crianças pensavam de mim? Eu não sei, porque não tenho qualquer memória delas. Para mim, elas eram o pano de fundo das minhas experiências táteis e visuais." Ao longo de toda a infância, Daniel foi afligido por uma paixão por curiosidades. Ele colecionava folhetos, contava tudo e desenvolveu um conhecimento obsessivo, enciclopédico, dos Carpenters, a popular dupla de soft rock dos anos 1970. Muitas vezes tinha problemas por considerar as coisas de maneira literal. Depois de mostrar o dedo do meio para um colega da escola, ele foi pego de surpresa pela reprimenda que recebeu. "Como pode um dedo dizer um palavrão?", pensou. A identificação não veio com facilidade. "Eu não tinha o conceito de fraude", disse. "Tive que trabalhar duro para atingir esse nível em que posso ser normal, em que posso conduzir uma conversa e saber quando começar e quando parar, e me lembrar de fazer contato visual." Apesar de ter, ao que parece, superado seus problemas sociais mais debilitantes, Daniel disse que ainda não sabe se barbear ou dirigir um carro. O barulho da escova esfregando nos dentes o enlouquece. Ele disse que evita locais públicos e é obsessivo com pequenas coisas. No café da manhã, mede exatamente 45 gramas de mingau em uma balança elétrica.

EU MENCIONEI *BRAINMAN* A BEN PRIDMORE. Estava curioso para saber se ele tinha visto, ou se ele tinha medo de que Daniel, alguém com dotes naturais que pareciam se comparar com —

senão ultrapassar — as próprias habilidades adquiridas de Ben, pudesse algum dia aparecer no circuito da memória. "Estou quase certo de que esse sujeito competiu, *sim*, em campeonatos uns anos atrás", comentou Ben casualmente. "Mas acho que ele tinha outro nome. Naquela época se chamava Daniel Corney. Ele se saiu muito bem um ano, pelo que me recordo."

Perguntei a outros AMs o que pensavam de Daniel. Quase todos tinham visto *Brainman* e quase todos tinham uma opinião. Poucos suspeitavam de suas alegações de savantismo e acreditavam que ele usava técnicas mnemônicas básicas para reter informação. "Qualquer um de nós poderia fazer o que ele fez", disse o octocampeão de memória Dominic O'Brian. "Se você quer a minha opinião, ele simplesmente percebeu que jamais seria o melhor dos atletas mentais." O'Brien disse o mesmo diante das câmeras, quando foi filmado para o *Brainman*, mas os produtores não incluíram sua entrevista na edição final.

Os atletas mentais tinham mesmo muitas razões para invejarem Daniel. Suas habilidades de memória eram quase equivalentes às deles, contudo, os lugares no firmamento cultural não poderiam ter sido mais diferentes. Enquanto os mnemonistas treinados batalhavam em um mundo obscuro de nerds, a condição médica de Daniel despertou um enorme interesse popular.

Na primeira oportunidade que tive diante de um computador, loguei no servidor de estatísticas do circuito da memória. Como esperava, descobri um Daniel Corney que tinha competido duas vezes no Campeonato Mundial de Memória, terminando no máximo na quarta posição em 2000. Era o mesmo Daniel, com um sobrenome diferente. Ele o mudara na certidão em 2001. Pareceu estranho que, na autobiografia sobre sua impressionante memória, Daniel não tenha mencionado a quarta colocação no campeonato.

Fiz uma busca pelo nome dele no World Wide Brain Club, o fórum on-line de encontro dos AMs. Não somente Daniel tinha competido como de fato tinha sido um crítico declarado dele, chegando a estabelecer um programa de oito pontos para que o esporte da memória pudesse se tornar mais legítimo, mais popular, e atraísse mais a atenção da mídia. Uma das postagens dele no fórum me deixou surpreso: era de uma propaganda de 2001, na qual ele se oferecia para revelar os "segredos da 'fórmula do Poder da Mente' em seu exclusivo 'curso por e-mail de Poder da Mente e habilidades da Memória Avançada'". Que segredos seriam esses? E por que ele não os tinha partilhado comigo quando nos encontramos?

O que nos fascina e nos excita a respeito dos *savants* — a razão por que Daniel recebera tamanha atenção tanto dos cientistas quanto do público — é a alteridade, a capacidade de fazer o aparentemente impossível com uma aparente facilidade. Eles são, com efeito, alienígenas no meio de nós, exceções ambulantes à ordem natural do universo. Por mais que os truques de memória dos atletas mentais sejam de cair o queixo, não passam de truques. E, como qualquer truque de mágica, uma vez que você sabe como ele é feito — e que você também poderia fazê-lo —, o efeito perde muito do seu brilho. Mas os *savants* são de verdade. Para eles, a memória não é um truque, é um talento.

No entanto, eu estava começando a questionar se o abismo entre mim e Daniel — entre qualquer um de nós e Daniel — poderia não ser assim tão grande quanto parecia. E se, como Dominic O'Brien parecia acreditar, o mais famoso *savant* do mundo não fosse um raro indivíduo com habilidades naturais quase místicas, mas apenas um sujeito que realizava alguns truques com a aparência de savantismo por treinamento metódico? Qual, então, seria a diferença entre mim e ele?

QUANDO SE TRATA DA MEMÓRIA de um *savant*, há talvez somente outro ser humano do mesmo nível que *Brainman*: Kim Peek, aliás, Rain Man, o *savant* prodígio nascido em 1951 que inspirou o personagem de Dustin Hoffman no filme de Hollywood.

Ele tem, ao que tudo indica, a melhor memória do mundo. E, já que eu tinha passado algum tempo com Daniel, resolvi visitar Kim em Utah, sua cidade natal, para fazer uma comparação e verificar o que os dois famosos *savants* têm em comum e o que podem me dizer sobre a síndrome.

Encontrei Kim no finalzinho do que se tornou o seu tour falante interminável —, no qual Fran, seu pai e cuidador, o acompanha sem nunca exigir pagamento. Ele se dirigia a um grupo de cerca de 35 idosas na sala de atividades de uma casa de repouso de Salt Lake City. A plateia tentava arrancar algumas curiosidades obscuras (qualquer coisa exceto "questões de lógica e raciocínio", como advertiu Fran). Uma mulher que respirava com um cilindro de oxigênio perguntou qual era o pico mais alto da América do Sul. Ele respondeu corretamente — monte Aconcágua, um fato que qualquer aficionado por curiosidades saberia — e deu a altura: 22.300 pés (que, depois descobri, estava incorreto por uns quinhentos pés). Uma senhora numa cadeira de rodas perguntou quantas vezes a Páscoa tinha caído no mês de março na década de 1930. De pronto, respondeu: "27 de março de 1932 e 28 de março de 1937." Suas respostas terminavam com uma aceleração da voz como se fosse explodir em uma risada rouca. O diretor de eventos da casa perguntou-lhe que livros estão resumidos no volume 4 dos *Livros Condensados da Reader's Digest* de 1964. Ele deu os nomes de todos os cinco. O nome da filha de Harry Truman? Margaret. O número de vezes que os Steelers venceram o Super Bowl? Quatro. A última fala de Coriolano na peça de Shakespeare? "Que nesta hora choram o sofrido,/ Mas mesmo assim ele por nobre é tido./ Ajudem."[8]

"Ele nunca esqueceu nada", disse Fran, aparentemente incluindo todos os acontecimentos dos mais de nove mil livros

[8] Tradução de Barbara Heliodora. *William Shakespeare — Tragédias e comédias sombrias*. Rio de Janeiro: Editora Nova Aguilar, 2006.

que ele lera numa velocidade de mais ou menos dez segundos por página. (Cada olho registra uma página de forma independente.) Ele memorizou a obra completa de Shakespeare e as partituras de todas as grandes peças de música clássica. Em recente apresentação da *Noite de reis*, um ator trocou dois versos, provocando um ataque tão grande em Kim que as luzes do teatro tiveram que ser acesas, e a peça, suspensa. Ele não pode mais assistir a peças ao vivo.

Ao contrário de Daniel, não há como olhar para Kim e não perceber de imediato que ele é totalmente único. Ele tem cabelo grisalho e a constituição de um urso. Seu olhar semicerrado é emoldurado por óculos com uma pesada armação de plástico marrom. A cabeça é inclinada quase sempre 45 graus para o lado. Ele mantém uma mão envolta pela outra e as esfrega para dentro e para fora quando está empolgado. Talvez o mais alusivo conversador do planeta, sua mente é tão repleta com fatos e números que frequentemente escapam como uma cascata de falas desconexas. Quando uma mulher argentina da casa de repouso disse a Kim que nascera em Córdoba, ele logo lhe falou as principais estradas da cidade natal dele e então entoou o refrão de "Don't Cry for Me, Argentina", o que me provocou uma contorção de desconforto de minha parte. E então, do nada, gritou: "Está despedido!" Fran auxiliou-o a explicar a conexão: o astro do basquete Dennis Rodman namorou Madonna, que protagonizou a primeira-dama argentina Eva Perón na versão cinematográfica de *Evita*, e foi despedido do Los Angeles Lakers em 1999.

Kim parece ter descoberto uma associação pavloviana entre a sua literalidade assombrosa e a risada da plateia. Em uma palestra recente, ele respondeu a uma questão sobre o famoso Discurso de Gettysburg, de Abraham Lincoln com "227 Northwest Front Street. Mas Lincoln ficou aí apenas uma noite. Ele fez o discurso no dia seguinte". A partir de então ele volta e meia repete essa piada.

Kim gosta de ser chamado de "Kimputador", mas seu nome completo é Laurence Kim Peek. "Nós lhe demos esse nome em homenagem a Laurence Olivier e a Rudyard Kipling", diz Fran. Quando Kim nasceu, depois de uma gestação difícil, logo ficou claro que algo estava profundamente errado. Sua cabeça era um terço maior do que o normal, e uma bolha do tamanho de um punho, que os médicos tiveram medo de remover, se projetava de suas nádegas. Durante os primeiros três anos de vida, Kim arrastava sua cabeça pelo chão como se fosse muito pesada. Não andou até os quatro anos. Seus pais foram pressionados a considerar uma lobotomia. Em vez disso, Kim viveu sob sedativos até os 14 anos. Fran recorda que foi somente quando Kim parou com os sedativos que começou a demonstrar interesse pelos livros. Ele os tem memorizado desde então.

Mas, embora Kim tenha acesso a um repertório de conhecimento maior do que talvez qualquer outra pessoa do mundo, Kim não parece capaz de direcioná-lo para qualquer outra finalidade a não ser o próprio conhecimento. Ele tem um QI de apenas 87. E não importa quantos livros de etiqueta ele tenha memorizado, seu senso de sociabilidade é, para colocar de maneira simpática, esotérico. De pé no meio de uma multidão no saguão da biblioteca pública de Salt Lake City, Kim envolveu os meus ombros com seus grandes braços, prendeu-me junto à sua pança e então com muita força me girou. "Joshua Foer, você é um grande, grande cara", falou alto o suficiente para assustar quem passasse. "Você é um homem bonito. Você é um homem da sua geração." E então soltou um urro profundo.

Como Kim pode fazer o que faz é um mistério para a ciência. Diferente do personagem de Dustin Hoffman em *Rain Man*, Kim não é, aparentemente, autista. Ele é sociável demais para esse diagnóstico. É algo totalmente diferente. Em janeiro de 1989, na mesma semana do lançamento do filme, uma tomografia computadorizada do cérebro de Kim revelou que seu cerebelo, órgão crucial para a percepção sensorial e a função motora, estava bem distendido. Um exame anterior já tinha descoberto que Kim também não possuía corpo caloso, o grosso feixe de neurônios que conecta os hemisférios esquerdo e direito do cérebro e que permite que eles se comuniquem. É uma condição extremamente rara, mas não se sabe muito como poderia contribuir para o seu savantismo.

Kim e eu ficamos juntos a maior parte da tarde, sentados em uma mesa no fundo do quarto andar da biblioteca, onde ele fica quase todos os dias da semana nos últimos dez anos, memorizando listas telefônicas. Ele tirou os óculos e os pôs sobre a mesa. "Vou só fazer um pouco de escaneamento", anunciou. Olhei por sobre o seu ombro enquanto ele folheava uma lista telefônica de Bellingham, em Washington. Eu tentava acompanhar a sua memória. Fiz o que Ed, como técnico, teria me instruído caso estivesse ali: ergui um palácio da memória e converti o número telefônico de cada pessoa em uma imagem, fiz o mesmo com o nome e o sobrenome, e então tentava conectar todas essas imagens em um conjunto memorável. Era um trabalho duro, e quando tentei explicá-lo a Kim, ele não pareceu entender do que eu estava falando. Sempre que eu chegava ao quarto ou quinto nome da primeira coluna, ele já estava pronto para passar à página seguinte. Perguntei como ele era capaz de fazer aquilo tão rapidamente. Ele tirou os olhos da lista e examinou os óculos na mesa, agitado pela minha interrupção. "Eu apenas lembro!", gritou. E então ele voltou a enterrar a cabeça em uma coluna de números telefônicos e me ignorou por meia hora.

Um dos desafios de se construir uma teoria para explicar a síndrome de *savant* é que ela se expressa de modo muito distinto em diferentes indivíduos. Contudo, há uma anomalia neuroanatômica que aparece em mais e mais *savants*, incluindo Kim: lesão no hemisfério esquerdo do cérebro. Curiosamente, as capacidades exageradas dos *savants* se manifestam quase sempre em atividades típicas do lado direito do cérebro, como habilidades visuais e espaciais; as tarefas mais difíceis para eles, como a linguagem, exigem primordialmente o lado esquerdo. Problemas na fala são bastante comuns, parte da razão por que um Daniel tão loquaz e muito falante parece tão extraordinário.

Alguns pesquisadores argumentam que o desligamento de certas atividades do hemisfério esquerdo do cérebro de algum modo libera habilidades do hemisfério direito que sempre estiveram latentes. De fato, há pessoas que adquirem capacidades de *savants* em um período tardio da vida, depois de algum dano traumático na parte esquerda do cérebro. Em 1979, um menino de dez anos chamado Orlando Serrell foi atingido por um arremesso de beisebol no lado esquerdo da cabeça e adquiriu uma capacidade notável de calcular datas do calendário e lembrar como estava o tempo em qualquer dia da sua vida. O neurologista da Universidade da Califórnia Bruce Miller estuda pacientes idosos com uma forma relativamente comum de doença cerebral conhecida como demência frontotemporal, ou DFT. Ele descobriu que, nos casos em que a DFT está localizada no hemisfério esquerdo do cérebro, pessoas que nunca pegaram em um pincel ou em um instrumento desenvolvem extraordinárias habilidades artísticas nos últimos anos de vida. À medida que as outras faculdades cognitivas se desvanecem, essas pessoas tornam-se *savants* especializados.

O fato de as pessoas virarem *savants* de um modo tão espontâneo sugere que essas capacidades excepcionais jazem dormentes, em algum nível, dentro de todos nós. Talvez exista, como Treffert gosta de colocar, "um pequeno Rain Man" escondido dentro de todo cérebro. Ele é apenas trancafiado pela inibitória "tirania do hemisfério esquerdo dominante".

Treffert vai mais além e especula que os *savants* com memórias excepcionais de algum modo podem ter confiado as tarefas de manutenção das memórias declarativas, como fatos e números, aos sistemas básicos de memória não declarativos, como aqueles que nos auxiliam a lembrar como andar de bicicleta ou pegar uma bola no ar sem estar consciente disso (os mesmos sistemas que permitem ao amnésico HM desenhar no espelho ou a EP passear pela vizinhança sem saber seu endereço). Considere apenas quanto processamento mental deve ocorrer apenas para posicionar a mão e apanhar uma bola no ar — os cálculos instantâneos de distância, trajetória e velocidade — ou reconhecer a diferença entre um gato e um cachorro. É claro que nossos cérebros são capazes de cálculos extraordinariamente complexos e rápidos que ocorrem de forma subconsciente. Não podemos explicá-los porque, na maior parte do tempo, nem mesmo percebemos que estão acontecendo.

Mas, com suficiente esforço, esses níveis inferiores de cognição podem ser acessados. Por exemplo, quando se ensina os alunos a desenhar, muitas vezes os primeiros dois exercícios que eles têm que dominar são os de traçar o espaço negativo e fazer linhas de contorno. O objetivo é desligar o processamento consciente de alto nível que vê uma cadeira apenas como uma cadeira e ativar o processamento perceptual latente, de nível inferior, que a vê como um conjunto de formas e linhas abstratas. É preciso muito treino para que um artista aprenda a desativar o processamento de alto nível; Treffert acredita que os *savants* fazem isso naturalmente.

Se os outros pudessem desligar esse processamento de alto nível, eles se tornariam *savants*? Na realidade, há uma tecnologia que pode, seletiva e temporariamente, desligar partes do cérebro. É chamada de estimulação magnética transcraniana, ou EMT, que funciona usando campos magnéticos focalizados para confundir os disparos elétricos de neurônios selecionados. O efeito de adormecimento pode perdurar por mais de uma hora. Embora a EMT seja relativamente nova, tem sido utilizada como um meio não invasivo no tratamento de problemas diversos, como depressão, distúrbios de estresse pós-traumático e enxaquecas. Mas, de muitas maneiras, o potencial experimental da EMT é ainda mais estimulante do que seus usos terapêuticos. Obviamente há alguns problemas éticos insolúveis em fazer experimentos com o cérebro humano. Uma vez que não podemos sair por aí mexendo com um cérebro vivo (HM nos ensinou isso), muito do que os neurocientistas aprenderam sobre o cérebro resultou de uns poucos "experimentos naturais" causados por formas extremamente improváveis de dano cerebral (como a de EP). Como a EMT permite aos neurocientistas desligar e religar regiões do cérebro à vontade, ela pode ser usada para realizar repetidos experimentos sem ter que esperar alguém entrar no consultório com uma rara lesão na área cerebral que se quer estudar. Allan Snyder, neurocientista australiano que popularizou a EMT como ferramenta experimental, usa a técnica para induzir por algum tempo habilidades artísticas semelhantes às dos *savants* em pessoas normais alvejando o lobo frontotemporal esquerdo (região lesionada com frequência nos *savants*). Após ter desligado o lobo temporal esquerdo, os sujeitos conseguem desenhar, de memória, quadros com mais precisão e estimar com maior rapidez o número de pontos piscando em uma tela. Snyder chama esse dispositivo de "máquina amplificadora da criatividade". Mas poderia bem chamá-lo de bônus de sabedoria.

No documentário *Brainman*, vi Daniel dividir 13 por 97 e dar o resultado com tantas casas decimais que a resposta ultrapassava o número de dígitos de uma calculadora científica. Foi necessário um computador para fazer a verificação. Ele multiplicava de cabeça números de três dígitos em poucos segundos e rapidamente chegava ao resultado de que 37 à quarta potência era 1.874.161. Para mim, a matemática mental de Daniel parecia ainda mais impressionante do que a sua memória.

Quando comecei a explorar o complicado tema da matemática mental, descobri que, assim como a mnemônica, esse campo tem a sua vasta literatura e mesmo o seu campeonato mundial próprio. Com um pouco de Google e muita prática, qualquer um pode aprender sozinho a multiplicar números de três dígitos de cabeça. Não é de modo algum fácil — acredite, eu tentei —, mas é uma habilidade que pode ser aprendida.

Apesar de eu ter pedido diversas vezes em várias ocasiões, Daniel sempre se recusou a realizar sequer um simples cálculo mental para mim. "Um dos maiores temores dos meus pais era que eu me tornasse um show de horrores", justificou quando pressionei. "Tive que prometer que não faria cálculos para quem me pedisse, só se fosse para cientistas." Mas ele realizou alguma matemática mental para as câmeras do *Brainman*.

Quando Daniel fez os cálculos, me atentei para algo esquisito que fazia com os dedos. Enquanto ele supostamente via a resposta se cristalizar em seu olho mental, a câmera capturou o dedo indicador deslizando pela superfície da carteira na frente dele. Tendo em vista as descrições de formas derretendo e se fundindo na mente, aquele pequeno movimento dos dedos me pareceu estranho.

Conversando com alguns especialistas, fiquei sabendo que esse deslizamento dos dedos pareceria suspeito para qualquer um que tivesse feito multiplicação mental. Uma das técnicas mais comuns para a multiplicação de grandes números é conhecida como multiplicação cruzada. Ela envolve fazer uma sequência de multiplicações de números de um algarismo para então combiná-los no final. Do meu ponto de vista, isso parecia ser o que Daniel fazia sobre a mesa. Ele nega. Diz que é apenas um cacoete que o ajudar a se concentrar. "Há muitas pessoas no mundo que podem fazer coisas desse tipo, mas são de todo modo muito impressionantes", comentou Ben Pridmore. Além de competir no circuito da memória, Ben também compete na Copa do Mundo do Cálculo Mental, um campeonato bienal em que os participantes realizam cálculos de cabeça de longe mais complicados do que os de Daniel, incluindo multiplicar números de oito dígitos sem lápis e papel. Nenhum dos participantes afirma ver formas numéricas que se fundem e se dividem. Todos admitem prontamente usar técnicas detalhadas em inúmeros livros e websites. Pedi a Ronald Doerfler, autor de um desses livros, *Dead Reckoning: Calculating Without Instruments* [Reflexão: calculando sem instrumentos], que assistisse a *Brainman* e me dissesse o que pensava a respeito. "Não estou muito impressionado com nada daquilo", comentou sobre os talentos matemáticos de Daniel, e acrescentou: "A tradição do cálculo mental está repleta de informações errôneas."

E quanto ao fato de Daniel conhecer todos os números primos até dez mil? Também não impressiona Ben Pridmore. "Apenas memorização básica", disse. Há somente 1.229 números primos menores que dez mil. É muito número para decorar, mas nada que se compare a 22 mil dígitos do pi.

O cálculo de datas, a única habilidade de *savant* que Daniel se dispôs a me mostrar, é de fato tão simples que não deveria impressionar ninguém. *Savants* como Kim, que podem dizer a data de qualquer Páscoa nos últimos mil anos, parecem ter internalizado os ritmos e as regras do calendário sem as terem entendido deliberadamente. Mas qualquer um pode aprender isso. Existem várias fórmulas simples de se calcular datas disponíveis na internet. Basta apenas uma hora de exercício para se tornar fluente nelas.

Quanto mais eu conversava com Daniel, mais suas afirmações começavam a lançar dúvidas sobre a sua história. Quando lhe perguntei em diferentes ocasiões, com um intervalo de duas semanas uma da outra, a aparência do número 9.412, ele me deu respostas bem diferentes. Na primeira vez, ele disse: "Tem azul porque começa com nove, tem um movimento de deriva também, além de uma espécie de inclinação."

Na segunda vez, ele disse, depois de uma longa pausa: "É um número salpicado. Tem manchas e também curvas. É na realidade um número muito complexo." Em seguida acrescentou: "Quanto maior o número, mais difícil expressá-lo em palavras. É por isso que, em entrevistas, em geral me concentro nos números menores." É verdade que os sinestésicos nunca são tão coerentes, e, em seu favor, Daniel descreveu de forma parecida vários números menores ao longo dos nossos encontros.

Mas e aqueles cursos de "habilidades de Memória Avançada e Poder da Mente" que Daniel costumava anunciar no fórum on-line? De volta à sua casa em Kent, eu lhe entreguei a cópia de uma de suas propagandas de 2001 e lhe perguntei o que eu deveria pensar a respeito. Se sua memória extraordinária lhe vinha de forma natural e se ele não necessitava de técnicas mnemônicas, por que vendia um curso exatamente sobre o assunto? Ele estendeu os pés para cima e os pôs de volta no chão.

— Olha, eu tinha 22 anos na época — disse. — Não tinha dinheiro. Minha única experiência era a competição no Campeonato Mundial de Memória. Então, montei um curso sobre o aprimoramento da memória. Quando participei do campeonato, descobri que as pessoas estudavam sobre como lembrar. Nenhum deles tinha boa memória. Naquela época, pensei que mentiam, mas isso me deu a ideia de que seria algo a se ensinar. Eu estava numa situação em que deveria me vender. A única coisa comercializável era o meu cérebro. Assim, dei uma de Tony Buzan. Disse "Expanda o seu cérebro" e coisas do tipo, mas não gostei de ter feito isso.

— Você não usa técnicas de memória? — perguntei.

— Não — assegurou ele.

Se Daniel tinha criado toda essa história de ser um *savant* natural, ele chegou a um nível de fraude que me custava a crer que ele fosse capaz. Se Daniel era apenas um mnemonista treinado tentando se passar de *savant*, por que demonstraria tanta boa vontade em se submeter a testes científicos?

Como alguém poderia saber se Daniel é o que ele afirma? Por muito tempo, os cientistas eram céticos sobre a existência da sinestesia. Eles consideravam o fenômeno uma fraude, ou nada mais que associações entre números e cores que perduravam desde a infância. Apesar de todos os relatos de caso na literatura, não havia meio de provar que algo tão inusitado estava de fato ocorrendo no cérebro de uma pessoa. Em 1987, Baron-Cohen desenvolveu o teste da genuinidade da sinestesia, a primeira avaliação rigorosa da condição. O teste mede a coerência com a qual um suposto sinestésico relata associações cor-palavra ao longo do tempo. Quando Baron-Cohen aplicou o teste em Daniel, o paciente passou com facilidade. Ainda assim, não pude deixar de pensar que qualquer mnemonista treinado talvez não tivesse se saído tão bem. Outros testes científicos com Daniel também me pareceram muito estranhos. Quando Baron-Cohen testou a memória de Daniel para rostos, ele teve um péssimo desempenho, levando Baron-Cohen a concluir que "a sua memória para rostos parecia deficitária". Isso parece exatamente o tipo de coisa com que um *savant* teria problemas. E, todavia, quando Daniel Corney competiu no Campeonato Mundial de Memória, ele ganhou a medalha de ouro na prova de nomes e rostos. Simplesmente não fazia sentido.

Um teste que poderia ajudar a demonstrar de modo mais conclusivo a sinestesia de Daniel seria uma ressonância magnética funcional. Em muitos sinestésicos de cores e números, pode-se ver as áreas cerebrais associadas ao processamento de cores se iluminarem quando o paciente é solicitado a ler um número. Quando Baron-Cohen, trabalhando com especialistas no exame de ressonância, examinou o cérebro de Daniel, não se verificou isso. O teste "não encontrou regiões extraestriadas normalmente associadas a sinestesia, o que sugeriria uma forma incomum, mais abstrata e conceitual de sinestesia", concluiu a pesquisa. Não fosse pelo fato de ele ter passado pelo teste de genuinidade da sinestesia, outra conclusão razoável é que Daniel poderia simplesmente não ter sinestesia.

"Às vezes as pessoas me perguntam se não me importo de ser uma cobaia dos cientistas. Não vejo nenhum problema nisso porque sei que estou ajudando a compreender melhor o cérebro humano, algo que beneficiará a todo mundo", escreve Daniel em sua autobiografia. "Também é gratificante aprender mais a meu respeito e sobre o modo como a minha mente funciona." Quando Anders Ericsson convidou Daniel para uma visita à Universidade da Flórida para ser testado conforme outros padrões rigorosos, Daniel disse que estava muito ocupado para fazer a viagem.

O problema de todos os testes aplicados em Daniel é a hipótese nula — a suposição de trabalho que seria verdadeira se a hipótese alternativa fosse provada falsa: ou seja, a de que Daniel não era um *savant*, mas apenas um sujeito normal. Mas o que precisaria ser testado, especialmente à luz de sua história pessoal incomum, é a possibilidade alternativa de que o mais famoso *savant* do mundo poderia na verdade ser um mnemonista treinado.

Cerca de um ano depois do meu primeiro encontro com Daniel, o agente dele me enviou um e-mail perguntando se eu desejava encontrá-lo de novo, desta vez durante o café da manhã em um elegante hotel no centro de Nova York, onde ele estava hospedado. Daniel estava na cidade para uma participação no programa *Good Morning America* e para promover o livro *Nascido em um dia azul,* que alcançou o terceiro lugar da lista de best-sellers de não ficção do *New York Times* logo na estreia.

Depois de uma xícara de café e um bate-papo agradável sobre a vida sob os holofotes, eu lhe perguntei de novo — pela terceira vez — com o que lhe parecia o número 9.412. Houve um vislumbre de reconhecimento em seus olhos antes de ele os fechar. Ele sabia que eu não tinha tirado esse número do nada. Pôs os dedos nos ouvidos e os manteve lá por dois longos e desconfortáveis minutos de silêncio.

— Posso vê-los na minha cabeça. Mas não posso dividi-los — disse finalmente.

— A última vez que perguntei, você foi capaz de descrevê--lo quase que de pronto.

Pensou um pouco mais a respeito.

— Seria azul-escuro, pontudo, reluzente, com um movimento de deriva. Ou eu poderia visualizá-lo como 94 e 12, e, nesse caso, ele teria a aparência de um triângulo e este tipo de forma. — Ele fez um tipo de quadrilátero com os braços. Seu rosto ficou vermelho como uma cereja. — Depende de várias coisas, como se eu ouvi bem o número ou como resolvi dividi-lo. Depende do meu cansaço. Cometo enganos às vezes. Vejo o número errado. Confundo com um número parecido. É por isso que prefiro realizar testes com cientistas mesmo. Não tem o mesmo estresse.

Eu li para ele as descrições que me dera do 9.412 nas duas últimas vezes em que eu o vi. Dificilmente poderiam ser mais diferentes. Eu lhe falei da minha teoria, que percebi ser muito difícil de provar: ele usava as mesmas técnicas básicas de outros atletas mentais e inventou essas insólitas descrições sinestésicas dos números para mascarar o fato de que tinha memorizado uma simples imagem para associar com as combinações de dois dígitos, de 00 a 99 — uma das técnicas mais elementares do instrumental do mnemonista. Foi uma das sentenças mais desagradáveis que jamais falei para alguém.

Durante um tempo, fiquei angustiado com a decisão de incluir ou não Daniel neste livro. Mas, uma noite, bem tarde, não muito antes de escrever um rascunho deste capítulo, decidi fazer uma última busca por seu nome na internet — para ver se eu poderia ter deixado passar algo, ou para ao menos refrescar a minha memória sobre uma história guardada em uma pasta do meu arquivo por mais de um ano. Por alguma razão — não sei como isso me escapou antes — encontrei uma versão em cache do danieltammet.com, um website criado em 2000 e que estava fora do ar por pelo menos três ou quatro anos. O texto da seção "Sobre Daniel", atualizada havia uns sete anos, incluía um trecho autobiográfico surpreendentemente objetivo não incluído em *Nascido em um dia azul*:

> Meu interesse particular na memória e, consequentemente, no esporte da memória foi despertado por um encontro casual com um livro infantil sobre conceitos gerais da memória para um melhor desempenho nas provas, quando eu tinha 15 anos. No ano seguinte passei nos exames de fim do ensino médio com alguns dos melhores resultados daquele ano e, em seguida, obtive bons resultados nos exames para entrar na universidade, dominando ao mesmo tempo francês e alemão com o auxílio dessas técnicas testadas e aprovadas... Minha obsessão com o esporte cresceu, e, após meses de treinamento extenuante e trabalho duro, atingi uma posição entre os cinco melhores esportistas da memória do mundo.

Eu também achara outra coisa: uma série de mensagens, postada muitos anos antes pelo mesmo endereço de e-mail usado por Daniel Corney, mas enviadas por alguém chamado Daniel Andersson, que afirmava ser "um médium respeitado e abençoado, amparado por mais de vinte anos de experiência ajudando e fortalecendo os outros". As mensagens explicavam que Daniel Andersson tinha recebido seus poderes psíquicos durante uma sequência de convulsões na infância. Havia um link para um site em que se poderia marcar uma consulta telefônica com Daniel para "conselhos em todas as espécies de assuntos, incluindo problemas de relacionamento, questões de saúde e financeiras, decepções amorosas e contatos com aqueles que já se foram".

Perguntei a Daniel o que seriam aqueles e-mails. Seis anos antes, ele afirmava que seus ataques epiléticos lhe deram poderes mediúnicos. Agora ele afirmava que foram responsáveis por ter se tornado um *savant*.

— Você entende por que alguém poderia ter suspeitas? — perguntei.

Ele fez uma pausa para se recompor.

— Meu Deus, isso é constrangedor — disse. — Depois de oferecer serviço como tutor e não ter dado certo, li um anúncio procurando por alguém que pudesse fazer consultas mediúnicas. Permitia-se trabalhar em casa pelo telefone. Era ideal para mim. Eu não era médium. Trabalhei nisso por um ano porque não tinha outra forma de sustento. Às vezes reclamavam porque eu não dava conselhos. Na maior parte do tempo, apenas ouvia. Considerei isso, do princípio ao fim, uma oportunidade para ouvir as pessoas. Olhando para trás, hoje eu preferiria não ter feito esse trabalho. Mas eu estava desesperado. Veja, a vida é complexa. Nunca imaginei que teria visibilidade pública. Juro a você que fiz testes certificados com cientistas que podem determinar se estou simulando, e eles são da opinião — não apenas a opinião de um único cientista — de que falo a verdade.

Ao fim do nosso último encontro, dei a Daniel todas as razões pelas quais não conseguia acreditar que ele, o *savant* mais famoso do mundo, era de fato um *savant*.

— Eu queria estar convencido — disse eu —, mas não estou.

— Se quisesse trapacear, se quisesse enganá-lo, eu treinaria intensamente — disse ele com franqueza. — Eu viria com todas as minhas armas. Faria de tudo para agradar a todos. Mas, para ser sincero, não me importo com o que você pensa a meu respeito. Não é nada pessoal. O que quero dizer é que não me importo com o que ninguém pensa. Eu me conheço. Sei o que se passa na minha cabeça quando fecho os olhos. Sei o que os números significam para mim. Essas coisas são difíceis de explicar e difíceis de colocar em termos que o outro possa analisar facilmente. Se eu fosse muito bom em defender algo, pensaria com muito cuidado e causaria uma forte impressão em você e em todas as outras pessoas.

— Você *causou* uma grande impressão em todas as outras pessoas.

— As pessoas confiam nos cientistas, e os cientistas me estudaram... e eu confio nos cientistas. Eles são neutros. Não são a mídia. Não estão interessados em escrever sob um determinado ponto de vista. Estão interessados na verdade. Com a mídia, sou apenas eu. Às vezes eu me saio muito bem, às vezes estou muito nervoso e não causo uma impressão muito boa. Sou humano. Sou inconsistente porque sou humano. De todas as pessoas que me entrevistaram, você foi quem mais me tratou como uma pessoa normal. Você não me abordou como a um ídolo. Você me tratou como um igual. Respeito isso. Sinto-me mais confortável sendo um humano do que sendo um anjo.

— Talvez seja porque desconfio de que você seja apenas uma pessoa normal — revelei. Quando essas palavras saíram da minha boca, percebi que não era isso que eu queria dizer. O que me frustrava em relação a Daniel é que eu sabia que ele *não* era normal. Na realidade, a única coisa que eu podia dizer com certeza a seu respeito é que ele era excepcionalmente brilhante. Sei o trabalho que dá para treinar a memória. Qualquer um pode fazer, mas nem todos podiam fazer no grau que eu suspeitava que Daniel tinha atingido. Achava que Daniel era especial. Só não tinha certeza de que era tão especial quanto ele afirmava.

Perguntei a Daniel se, quando se olhava no espelho, honestamente, ele se considerava um *savant*.

— Eu sou um *savant*? — Ele abaixou a xícara de café e se inclinou na minha direção. — Depende de como você define a palavra, não é? Você pode definir "*savant*" de um modo que me excluísse do conceito. Você pode definir de um modo que excluísse Kim Peek do conceito. E você pode definir de um modo que excluísse todos os *savants* do mundo.

Tudo se reduz a definições. Em seu livro *Extraordinary People* [Pessoas extraordinárias], Treffert define a síndrome de *savant* como "uma condição raríssima na qual pessoas com sérias deficiências mentais (...) têm ilhas espetaculares de habilidade e brilhantismo que se apresentam em forte contraste, marcadamente incongruente, com a deficiência". De acordo com esta definição, a questão de Daniel usar ou não técnicas de memória seria irrelevante no que diz respeito à sua suposta condição de *savant*. Tudo o que importa é que ele tem um histórico de distúrbio do desenvolvimento e pode realizar feitos mentais fenomenais. E Daniel seria, sim, um *savant* prodígio, apesar de seu distúrbio ser menos pronunciado. Todavia, o que a definição de Treffert não engloba é a nítida diferença entre alguém como Kim Peek, cujas capacidades incríveis são aparentemente inconscientes e talvez automáticas, e alguém que manifesta as mesmas habilidades por meio de um tedioso e metódico treinamento.

Até o recente século XIX, o termo "*savant*", ou sábio, tinha uma conotação bastante diferente da atual. Era o epíteto mais elevado que podia ser conferido a um homem erudito. Um *savant* era alguém que dominava múltiplos campos, que concebia ideias abstratas, que "consagra(va) suas energias para a busca da verdade", como coloca Charles Richet, autor do livro *The Natural History of a Savant* [A história natural de um *savant*], de 1927. O termo não tinha nada a ver com capacidades singulares ou memória prodigiosa. E, contudo, ao logo do último século, a palavra ganhou novos significados. Em 1887, John Langdon Down, mais conhecido pela desordem cromossômica que leva seu sobrenome, cunhou o termo "idiota *savant*". A palavra "idiota", considerada politicamente incorreta, acabou caindo em desuso. Em um mundo em que nossas memórias do dia a dia têm atrofiado e em que a ideia de memória disciplinada foi totalmente descartada, "*savant*" passou de um termo da arte e um emblema da realização intelectual para se tornar uma condição aberrante, uma síndrome. Nunca se ouviria um polimático como Oliver Sacks ser descrito hoje como um *savant*, embora ele, tanto quanto qualquer um, satisfaça a definição do dicionário. Hoje a palavra é reservada a pessoas como os gêmeos autistas, descritos por Sacks de forma brilhante, que ficaram conhecidos por terem sido capazes de contar 111 fósforos no instante em que eles caíam no chão.

E quanto a alguém como Daniel? Um dos mais antigos mitos sobre os *savants* é que eles são destinados a nascer nesse mundo como gênios, mas, por um terrível capricho do destino, todas as suas aptidões foram reduzidas a uma. Penso em Daniel. Fico me perguntando o que diríamos sobre ele se fosse apenas um sujeito que treinou para memorizar 22 mil dígitos do pi e multiplicar números de três dígitos de cabeça. Fico me perguntando o que diríamos se ele fosse apenas alguém que conseguiu tudo isso apenas por meio de uma disciplina rigorosa e um enorme esforço. Faria dele uma pessoa mais incrível do que Kim Peek, ou menos? Queremos acreditar que existem Daniels Tammets entre nós, indivíduos que nasceram nesse mundo com talentos extraordinários, enfrentando dificuldades extraordinárias. Essa é uma das ideias mais inspiradoras sobre a mente humana. Mas talvez Daniel exemplifique uma ideia ainda mais inspiradora: a de que todos temos capacidades notáveis latentes dentro de nós. Se ao menos nos déssemos ao trabalho de despertá-las...

Capítulo 11

O campeonato de memória

Haveria uma nova prova no Campeonato de Memória dos Estados Unidos de 2006, inédita na história dos campeonatos de memória. Recebeu o nome bobo de "Três Erros e Você Está Fora da Festa do Chá" e foi concebida especificamente para agradar os produtores da HDNet, a rede de TV a cabo que estaria, pela primeira vez, transmitindo a competição em rede nacional. Cinco desconhecidos, fingindo ser convidados de um chá, subiriam ao palco para fornecer aos competidores dez informações pessoais — endereço, número de telefone, hobbies, data de nascimento, comida predileta, nome do animal de estimação, marca e modelo do carro etc. Era um teste que se aproximava mais das exigências da vida do que qualquer outra prova de uma competição de memória. Eu não tinha ideia de como me preparar para isso e, para ser franco, não tinha pensado muito a respeito até um mês e meio antes da disputa, quando Ed e eu passamos duas noites em uma chamada telefônica transatlântica inventando um sistema que me permitisse rápida e facilmente arquivar todas essas informações pessoais em um palácio da memória especialmente projetado e reservado para cada um dos desconhecidos.

Eu tinha erguido cinco construções imaginárias, uma para cada convidado do "chá". Todas tinham estilos diferentes, mas uma planta baixa semelhante, baseada em um átrio central e cômodos satélites. O primeiro palácio era um cubo modernista de vidro inspirado na Casa de Vidro de Philip Johnson; o segundo era uma casa torreada estilo rainha Ana, do Reino Unido, do tipo que você pode ver por todo San Francisco, com uma ornamentação ostentatória, cheia de arabescos e babados; o terceiro era à la Frank Gehry, com paredes onduladas de titânio e janelas encurvadas; o quarto era baseado na casa de tijolos vermelhos de Thomas Jefferson, o palácio Monticello; e não havia nada de especial no quinto, exceto que todas as paredes eram pintadas de um forte azul. A cozinha de cada casa servia como local para um endereço. Cada escritório deveria guardar um número telefônico. A suíte principal era para os hobbies, o banheiro para datas de nascimento, e assim por diante.

Três semanas antes da competição, depois de rever as pontuações que eu vinha lhe enviando, Ed me telefonou para dizer que eu precisava parar de treinar para todas as outras provas e me focar exclusivamente na prova do chá. Eu reunia amigos e familiares e os fazia representar biografias inventadas para eu memorizar dentro dos meus novos palácios arduamente construídos. Diversos jantares nada românticos com minha namorada foram desperdiçados com ela representando personagens fictícios, contando-me histórias sobre sua vida como fazendeira no Nebraska, uma esposa suburbana ou uma costureira parisiense, que então eu reproduzia para ela durante a sobremesa.

Até que, uma semana antes do campeonato, exatamente no momento em que eu queria estar treinando mais, Ed me falou para parar. Os AMs sempre dão uma pausa no treinamento uma semana antes das competições para fazer uma limpeza de férias dos seus palácios da memória. Eles os percorrem e mentalmente eliminam quaisquer imagens que tenham perdurado, pois, no calor de uma competição, a última coisa que desejam é lembrar por engano algo que memorizaram na semana anterior. "Alguns competidores, quando atingem um nível muito alto, não falam com ninguém três dias antes de uma disputa", disse Tony Buzan. "Eles acham que qualquer associação que entre na sua cabeça pode interferir em associações que vão formar durante a competição."

O plano era que Ed estivesse na primeira fileira do campeonato. Mas, pouco antes da competição, ele partiu para a Austrália, onde lhe foi oferecida uma oportunidade única de iniciar uma pesquisa em filosofia na Universidade de Sydney sobre as questões fenomenológicas suscitadas pelo esporte do críquete. (Ele acredita que o esporte oferece exemplos ainda melhores do que dos identificadores de sexos dos pintos ou dos grandes mestres de xadrez para lançar luz sobre sua tese de que a nossa percepção imediata do mundo é fortemente moldada pela memória.) De uma hora para outra, não era mais certo se ele poderia fazer a viagem mais longa e mais cara para o outro lado do planeta.

— Há alguma maneira de eu mediar seu incômodo em relação à minha potencial ausência? — perguntou em um e-mail poucos dias antes da competição. O que eu estava sentindo não era incômodo, mas pânico. Embora eu falasse para todos que sabia que iria participar por um pouco mais do que uma extravagância — "um modo diferente de passar uma manhã de fim de semana" foi o que disse para um amigo —, as piadas que às vezes fazia à custa dessa "competição de nerds" escondiam a verdade: eu não tirava a vitória da cabeça.

A decisão de Ed permanecer na Austrália significava que eu estava sozinho para me preocupar com os outros competidores, para especular quão intensamente tinham treinado ao longo do ano ou se um deles tinha preparado uma surpresa para todos, revelando uma nova técnica que elevaria o esporte a um nível inalcançável. Havia Ram Kolli, o jovial e despreocupado campeão, que era o talento mais natural do grupo. Se ele tivesse decidido treinar duro como um europeu, o resto não teria a menor chance. Mas, de algum modo, eu duvidava que esta tivesse sido sua opção. Quem mais me corroía por dentro era Maurice Stoll. Se havia alguém que poderia ter dedicado tempo para desenvolver um sistema PAO do Milênio como o de Ed, ou um sistema de 2.704 imagens para cartas como o de Ben, eu diria que era Maurice.

Na noite da véspera da competição, Ed me enviou por e-mail um último conselho: "Tudo o que você tem que fazer é saborear as imagens e realmente se deleitar com elas. Desde que esteja se surpreendendo com a boa natureza vívida delas, você estará bem. De modo algum fique preocupado. Pegue leve, ignore a oposição, divirta-se. Já estou orgulhoso de você. E, lembre-se, garotas fazem cicatrizes, mas a glória dura para sempre."

Naquela noite fiquei na cama caminhando obsessivamente de um palácio a outro — primeiro no sentido normal e depois de trás para frente —, preocupado com Maurice. Eu não conseguia dormir, o que, como o próprio Maurice tinha assinalado na competição do ano anterior, é para um atleta mental "como quebrar a perna antes de uma partida de futebol".

Quando finalmente consegui dormir, por volta das três da madrugada, com o auxílio de um Tylenol PM, tive um sonho terrível, em que Danny DeVito e Rhea Perlman, meu rei e minha rainha de espadas, davam voltas em um estacionamento por horas, montados em um pônei, o sete de espadas, tentando em vão achar um lugar para estacionar sua Lamborghini Countach, o valete de copas. No final, os dois e o animal derreteram no asfalto, enquanto Maurice Stoll assistia a tudo com uma sinistra gargalhada de dr. Mengele. Acordei quatro horas depois, lacrimejante e tonto, e sem querer passei xampu duas vezes nos cabelos — um presságio ameaçador, se é que isso existe.

A primeira pessoa por quem fui procurar quando saí do elevador no 19° andar da sede da Con Edison foi Ben Pridmore. Ele tinha vindo da Inglaterra para o fim de semana apenas para fazer o reconhecimento de campo. No aeroporto de

Manchester, ele ostentou com um upgrade de última hora para a primeira classe.

— Com o que mais eu gastaria o meu dinheiro? — ele disse.

Olhei para aqueles sapatos de couro meio comidos, cujas solas agora estavam quase despregadas.

— Tem razão — respondi. — A primeira prova nem começou, e eu já perdi — falei para Ben. Contei sobre a insônia e a dupla lavagem dos cabelos, e ele estava convencido de que não tinha sido bom eu tomar aquelas pílulas de dormir, cujas substâncias químicas talvez ainda estivessem nadando na minha corrente sanguínea.

Engoli duas xícaras grandes de café e, na verdade, eu me sentia mais agitado do que cansado. Acima de tudo, me sentia muito idiota por ter estragado de um modo tão catastrófico a coisa mais importante que precisava fazer para ser competitivo. Maurice passou esse meio-tempo usando um boné de beisebol do Texas A&M Aggies e uma camisa de estampa *paisley*, parecendo muito mais animado do que no ano passado. E assustadoramente confiante. Ele me reconheceu do outro lado da sala e veio em minha direção para me cumprimentar e se apresentar ao lendário Ben Pridmore.

— Você está de volta — disse Maurice para mim. Era uma afirmação, não uma pergunta. Se eu podia dizer que o que eu tinha era uma estratégia, esta se tratava de espionar Maurice e surpreendê-lo. Mas, aparentemente, ele já estava informado a meu respeito. Alguém deve ter dito que eu vinha treinando com Ed Cooke.

— Sim, achei que deveria tentar competir este ano — disse eu, em tom de indiferença, e apontei para o nome no crachá, em que se lia: "Joshua Foer, Atleta Mental". — É um tipo de experimento jornalístico.

E perguntei:

— Como estão seus números este ano? — Estava sondando se ele tinha feito algum upgrade do seu sistema.

— Estão bem. E os seus?

— Bem. E as cartas?

— Não estão ruins. E as suas?

— Acho que não terei problemas com as cartas — disse. — Ainda usando o mesmo sistema do ano passado?

Ele encolheu os ombros sem responder e perguntou:

— Como você dormiu esta noite?

— O quê?

— Como você dormiu?

Por que ele estava me perguntando isso? Como sabia sobre a minha insônia? Que tipo de jogo de resistência Maurice estava tentando jogar comigo?

— Você lembra, ano passado eu não dormi muito bem — continuou ele.

— Sim, eu lembro. E este ano?

— Este ano eu dormi bem.

— Josh precisou de pílulas para dormir — disse Ben, prestativo.

— Pois é, bem, elas são quase um placebo, certo?

— Uma vez experimentei pílulas para dormir durante o treinamento e acabei adormecendo na manhã seguinte, memorizando números — disse Maurice. — Sabe, a falta de sono é o inimigo da memória.

— Ah.

— Enfim, boa sorte hoje.

— Sim, boa sorte para você também.

A novidade naquele ano era o amontoado de câmeras de TV zumbindo no salão e os comentaristas de jogada — o anunciador de boxe Kenny Rice e seu assistente, o tetracampeão Scott Hagwood — empoleirados na frente do palco, em cadeiras de diretor. A presença deles emprestava à competição um tom surreal de documentário de comédia. Eu tinha mesmo acabado de ouvir Rice descrever os competidores como tendo "elevado a destreza mental a outro patamar"?

Diferente das competições internacionais que presenciei, em que os competidores passavam isolados os últimos momentos antes de uma disputa, com um par de protetores de ouvido e se movimentando para aquecer o cérebro, os competidores norte-americanos formavam pequenos círculos de conversa, como se fossem se submeter a um teste não mais exigente do que um exame ocular. Eu me isolei em um canto, inseri os meus protetores de ouvido e tentei limpar a mente, como um bom mnemonista europeu.

Tony Dottino, um consultor de negócios corporativos de 58 anos, magro, de cabelos grisalhos e bigode, colocou-se à frente do salão para apresentar a competição. Dottino inaugurou o campeonato nacional em 1997 e dirigiu 13 deles desde então. Ele é um dos discípulos norte-americanos de Tony Buzan. Dottino ganha a vida como consultor de empresas como IBM, British Airways e Con Edison (daí a localização inesperada do evento). Ele mostra como tornar a força de trabalho mais produtiva a partir do uso de técnicas de memória.

— Vocês são os caras que mostram para as pessoas deste país que memória não é coisa de nerds — declarou. — Vocês são os modelos que as pessoas seguirão um dia. Somos o início de uma longa história. Vocês — apontou para nós com ambos os indicadores — estão escrevendo os livros de história. — Eu me desliguei durante o resto do discurso, pus os protetores de volta no ouvido e fiz um último passeio por cada um de meus palácios da memória. Estava conferindo, como Ed certa vez me ensinou, se todas as janelas estavam abertas e se uma boa luz do sol da tarde estava entrando, de modo que as minhas imagens pudessem ser as mais nítidas possíveis.

Entre aqueles que contribuiriam para "escrever os livros de história" estavam quase quarenta atletas mentais de dez estados, incluindo: T. Michael Harty, um pastor luterano de Wisconsin; cerca de meia dúzia de crianças do Décimo Talentoso de Raemon Matthew; e Paul Mellor, um treinador de memória profissional de 47 anos de Richmond, Virgínia, que tinha participado de competições em cada um dos cinquenta estados e que esteve em Nova Jersey na semana anterior ensinando policiais a memorizar placas de carros com rapidez.

Os grandes competidores estavam todos sentados à mesa nas últimas fileiras. Eram os sujeitos que Dottino previra que poderiam ter chance de levar o título. Estava lisonjeado por ter sido incluído entre eles, embora estivesse no último assento na ponta da fileira. (Dottino e eu tínhamos nos falado muitas vezes ao longo do ano anterior, e eu o mantinha atualizado dos resultados do meu treinamento, então ele sabia que eu tinha chance). A fileira incluía um robusto engenheiro de software de trinta anos vindo de San Francisco. Seu nome era Chester Santos, mais conhecido pelo nome de guerra "Homem do Gelo", que dificilmente se encaixa com a sua fala mansa e seus modos modestos. Ele ficou em terceiro lugar no ano anterior. Eu tinha uma forte impressão de que Chester não gostava muito de mim. Após ter escrito a minha primeira matéria no *Slate* sobre o Campeonato Mundial de Memória do ano anterior, Tony Dottino me encaminhou um e-mail dele. Chester se queixava que o meu artigo era "HORRÍVEL" porque fazia Lukas e Ed "parecerem maravilhosos" enquanto os competidores norte-americanos eram retratados como "completos amadores e negligentes". O fato de agora eu ter o despudor de estar face a face com ele, depois de apenas um ano de treinamento, deve ter parecido o máximo do insulto.

Na lateral, ouvi Kenny Rice dizer: "Deve ser intimidador um atleta de fim de semana querer enfrentar LeBron James em um jogo de um para um." Entendi que ele estava se referindo a mim.

EMBORA TODOS OS OUTROS campeonatos nacionais tenham uma estrutura com aproximadamente o mesmo conjunto padrão de provas — de acordo com o mesmo conjunto padrão de regras, estabelecidas pelo Conselho Mundial do Esporte da Memória —, os Estados Unidos organizam de um modo um pouco diferente. Nos eventos internacionais, as pontuações de todos são somadas no final do torneio para determinar o vencedor, mas o campeonato norte-americano é menos direto: consiste em uma manhã preliminar de quatro disciplinas clássicas de papel e caneta — nomes e rostos, números, cartas e poema — usadas para selecionar seis finalistas. Esses seis finalistas então competem à tarde em três provas de eliminação particulares, com formato adaptado para TV, chamadas "Palavras para Lembrar", "Três Erros e Você Está Fora da Festa do Chá" e "Dois Baralhos ou Nada", que limpam o campo até que reste apenas o campeão de memória dos Estados Unidos.

A primeira prova da manhã foi a de nomes e rostos, na qual sempre me saí muito bem. A ideia do jogo é pegar um pacote de 99 fotografias e memorizar o primeiro e o último nome associados a cada uma delas. Isso é feito imaginando uma imagem inesquecível que conecte o rosto ao nome. Considere, por exemplo, Edward Bedford um nos 99 nomes que tínhamos que lembrar. Era um homem negro com um cavanhaque, cabelo ralo, óculos de sol coloridos e um brinco na orelha esquerda. Para ligar esse rosto ao nome, tentei visualizar Edward Bedford deitado em uma cama de um caminhão da Ford, mas aí, achando que não era marcante o suficiente, eu o vi dirigindo um carro por um rio em uma cama flutuante. Para lembrar que seu primeiro nome era Edward, coloquei Edward Mãos de Tesoura na cama com ele, rasgando o colchão enquanto ele remava.

Usei um truque diferente para lembrar Sean Kirk, um homem branco com o cabelo curto em cima e longo atrás e que tinha suíças e o sorriso torto como o de uma vítima de derrame. Eu o emparelhei com o âncora da Fox News, Sean Hannity, e o capitão Kirk, de *Jornada nas estrelas*, e pintei uma imagem mental dos três formando uma pirâmide humana.

Depois de 15 minutos com os competidores olhando os nomes e os rostos, um juiz recolheu nossos pacotes e nos entregou um novo maço de folhas grampeadas com o mesmo conjunto de rostos dispostos em uma ordem diferente, mas dessa vez sem nomes ao lado. Tínhamos 15 minutos para lembrar o maior número de nomes possível.

Quando soltei a caneta e entreguei minhas respostas, supus que a minha pontuação estaria próxima da metade. Sean Kirk e Edward Bedford apareceram sem erro para mim, mas vacilei na loira bonita e, no bebê com o nome francês e em um punhado de outros, então era difícil imaginar que eu tivesse me saído bem. Mas, para minha surpresa, os 107 nomes e sobrenomes que fui capaz de recordar foram suficientes para terminar em terceiro lugar, logo atrás de Ram Kolli, que memorizou 115, e logo à frente de Maurice Stoll, com 104. O campeão da prova foi Erin Hope, uma nadadora de 17 anos que vinha de Mechanicsburg, na Pensilvânia, e que atingiu a impressionante marca de 124 nomes, um novo recorde norte-americano e uma pontuação digna de respeito mesmo entre os melhores competidores europeus. Quando seu número foi anunciado, ela ficou de pé e acenou encabulada. Olhei para Ram e flagrei-o devolvendo o olhar. Levantou as sobrancelhas como se dissesse: "De onde ela veio?"

A segunda prova da manhã foram os números, a pior para mim. Essa era a única prova para a qual o trabalho de técnico de Ed me deu pouca vantagem — porque eu praticamente ignorara seus conselhos técnicos. Ele me pressionou havia meses para eu desenvolver um sistema mais complicado para números — não como o "Navio de Guerra com 64 canhões" do sistema PAO do Milênio, no qual ele despendeu meses trabalhando, mas algo ao menos um passo além do simples Sistema Maior que a maioria teria usado. Eu o satisfiz e desenvolvi um sistema PAO para todas as 52 cartas do baralho, mas nunca estendi o sistema para todas as combinações de dois dígitos de 00 a 99.

Empregando o mesmo Sistema Maior do resto dos atletas mentais, usei meus cinco minutos do tempo de memorização para o que imaginava ser bem seguro, 94 dígitos — medíocre mesmo para padrões norte-americanos. Mesmo assim, consegui me confundir com os dígitos 88 (no lugar de Bill Cosby, eu deveria ter visto uma família jogando uma versão enorme do Jogo da Vida de Milton Bradley). Atribuí a minha péssima apresentação a Maurice, a quem ouvi, mesmo com os protetores de orelha, gritar rispidamente "Agora chega de fotografias!" para o fotógrafo da imprensa que circulava pelo salão. Contudo, os meus 87 dígitos me deixaram em quinto lugar. Maurice atingiu 148, um novo recorde norte-americano, e Ram terminou em segundo, com 124. Erin tinha caído para a 11ª posição, tendo lembrado apenas 52 dígitos. Eu me levantei, me estiquei e tomei uma terceira xícara de café. "Eles são conhecidos como AMs, ou atletas mentais", ouvi Kenny Rice falar com seriedade à câmera. "Mas nessa altura da competição, AM poderia significar algo mais: angústia mental."

Apesar de eu ter utilizado uma mnemotécnica inferior na prova dos números, quando chegou a vez das cartas, eu era o único competidor armado com aquilo a que Ed se referia como "a mais nova artilharia europeia". A maioria dos norte-americanos ainda colocava uma única carta em cada *locus*, e mesmo os competidores que competiam havia anos, como Ram e Chester "Homem de Gelo", na melhor das hipóteses associavam duas cartas a uma única imagem. Na verdade, até alguns anos atrás, nunca se tinha ouvido falar de alguém capaz de memorizar um maço de cartas inteiro no campeonato norte-americano. Graças a Ed, o sistema que eu estava usando agrupava três cartas em uma única imagem, o que significava que era ao menos 50% mais eficiente do que a técnica usada por qualquer outro norte-americano. Isso era uma vantagem enorme. Ainda que Maurice, Chester e Ram fossem me liquidar nas outras provas, eu esperava poder elevar a pontuação com as cartas.

A cada competidor foi designado um juiz individual com um cronômetro e que tomaria o assento do outro lado da mesa. No meu caso, era uma mulher de meia-idade que sorriu ao se sentar e disse algo que não consegui entender devido aos protetores de ouvido. Tinha trazido comigo os óculos especiais para cartas, pintados com tinta preta e, até o momento em que um maço que tinha acabado de ser embaralhado e posto em cima da carteira à minha frente, estava ainda ponderando se os colocaria ou não. Eu não treinava sem eles havia semanas, e o auditório Con Edison certamente estava repleto de distrações. Mas também havia três câmeras de TV circulando pelo salão. Quando uma delas desse um close do meu rosto, eu pensaria em todas as pessoas que eu conhecia que poderiam estar assistindo à transmissão: colegas da escola que não via fazia anos, amigos que não tinham ideia da minha obsessão por memória, os pais da minha namorada. O que eles pensariam se me vissem usando enormes óculos de segurança pretos e protetores de orelha para virar um maço de cartas? No final, o medo do constrangimento público triunfou sobre os meus instintos competitivos, e deixei os óculos no chão, aos meus pés.

Na frente do salão, o árbitro-chefe, um sargento dos fuzileiros navais reformado, gritou: “Valendo!” Minha juíza disparou o cronômetro, e eu comecei a tirar as cartas do maço o mais rápido possível, virando três de uma vez do topo para a mão direita. Estava armazenando as imagens no palácio da memória que eu conhecia melhor do que ninguém: a casa em Washington D.C., na qual eu tinha vivido desde os quatro anos — a mesma que usei para lembrar a lista de tarefas de Ed na pedra do Central Park. Na porta da frente, vi minha amiga Lyz fazendo a vivissecção de um porco (dois de copas, dois de ouros, três de copas). Assim que entrei, o Incrível Hulk andava em uma bicicleta estacionária enquanto um par de enormes brincos de argola pendiam dos lobos de suas orelhas (três de paus, sete de ouros, valete de espadas). Junto ao espelho ao pé da escada, Terry Bradshaw se balançava numa cadeira de rodas (sete de copas, nove de ouros, oito de copas) e, logo atrás dele, um jóquei anão com um sombreiro descia em queda livre de um avião com um guarda-chuva (sete de espadas, oito de ouros, quatro de paus). Quando estava na metade do maço, o berro teutônico de Maurice penetrou de novo por meus protetores auriculares: "Pare de andar!" Eu o escutei gritar, imagino que para outro fotógrafo. Dessa vez, não o deixei desviar meu foco. No quarto do meu irmão, vi meu amigo Ben urinar no saturno papal de Bento XVI (dez de ouros, dois de paus, seis de ouros), Jerry Seinfield esparramado sangrando no capô de uma Lamborghini no corredor (cinco de copas, ás de ouros, valete de copas) e, na soleira da porta do quarto dos meus pais, eu mesmo dançando o moonwalk com Einstein (quatro de espadas, rei de copas, três de ouros).

A arte de memorizar cartas traduz-se no perfeito equilíbrio entre mover-se rapidamente e formar imagens detalhadas. Deseja-se ter apenas um vislumbre de suas imagens para conseguir reconstruí-las mais tarde, sem perder um tempo precioso conjurando mais cores do que o necessário. Quando baixei de novo as mãos na mesa para parar o cronômetro, sabia que tinha sido primoroso em relação a esse equilíbrio. Mas eu ainda não sabia quão primoroso.

A juíza, sentada na minha frente, mostrou-me o tempo no cronômetro: 1min40s. Não apenas era melhor do que qualquer tempo que eu já fizera durante o treinamento como também derrubaria o antigo recorde norte-americano de 1min55s. Fechei os olhos, baixei a cabeça, falei para mim mesmo alguma frase de apoio e me dei um segundo para lidar com o fato de que talvez eu tivesse realizado algo — ainda que nerd, ainda que banal — melhor do que qualquer norte-americano.

Olhei para os lados e dei uma espiada em Maurice Stoll, que alisava o cavanhaque e parecia agitado, e senti uma satisfação sem igual com a perturbação por que ele estava passando. Então olhei para Chester e fiquei nervoso. Ele estava com um sorrisinho confiante. Não deveria. O seu tempo fora de uns letárgicos 2min15s.

Pelos padrões do circuito internacional, em que trinta segundos é o melhor tempo, o meu 1min40s teria sido considerado sofrível — o equivalente a 1,5km em cinco minutos para qualquer europeu sério. Mas não estávamos na Europa.

Quando a notícia do meu tempo atravessou a sala, as câmeras e os espectadores começaram a se agrupar em torno na minha carteira. A juíza puxou um segundo maço de cartas não embaralhadas na minha frente e as empurrou na mesa até mim. A minha tarefa agora era rearranjar o maço não embaralhado para casar com o que eu tinha acabado de memorizar.

Espalhei o maço não embaralhado sobre a mesa, inspirei profundamente e percorri mais uma vez o palácio da memória. Eu conseguia ver todas as imagens exatamente onde eu as tinha depositado, exceto duas. Elas deveriam estar no chuveiro, pingando, mas tudo o que eu conseguia captar eram ladrilhos beges.

Não consigo ver, sussurrava para mim, nervoso. *Não consigo ver*. Eu passei correndo por todas as minhas imagens o mais rápido que pude. Tinha esquecido um par gigante de dedos dos pés? Um janota usando um plastrão? O móvel de Pamela Anderson? O *leprechaun* Lucky Charms? Um exército de *sikhs* usando turbantes? Não, não, não.

Comecei a circular as cartas que eu lembrava com o meu indicador. No canto superior esquerdo pus minha amiga Liz e o seu porco morto. Ao lado dela, Hulk na sua bicicleta, e Terry Bradshaw com sua cadeira de rodas. À medida que o relógio se aproximava dos meus cinco minutos de recordação, restavam-me ainda três cartas na mesa. Eram as três que tinham desaparecido do chuveiro: o rei de ouros, o quatro de copas e o sete de paus. Bill Clinton copulando com uma bola de basquete. Como poderia esquecer isso?

Rapidamente arrumei o baralho em uma pilha, empurrei--as na mesa de volta à juíza e retirei os meus protetores. Eu tinha acertado. Não havia dúvidas.

Depois de esperar por um momento uma das câmeras de TV circular em volta de mim para um melhor ângulo, a juíza começou a virar as cartas uma a uma, enquanto eu, para atingir um efeito dramático, fazia o mesmo com o maço memorizado.

Dois de copas.

Dois de copas.

Dois de ouros.

Dois de ouros.

Três de copas.

Três de copas...

Carta com carta, todas casavam. Quando chegamos ao final dos baralhos, joguei a última carta na mesa e olhei em volta com um sorriso largo, arreganhado, estúpido, que tentei conter, mas não consegui. Eu era o novo recordista norte-americano na memorização de cartas. A aglomeração que se reunira em torno da minha carteira aplaudiu estrondosamente. Uma pessoa vaiou. Ben Pridmore brandiu o seu punho. Um garoto de 12 anos se aproximou, puxou uma caneta e pediu o meu autógrafo.

Por razões nunca esclarecidas, foi decidido que os três primeiros finalistas nas três provas da manhã estavam dispensados e não teriam que competir na prova preliminar final da manhã: o poema. Apesar da minha baixa pontuação com os números, meu recorde com as cartas foi o suficiente para me deixar em segundo lugar na classificação geral, atrás de Maurice e na frente de Chester "Homem de Gelo". Estávamos indo direto para as quartas de final. Nós três deixamos o salão de competição com Ben Pridmore e nos encaminhamos para a lanchonete do Con Edison, onde sentamos à mesma mesa para um almoço cordial, mas silencioso na maior parte do tempo. Quando voltamos, nos reunimos no palco com Ram, Paul Mellor, o maratonista de 47 anos de cinquenta estados, e Erin Luley, a jovem de 17 anos que estabeleceu um novo recorde norte-americano — o segundo dela naquele dia — na prova do poema, enquanto estávamos fora do salão.

Agora que restavam apenas seis de nós, a competição entrou na segunda fase, planejada para dramatizar em benefício das câmeras de TV. Gráficos estilosos em 3-D foram projetados em um telão na frente do salão, e uma iluminação teatral inundou o palco, onde estavam seis cadeiras altas, todas com um microfone de lapela no assento.

A primeira prova da tarde era a de palavras aleatórias. Em uma típica prova desse tipo, em uma típica competição nacional dessa ordem, os competidores têm 15 minutos para memorizar o máximo de palavras possível de uma lista de quatrocentas, e então uma breve pausa, e, depois, trinta minutos para escrever, em uma folha de papel, em ordem, tantas quantas pudessem se lembrar. Não é exatamente um esporte de espectadores. Para o campeonato, foi decidido que tudo aconteceria no palco, na esperança de que isso emprestasse à prova um pouco das mãos retorcidas, dos gritos agonizantes e da gesticulação do *kabuki* que fazem de uma disputa de soletração um teatro tão envolvente. Todos os seis deveriam fazer um círculo, um após o outro, cada um recordando em sequência uma palavra da lista memorizada. Os primeiros dois atletas mentais a errarem uma palavra seriam eliminados.

A lista era uma coleção de substantivos concretos e verbos, como "réptil" e "afogar", mais fáceis de visualizar, misturados a umas poucas palavras abstratas mais difíceis de imaginar, como "piedade" e "graça". Enquanto o objetivo em uma prova normal de palavras aleatórias seria memorizar o máximo possível, e talvez ser um pouco despojado apinhando o palácio da memória até sua capacidade total, Ed e eu ponderamos que as regras do campeonato norte-americano indicavam que uma estratégia mais sábia seria memorizar menos palavras — eu iria até umas 120 —, mas com a certeza de acertar todas. Achava que a maioria das pessoas no palco poderia lembrar mais palavras do que eu, mas também que alguém iria exagerar e tentar mais do que poderia dar conta. Eu não seria essa pessoa.

Depois dos nossos 15 minutos de memorização, fomos, cada um de uma vez, anunciando uma palavra da lista em sequência: "sarcasmo"... "ícone"... "toldo"... "chicote"... "tormento"... Quando chegamos à 27ª palavra, Erin, que, naquela manhã, memorizara mais poesia do que qualquer outro atleta mental norte-americano, tropeçou. A palavra era "entorpecido" — eu e os outros cinco de nós a sabíamos —, mas, por alguma razão, ela não conseguiu vê-la. Deixou-se largar na cadeira e chacoalhou a cabeça. Nove palavras mais tarde, Paul Mellor confundiu "operação" com "operar" — um clássico erro de principiante. A maioria de nós — especialmente o produtor da HDNet, que estava transmitindo a brilhante sequência — estava preparada para uma desgastante batalha sangrenta até ao menos a centésima palavra. Era difícil imaginar como a prova poderia finalizar tão cedo. Mesmo quem acabasse de aprender o princípio do palácio da memória conseguiria em geral memorizar ao menos trinta ou quarenta palavras na primeira tentativa. Acredito que tanto Erin quanto Paul avaliaram mal o que tinham e foram além da capacidade deles. Isso queria dizer que Ram, Chester, Maurice e eu tínhamos passado para as semifinais graças aos erros não induzidos dos outros. Isso queria dizer que eu estava a um chá de distância da final do Campeonato de Memória dos Estados Unidos.

Uma morena alta, usando um vestido de verão, entrou no palco e se apresentou. "Oi, eu sou Diana Marie Anderson. Nasci em 22 de dezembro de 1967, em Ithaca, Nova York, 14.850. O número do meu trabalho, mas, por favor, não ligue pra lá, é 929-244-6735, ramal 14. Tenho um bicho de estimação, o nome dela é Karma; ela é um labrador amarelo. Tenho alguns hobbies: assistir a filmes, andar de bicicleta e tricotar. Meu carro favorito é o Ford Modelo T de 1927, cor preta. Gosto de pizza, jujubas e sorvete de menta com chocolate.

Enquanto ela falava, Ram, Chester, Maurice e eu mantínhamos nossos olhos fechados, pintando com vigor imagens em nossos palácios da memória. A data de nascimento de Diana, 22/12/67, tornou-se um peso de uma tonelada (12) esmagando uma freira (22) enquanto ela tomava um milk-shake de frutas (67), que eu coloquei em uma banheira independente, de pés de garras, no banheiro do meu palácio vitoriano. Quanto ao local de nascimento e código postal, fui ao closet e imaginei um pneu de caminhão enorme (14) rolando na beira de um dos famosos desfiladeiros de Íta e aterrissando em cima de um casal de rapazes (850). Outros quatro convidados do chá subiram ao palco e recitaram biografias igualmente exaustivas.

A competição se chamava "Três Erros e Você Está Fora" porque os dois primeiros participantes que esquecessem três informações seriam eliminados. Após darem uns poucos minutos para a curva de esquecimento fazer a sua mágica, os cinco convidados do chá voltaram ao palco e começaram a fazer perguntas sobre si. Primeiro, fomos perguntados sobre uma jovem de cabelos loiros com um boné de beisebol, a quarta convidada. Chester, sentado no final da fileira, sabia: "Susan Lana Jones". Perguntaram então a Maurice a sua data de nascimento; ele não sabia, o que me fez questionar se ele não tinha blefado a respeito da sua boa noite de sono. Um erro para Maurice. Felizmente eu sabia o aniversário dela. Eu o tirei da pia em puro mármore do meu palácio modernista. Era 10 de dezembro de 1975. Ram sabia o endereço: North Miami Beach, Flórida, 33.180, mas Chester não lembrou o número de telefone. Um erro para Chester. Tampouco pôde lembrar Maurice. Dois erros para Maurice. A câmera deu um zoom em mim, aguardando que eu desse os dez dígitos, além do ramal. "Eu nem tentei lembrar o seu número de telefone", disse, olhando diretamente para as lentes. Minha estratégia era me concentrar em todo o resto e apenas esperar que esses números longos fossem o problema de outra pessoa. Um erro para Josh.

O jogo continuou desse jeito, até que Maurice não pôde dizer nenhum dos três hobbies da mulher. De fato, ele poderia muito bem estar tirando uma soneca enquanto os convidados contavam suas biografias. Três erros para Maurice. Ele estava fora.

Os três que restaram permaneceram no palco em um voleio de detalhes biográficos por muito mais rodadas. Finalmente coube de novo a Chester recitar o número do telefone do trabalho de um dos convidados do chá, incluindo o código de área e o ramal de três dígitos.

Chester fez uma careta e olhou para baixo.

— Por que sempre eu fico com os números de telefone? Vocês estão brincando comigo?

— Calhou — disse Tony Dottino, de pé atrás de um pódio à esquerda do palco, na função de apresentador.

— Ah, sem essa, ninguém se lembra dos números de telefone.

— Você é um mestre dos números, Chester.

Se fosse eu no lugar de Chester, também não saberia. Foi uma tremenda sorte que Chester tivesse acabado naquele lugar, e não eu; uma tremenda sorte que ele tivesse cometido seu terceiro erro antes de mim e uma tremenda sorte que agora eu estivesse a caminho da final do Campeonato de Memória dos Estados Unidos.

Uma pausa de dez minutos foi anunciada antes da prova final, "Dois Baralhos ou Nada", na qual Ram e eu teríamos cinco minutos cada para memorizar dois maços de cartas iguais para os dois. Maurice me agarrou quando eu descia do placo e pôs seu braço ao redor dos meus ombros. "Você vai vencer", disse ele em um inglês recortado. "Ram não consegue fazer dois maços. É certo." Eu agradeci brevemente e tentei abrir caminho em meio à multidão em direção à saída. Ben me cumprimentou junto à escada com a palma da mão esticada à espera de uma batida.

— Cartas são a pior prova de Ram — disse ele, empolgado. — A prova está no papo.

— Que isso, cara, o que você está tentando fazer, trazer azar?

— Você só precisa da metade do que fez essa manhã.

— Não fale isso, por favor. Você vai acabar atraindo um belo olho gordo.

Ele se desculpou e foi ao encontro de Ram para lhe desejar boa sorte.

Na lateral, Kenny Rice continuava sua análise jogada por jogada: "Estamos nos aproximando do momento decisivo aqui no Campeonato de Memória dos Estados Unidos. Ram Kolli ganhou este evento no ano passado. Será que o rapaz de 25 anos da Virgínia será novamente vitorioso, ou será o novato Joshua Foer, um jornalista que escreve para a internet e que cobriu o evento anterior? Agora ele está aqui para ganhar. A última prova, 'Dois Baralhos ou Nada', é uma batalha de mentes."

Eu sabia que, apesar do carma ruim, Ben e Maurice estavam certos. Ram mal podia memorizar um único maço de cartas em cinco minutos, quanto mais dois. Sob as luzes incandescentes, frente a frente com as lentes da câmera de TV, eu sabia que tudo que tinha a fazer era não titubear, e aquela mão de prata com o esmalte de unha dourado seria minha.

A primeira coisa que fiz depois de sentar e colocar os protetores de ouvido foi empurrar o segundo maço para o lado. Uma vez que eu só precisava memorizar uma carta a mais do que Ram, resolvi que iria conhecer o primeiro maço o máximo que pudesse. Gastei os cinco minutos olhando aquelas 52 cartas repetidamente, interrompendo apenas para dar uma rápida espiada em Ram, sentado à mesa ao lado. Ele segurava uma única carta e estudava-a como se fosse uma espécie rara de inseto. *Ai, meu Deus, esse cara não tem a menor chance*, pensei.

Ao final dos cinco minutos de memorização, foi lançada uma moeda para determinar quem começaria a recitação. Ram falou coroa. Saiu cara. Estava comigo a decisão de começar.

— Isso é importante — murmurei, alto o suficiente para ser captado pelo microfone de lapela. Fechei os olhos e percorri o maço o mais rápido que eu podia, checando se havia quaisquer vazios no meu palácio da memória, lugares onde, por algum motivo, uma imagem não se fixara, como ocorreu antes naquela manhã. Se houvesse, tentaria fazer com que Ram fosse o responsável por essas cartas, não eu. Finalmente, depois de uma longa pausa, abri os olhos. — Eu vou começar.

Pensei a respeito mais um segundo.

— Não, não, não. Esperem. Ram pode começar.

Pode ter parecido um último suspiro de pressão psicológica, mas percebi que não conseguia lembrar a 43ª carta do maço. Eu queria ter certeza de que esta seria responsabilidade de Ram.

Dottino:

— Certo. Ram, você está pronto para a primeira carta?

Ram girou os dedos por um segundo.

— Dois de ouros.

Então eu:

— Rainha de copas.

— Nove de paus.

— Rei de copas.

Ram olhou para cima em direção ao teto e se inclinou para trás na cadeira.

Eu podia ver que ele estava chacoalhando a cabeça. *Não é possível*, pensei. Ele olhou de volta para baixo.

— Rei de ouros?

Agora era eu quem chacoalhava a cabeça. Sabia que ele estava fora. Na quinta carta! Fitei Ram em estado de choque. Ele tinha prendido a respiração. Ele foi além da conta. Maurice, sentado na fileira da frente, deu um tapa na testa.

— *Temos um novo campeão da memória!*

Não me levantei. Não tenho nem certeza de ter aberto um sorriso. Um minuto antes tudo o que eu queria era vencer. Mas agora a primeira sensação não era de felicidade, alívio ou autossatisfação. Era, estava surpreso em descobrir, simplesmente exaustão. Senti a falta de sono da noite anterior despencar sobre mim e mantive a cabeça enterrada nas mãos por um momento. As pessoas assistindo em casa provavelmente pensaram que eu estava tomado pela emoção. Na realidade, eu ainda estava encalhado dentro do meu palácio da memória, flutuando por entre um mundo de imagens impossíveis que pareciam por um breve momento mais reais do que o palco onde eu estava sentado. Levantei a cabeça e vi o troféu kitsch de dois andares reluzindo no canto do palco. Ram veio ao meu encontro para me parabenizar e murmurou em minha orelha: "A quinta carta. Qual era?"

Abaixei minhas mãos, voltei-me para ele e murmurei de volta: "Cinco de paus." Dom DeLuise. Rodando o bambolê. É claro.

Epílogo

— Parabéns para Joshua Foer. Ele realmente vai ter uma história para escrever dessa vez, não é mesmo? — anunciou o comentarista Kenny Rice. — Ele veio aqui só para ver no que ia dar e vai voltar para casa campeão.

— Bem, nada mal para um principiante, Joshua — disse Ron Kruk, o repórter da HDNet que tinha subido ao placo com um microfone na mão para uma entrevista após as provas. — Você já tinha coberto esse evento algumas vezes. Quão crucial foi essa experiência para esse sucesso e para ganhar o Campeonato de Memória dos Estados Unidos hoje?

— Acho que foi importante, mas acredito que o treinamento ao qual me dediquei talvez tenha sido mais importante ainda — respondi.

— Bem, hoje definitivamente valeu a pena. Você está a caminho do Campeonato Mundial.

Esse pensamento absurdo nunca tinha me ocorrido.

— Você esteve lá e o cobriu como jornalista. Como isso vai ajudá-lo?

Eu ri.

— Para ser sincero, não tenho a menor chance no Campeonato Mundial. Aqueles sujeitos podem memorizar um maço de cartas em, digamos, trinta segundos. Eles são extraterrestres.

— Tenho certeza de que você vai deixar o país orgulhoso. Contamos com você. Veja, se ganhamos o Super Bowl, dizemos: "Vamos para a Disneylândia." Se ganhamos o Campeonato Mundial de Memória, dizemos...

Ele encostou o microfone no meu rosto. Suponho que deveria responder "Kuala Lumpur". Ou talvez devesse dizer "Disneylândia". Eu estava confuso. E muito, muito cansado. E as câmeras estavam gravando.

— Hum... Não sei — disse. Eu estava perdido. — Acho que vou para casa.

Assim que desci do pódio, telefonei para Ed do orelhão mais próximo. Era manhã na Austrália, e ele estava no *outfield* de um campo de críquete, fazendo, nas suas palavras, um pouco de "filosofia experimental".

— Ed, é Josh...

— Você ganhou? — As palavras se precipitaram de sua boca como se ele estivesse esperando toda a manhã pelo meu telefonema.

— Ganhei.

Ele soltou um urro.

— Que lance espetacular! Assim que se faz, cara, assim que se faz! Você sabe o que isso quer dizer, certo? Agora você é o proprietário indisputável do cérebro dos Estados Unidos!

Na manhã seguinte, por curiosidade, fui ao quadro de avisos on-line do circuito da memória para ver se o resultado completo da competição já tinha sido postado, e o que os europeus disseram, se é que tinham dito, a respeito de um novato ter sido o melhor no campo norte-americano. Ben já tinha escrito um relato de 14 páginas sobre o campeonato. A última parte incluía algumas palavras sobre o novo campeão: "Fiquei impressionado com a sua performance, considerando o pouco tempo em que esteve treinando, e acredito que ele poderia ser a pessoa que alçaria as competições de memória do país a outro nível", escreveu Ben. "Aprendeu as técnicas com europeus, esteve presente em competições nacionais e não se limita, como os outros, aos baixos padrões necessários para fazer bonito nos Estados Unidos. Tem uma paixão genuína pelo esporte, e penso que poderia tornar-se não só um grande mestre, mas talvez o primeiro norte-americano a entrar no primeiro escalão dos competidores da memória. E quando esse momento chegar, não há dúvida de que seus compatriotas elevarão o nível dos jogos para acompanhá-lo. Basta apenas uma pessoa para inspirar as outras. Logo acredito que o futuro parece brilhante para a memória nos Estados Unidos!"

O CAMPEÃO DE MEMÓRIA DOS ESTADOS UNIDOS virou uma pequena (OK, muito pequena) celebridade. De repente, Ellen DeGeneres queria me entrevistar, e os programas *Good Morning America* e *Today* me ligavam para perguntar se eu memorizaria um maço de cartas no ar. A ESPN queria saber se eu decoraria as chaves dos jogos universitários para um de seus programas matinais. Todo mundo queria ver o macaco fazer seus truques.

O maior choque do meu recém-descoberto estrelato (ou derrocada, dependendo do ponto de vista, suponho) era que agora eu era o representante dos trezentos milhões de cidadãos dos Estados Unidos da América no Campeonato Mundial de Memória. Nunca esperei estar nessa posição. Em momento algum ao longo do treinamento me ocorreu que algum dia eu poderia enfrentar uma competição com gente como Ed Cooke, Ben Pridmore e Gunther Karsten, as celebridades sobre as quais eu tinha inicialmente me proposto a escrever. Em todas as minhas horas de treinamento, jamais me ocorreu a ideia de comparar as pontuações dos meus exercícios com as deles. Eu era um meia-direita de uma liga de softball de fim de semana; eles eram os Yankees.

Quando me apresentei em Londres no final de agosto (o campeonato tinha sido transferido da Malásia na última hora), levei os protetores auriculares, que eu tinha pintado com as estrelas e as faixas do Capitão América, 14 maços de cartas que tentaria memorizar na prova de cartas de uma hora, além de uma camiseta da equipe norte-americana. Minha principal ambição era não envergonhar demais a mim mesmo ou ao meu país. Também estabeleci duas metas secundárias: terminar entre os dez primeiros dos 37 participantes do torneio e ganhar o título de grande mestre da memória.

Como se viu posteriormente, ambos os objetivos estavam além das minhas possibilidades. Enquanto representante oficial da maior superpotência da Terra, temo dizer que dei ao mundo uma impressão bastante medíocre da memória coletiva dos Estados Unidos. Embora tenha decorado uns respeitáveis nove maços de cartas e meio em uma hora (meio maço abaixo do padrão de um grande mestre), minha pontuação de números em uma hora foram humilhantes 380 dígitos (620 abaixo de um grande mestre). Porém, consegui a terceira colocação na prova de nomes e rostos, o que atribuo ao fato de que o pacote de nomes dados para memorizar era uma verdadeira Nações Unidas de identificadores étnicos. Uma vez que venho do país mais multicultural do mundo, poucos deles não eram familiares para mim. Terminei em 13° lugar geral, atrás de quase todos os alemães, austríacos e britânicos, mas — tenho prazer em dizer — à frente do francês e de toda a equipe chinesa.

Na última tarde do campeonato, Ed me chamou para um canto e disse que, em reconhecimento à minha “memória primorosa e caráter íntegro”, naquela noite me ofereceriam a entrada no KL7, desde que eu passasse pelo santo ritual de iniciação da sociedade secreta.

Esse gesto, ainda mais do que o troféu do Campeonato de Memória dos Estados Unidos, assinalava uma verdadeira realização no mundo da memória. Sabia que a filiação ao KL7 nunca fora oferecida ao tricampeão mundial Andi Bell nem à maioria dos mais de trinta grandes mestres da memória. O único outro indicado naquele ano era Joachim Thaler, um simpático austríaco de 17 anos, e ele só foi convidado para o clube após obter o terceiro lugar em dois campeonatos mundiais consecutivos. A oferta de filiação ao KL7 fecharia um ciclo na minha jornada de um modo que eu jamais poderia ter previsto quando comecei como um forasteiro que esperava escrever crônicas sobre a bizarra cultura dos competidores da memória. Agora eu me tornaria oficial e um deles de fato.

Mais tarde naquela noite, depois de um jovem estudante de direito alemão, Clemens Mayer, ter conquistado o título mundial, e após a cerimônia de premiação, em que recebi uma medalha de bronze pelo terceiro lugar na prova de nomes e rostos, todo o circuito da memória se reuniu para um jantar de comemoração. O encontro ocorreu no grande Simpson's-in-the-Strand, o antigo restaurante onde os maiores jogadores de xadrez da Londres do século XIX costumavam se encontrar e palco de uma das mais lendárias partidas de xadrez de todos os tempos, o "Jogo Imortal" de 1852, disputado entre Adolf Anderssen e Lionel Kieseritzky. Vários membros do KL7 saíram cambaleando antes da sobremesa para se reunir no hotel de membro fundador Gunther Karsten, o fundador da sociedade, ao final da rua.

Ed, que passeara pela cidade usando duas medalhas de prata no pescoço (pelos 16 maços decorados em uma hora na prova de cartas e 133 dígitos consecutivos em números falados), sentou-se na cadeira de couro junto a mim, ao lado de uma grande lareira esculpida na pedra.

— Deixe-me colocar o seguinte — disse ele. — Para que você se junte a nós, precisará realizar as três tarefas seguintes em cinco minutos: você tomará duas cervejas, memorizará 49 dígitos e beijará três mulheres. Você compreende a tarefa a cumprir?

— Compreendo.

Atrás de mim, Gunther, que usava uma camiseta apertada, caminhava de um lado para o outro.

— Isso é bem possível, Josh — disse Ed, retirando o relógio do pulso. — Vamos lhe dar o tempo de preparação de um minuto para que você escolha se quer tomar as cervejas antes de memorizar ou enquanto memoriza. Mas, como conselho, deixe-me lhe informar que, certa vez, uma pessoa tentou memorizar os 49 dígitos e bebeu as duas cervejas logo antes de recitar; ela ainda não é um membro do KL7. — Ele olhou para o relógio. — De qualquer modo, o relógio é disparado no momento em que eu disser "já".

Um dos atletas mentais, que não era do KL7 mas que vinha seguindo a cerimônia de admissão de perto, escreveu 49 dígitos atrás de um cartão de visita. Ed gritou: "Já!" Coloquei minhas mãos em concha sobre as orelhas para servirem de protetores e comecei a memorizar: 7... 9... 3... 8... 2... 6... Tomava um grande gole de cerveja a cada seis dígitos. No exato instante em que terminei de gravar a imagem dos dois últimos dígitos, Ed anunciou: "Tempo!" e arrancou os números da minha mão.

Tirei as mãos das orelhas, ergui a cabeça e comecei a listar ininterruptamente os dígitos. Mas, quando cheguei ao último *locus* do meu palácio da memória, descobri que a imagem dos dígitos finais tinha evaporado. Percorri todas as combinação possíveis de 00 a 99, mas nenhuma casava. Abri os olhos e supliquei uma pista. Silêncio.

— Eu não consegui, não é?

— Não, sinto muito, 47 dígitos não são o suficiente — declarou Ed solenemente aos membros reunidos do clube. Ele se voltou para mim: — Eu realmente sinto muito.

— Não se preocupe, também não consegui de primeira — disse Gunther, batendo no meu ombro.

— Isso quer dizer que eu não estou no KL7?

Ed apertou os lábios e balançou a cabeça. Sua resposta foi surpreendentemente dura.

— Não, Josh. Você não está.

— Por favor, Ed, há algo que você possa fazer? — supliquei.

—Temo que amizade não possa interferir nos assuntos da KL7. Se você quiser se tornar um membro do nosso clube, vai ter que recomeçar. — Ele chamou a garçonete. — Acredite no que digo, quanto mais tarde da noite você cumprir as tarefas para entrar para o KL7, maior será a impressão causada.

Preparou-se uma nova tabela de 49 dígitos e vieram mais duas cervejas. Dessa vez, por milagre, as imagens eram tão claras quanto as outras que eu tinha criado ao longo do fim de semana — e duas vezes mais obscenas. E, ao contrário da minha primeira rodada, ainda tive tempo para fazer um passeio extra por meu palácio da memória. Quando Ed disse "Tempo!", fechei os olhos e comecei a recitar os 49 dígitos com a confiança de quem treinou o dia inteiro.

Ed se levantou e me parabenizou com um aperto de mão e um abraço. Mas Gunther, que agora, como eu, já estava bastante bêbado, não estava satisfeito. Ele insistia em um último obstáculo antes que eu fosse oficialmente admitido no KL7.

— Você ainda deve beijar três vezes o joelho de uma desconhecida — disse.

— O joelho? Três vezes? Agora você está inventando regras! — protestei.

— É assim que funciona — respondeu.

Ele me pegou pelo braço e me arrastou a uma sala do bar ao lado, onde tentou explicar a situação a duas mulheres irlandesas de meia-idade que estavam bebericando tranquilamente duas taças de vinho. Eu me lembro de ele falar a uma delas para não se preocupar, que não havia nada de esquisito naquela situação: nós éramos os campeões da memória, e seria uma grande honra para o seu joelho. Também me recordo de que esse raciocínio lógico não estava funcionando, mas que Gunther veio com algo ainda mais persuasivo. De algum modo, acabei de joelhos dando três bitocas na pobre rótula desnuda de uma pobre mulher, ao que Gunther ergueu meu braço, declarando que tinha enfrentado todos os desafios, passado por todos os testes e que merecia admissão na organização de atletas mentais mais prestigiada do mundo.

— Bem-vindo ao nosso grande clube, o KL7! — aclamou.

Minhas memórias do resto daquela noite são borradas. Lembro-me de estar sentado com Tony Buzan em um sofá e de dizer sem parar que ele era "O Cara", enquanto ostensivamente piscava para Ed sobre seu ombro. Lembro-me de Ben brincar que a garçonete deve ter pensado que éramos todos um bando de lunáticos. Lembro-me de Ed dizer que "nossa amizade é épica".

Ao olhar a minha caderneta de anotações daquela noite, ficou óbvia a gradual redução do meu estado mental. À medida que a noite passava, minha caligrafia começava a rabiscar toda a página. É quase ilegível hoje, mas ainda consigo ler: "Puta merda! Estou no KL7! E acho que estou no banheiro feminino!"

Na capa da minha caderneta, de repente a caligrafia se torna clara de novo, e o que escrevi passa para a terceira pessoa. Eu estava embriagado demais para escrever, mas de qualquer modo me divertindo muito. Tinha passado a caderneta para a pessoa mais sóbria que podia encontrar e pedi a ela que fosse o mais objetiva possível. Não fazia sentido eu fingir que ainda era um jornalista.

Após passar quase um ano tentando melhorar a memória, voltei à Universidade da Flórida para passar mais um dia e meio sendo testado por Anders Ericsson e seus estudantes de pós-graduação Tres e Katy na mesma sala apertada onde fui submetido a um exame completo da minha memória, quase um ano antes. Com Tres de novo olhando por cima do meu ombro e com o mesmo microfone mais uma vez balançando na frente da minha boca, passei pela mesma bateria de testes, assim como por um punhado de testes novos.

Quer dizer que eu tinha melhorado minha memória? De acordo com todas as medidas objetivas, tinha melhorado alguma coisa. A minha extensão de dígitos, o padrão principal pelo qual a memória de trabalho é mensurada, dobrou de nove para 18. Comparando com os testes de um ano atrás, eu podia lembrar mais versos de poesia, mais nomes de pessoas, mais informações aleatórias jogadas na minha frente. E, todavia, umas poucas noites antes do Campeonato Mundial, saí para jantar com alguns amigos, depois peguei o metrô e só quando eu estava chegando à casa dos meus pais lembrei que tinha ido ao jantar de carro. Não apenas tinha esquecido onde tinha estacionado como o fato de eu ter ido de carro.

Este é o paradoxo: apesar de todas as proezas de memória que eu agora podia realizar, ainda me atolava na mesma velha memória duvidosa que trocava carros e chaves de carros. Embora eu tivesse expandido de forma considerável a capacidade de memorização de informações estruturadas que podem ser alojadas em palácios da memória, a maioria das coisas que eu gostaria de lembrar na vida cotidiana não eram fatos, números, poemas, cartas de baralho ou dígitos binários. Sim, eu podia memorizar os nomes de dezenas de pessoas em um coquetel, e isso certamente era útil. E poderiam me dar uma árvore genealógica dos monarcas ingleses, mandatos dos secretários do interior dos Estados Unidos ou as datas de todas as batalhas mais importantes da Segunda Guerra Mundial que eu iria decorar com relativa rapidez, e mesmo reter as informações por um tempo. Essas habilidades seriam uma dádiva no ensino médio. Mas a vida, feliz ou infelizmente, só de vez em quando parece o colegial.

Embora minha extensão de dígitos possa ter dobrado, será que se poderia dizer que a minha memória de trabalho tinha melhorado o dobro em relação a quando comecei o meu treinamento? Gostaria de dizer que sim. Mas, na verdade, não melhorou. Quando me pediram que lembrasse a ordem de, digamos, uma série de manchas de tinta aleatórias, uma série de retalhos coloridos ou a altura da porta do sótão da casa dos meus pais, eu não estava acima da média. Minha memória de trabalho ainda estava limitada pelo mágico número sete que restringe todas as outras pessoas. Qualquer tipo de informação que não pudesse ser facilmente convertida em imagem e depositada em um palácio da memória era para mim tão difícil de reter quanto sempre foi. Houve um upgrade do software da minha memória, mas o hardware parecia intocado.

Mas, apesar de tudo, estava claro que eu tinha mudado. Ou, ao menos, o que pensava sobre mim mesmo tinha mudado. A lição mais importante do meu ano no circuito da memória competitiva não foi o segredo para saber um poema de cor, mas algo mais global e, de certo modo, muito mais provável de ter utilidade na minha vida. A experiência tinha comprovado o velho ditado de que a prática leva à perfeição. Mas somente se é o tipo correto de prática: concentrada, autoconsciente e deliberada. Aprendi em primeira mão que, com foco, motivação e, acima de tudo, tempo, uma mente pode ser treinada para fazer coisas extraordinárias. Isso era uma descoberta tremendamente engrandecedora. E me fez perguntar: o que mais eu seria capaz de fazer, contanto que usasse a abordagem certa?

Quando os testes foram concluídos, perguntei a Ericsson se ele acreditava que qualquer um que tivesse investido a mesma quantidade de tempo que eu poderia ter aprimorado a memória no grau que consegui.

— Acho que com apenas um dado não podemos saber — respondeu. — Mas é raro alguém assumir o compromisso como você assumiu, e acredito que a sua vontade de enfrentar o desafio pode ter lhe dado um diferencial. Você não é uma pessoa qualquer, mas, por outro lado, não tenho certeza de que o modo como você se aprimorou esteja de todo fora do alcance do que um estudante universitário motivado pudesse fazer.

Quando comecei a jornada, de pé com a minha caderneta de jornalista, no fundo do auditório do Con Edison mais de um ano antes, não sabia aonde ela me levaria, *quão* inteiramente tomaria conta da minha vida ou o quanto acabaria me transformando. Mas, depois de ter aprendido a memorizar poesia e números, cartas e biografias, estou convencido de que lembrar mais é apenas o benefício mais óbvio dos muitos meses que despendi treinando a memória. O que realmente treinei o meu cérebro a fazer, tanto quanto memorizar, foi a ser mais compenetrado e a prestar mais atenção ao mundo que me cerca. Só podemos nos lembrar se resolvemos tomar conhecimento.

O problema que atormentava o sinestésico S e o fictício Funes era uma incapacidade de distinguir os detalhes: quais valiam a pena dar a atenção e quais não. A lembrança compulsiva deles era claramente patológica, mas não posso deixar de imaginar que a experiência de mundo deles era, de modo perverso, mais rica. Ninguém desejaria ter a atenção capturada por qualquer trivialidade, mas há algo notável em não apenas passar pelo mundo, mas fazer algum esforço para capturá-lo — é na tentativa de capturá-lo que se adquire o hábito de notar e de apreciar.

Confesso que nunca fui bom o suficiente em preencher os meus palácios da memória a ponto de me sentir confortável em jogar fora o meu gravador e a minha caderneta. E, como alguém cujo trabalho exige conhecer um pouco de muito, meus hábitos de leitura são necessariamente extensivos demais para que eu seja capaz de praticar mais do que de tempos em tempos uma leitura e memorização intensiva, como apregoa Ed. Apesar de ter aprendido uns poucos poemas de cor usando as técnicas de memorização, eu ainda não ataquei um trabalho de literatura mais longo do que "A canção de amor de J. Alfred Prufrock". Mesmo já tendo alcançado o ponto em que poderia esconder em palácios da memória mais de trinta dígitos em um minuto, só usei esporadicamente essas técnicas para memorizar os números telefônicos das pessoas para quem de fato quero ligar. Apenas acho mais simples armazená-los no celular. De vez em quando, decoro listas de compras, caminhos ou listas de tarefas, mas apenas naquelas raras ocasiões em que não há um papel para registrá-las. Não que as técnicas não funcionem. Sou a prova viva de que funcionam. É que é tão difícil achar uma circunstância para usá-las no mundo real, no qual papel, computadores, celulares e *post-its* podem dar conta da tarefa de lembrar por mim.

Assim, por que se importar em investir na própria memória em um mundo de memórias externalizadas? A melhor resposta que eu poderia dar foi a que recebi, não intencionalmente, de EP, cuja memória se perdeu tão completamente que não pode mais se situar no tempo e no espaço, e nem em relação às outras pessoas: como percebemos o mundo e como agimos nele são produtos de como e do que lembramos. Nós somos apenas um monte de hábitos modelados por nossas memórias. E na extensão em que controlamos nossa vida, nós o fazemos alterando gradualmente nossos hábitos, ou seja, as redes das nossas memórias. Sem brincadeira, invenção, insight ou arte não foram jamais produzidos por uma memória externa. Pelo menos, não até agora. Nossa capacidade de encontrar humor nesse mundo, de fazer conexões entre noções antes desconexas, de criar novas ideias, de partilhar uma cultura comum, todos esses atos essencialmente humanos dependem da memória. Agora, mais do que nunca, quando o papel da memória na nossa cultura se perde a um ritmo mais rápido do que em qualquer outro momento, precisamos cultivar a capacidade de lembrar. As memórias fazem de nós o que somos. São a sede de nossos valores e a fonte do nosso caráter. Competir para ver quem memoriza mais páginas de poesia parece ultrapassar a questão, mas é uma questão de resistir contra o esquecimento e tomar posse de capacidades primordiais das quais muitos de nós se tornaram alienados. É o que Ed estava tentando me fazer ver desde o início: o treinamento da memória não serve para realizar truques, mas para maturar algo profunda e essencialmente humano.

Antes de as festividades do KL7 terminarem em um vale-tudo debochado de partidas de xadrez de olhos vendados e com bêbados recitando poesia do dia anterior, Gunther me encontrou num sofá e perguntou se eu continuaria competindo no circuito da memória. Eu respondi que uma parte não pequena de mim queria prosseguir. Era, no final das contas, não apenas emocionante de um modo que eu jamais poderia imaginar como também viciante. Naquela noite pude perceber algo que nunca tinha considerado: a possibilidade de ser absorvido cada vez mais. Afinal de contas, eu tinha o título nacional e um recorde de memorização de cartas a defender e tinha certeza de que poderia quebrar a barreira do minuto nas cartas se eu dedicasse a isso apenas um pouco mais de tempo. Sem falar nas datas históricas... Eu poderia me sair muito melhor nas datas históricas! E havia o nível de grande mestre que eu tinha acabado de perder. "'Grande Mestre da Memória' cairia muito bem em um cartão de visita", brinquei com Gunther (ele, de fato, pôs isso no seu cartão de visita). Eu poderia ter preenchido um palácio da memória com as cenas que estava imaginando: o sistema do milênio que eu desenvolveria, os antolhos que compraria, as horas de prática que investiria, o jet-set nos campeonatos nacionais pelo mundo afora. Mas, ainda assim, no preciso momento em que me ofereceram a admissão ao *sanctum sanctorum* do circuito da memória, eu fui sóbrio o suficiente para reconhecer que era hora de pendurar as chuteiras. Meu experimento tinha acabado. Os resultados estavam ali. Expliquei a Gunther que teria saudades, mas que ele não me veria voltar no próximo ano.

— É uma pena — disse ele —, mas entendo. Significaria muito mais treino, e é um tempo que talvez você investisse de um jeito muito melhor. — Ele tinha razão, pensei. Perguntei-me por que ele nunca chegou a pensar isso a seu próprio respeito.

Ed levantou-se do sofá e ergueu um brinde a mim, seu pupilo astro.

— Vamos comer um bagel — disse ele, e saímos do bar.

Não me lembro de mais nada da noite. Acordei na tarde seguinte com um grande círculo vermelho na bochecha — a marca da minha medalha de bronze em nomes e rostos. Tinha me esquecido de tirar a medalha do pescoço.

Notas

1: O homem mais inteligente é difícil de achar

21 **uma indústria de 265 milhões de dólares em 2008:** *Sharp Brains Report* (2009).

2: O homem que se lembrava demais

35 **80% do que viram:** Lionel Standing (1973), "Learning 10,000 Pictures", *Quarterly Journal of Experimental Psychology* 25, 207-22.

35 **2.500 imagens:** Timothy F. Brady, Talia Konkle et al. (2008), "Visual Long-Term Memory Has a Massive Storage Capacity for Object Details", *Proceedings of the National Academy of Sciences* 105, nº 38, 14.325-29.

36 **"detalhes particulares não sejam acessíveis":** Elizabeth Loftus and Geoffrey Loftus (1980), "On the Permanence of Stored Information in the Human Brain", *American Psychologist* 35, nº 5, 409-20.

36 **Wagenaar acreditava na mesma coisa:** Willem A. Wagenaar (1986), "My Memory: A Study of Autobiographical Memory over Six Years", *Cognitive Psychology* 18, 225-52.

38 **somente um caso de memória fotográfica foi descrito na literatura científica:** A memória fotográfica é frequentemente confundida com outro fenômeno perceptivo bizarro — mas real —, chamado de memória eidética, que ocorre entre 2% e 15% das crianças, e raramente em adultos. Uma imagem eidética é em essência uma pós-imagem vívida que perdura no olho mental por até alguns minutos antes de desvanecer. Crianças com memória eidética não têm nada próximo de uma recordação perfeita e ge-

ralmente não são capazes de visualizar algo tão detalhado quanto um corpo de texto. Nesses indivíduos, a imagética visual apenas decai com menos rapidez.

38 **artigo na *Nature*:** C.F. Stromeyer e J. Psotka (1970), "The Detailed Texture of Eidetic Images", *Nature* 225, 346-49.

39 **nenhum deles conseguiu reproduzir o fantástico truque de Elizabeth:** J.O. Merritt (1979), "None in a Million: Results of Mass Screening for Eidetic Ability", *Behavioral and Brain Sciences* 2, 612.

39 **"não é uma evidência forte o suficiente de que outras pessoas tenham memória fotográfica":** Se há alguém vivo atualmente que tenha memória fotográfica é um *savant* britânico chamado Stephen Wiltshire, que já recebeu o apelido de "câmera humana" por sua capacidade de fazer esboços de uma cena após olhá-la por uns poucos segundos. Mas vim a saber que nem mesmo ele parece ter uma verdadeira memória fotográfica. Sua mente não funciona como uma máquina copiadora. Ele toma certas liberdades. E, curiosamente, sua capacidade "filmadora" se aplica ao desenho de certos tipos de objetos e cenas — no caso, arquitetura e carros. Ele não consegue, digamos, olhar uma página de dicionário e ter de maneira instantânea uma recordação do que estava nela. Em todos os casos de suposta memória fotográfica, exceto no de Elizabeth, sempre havia outra explicação.

39 **"nenhum deles atingiu qualquer notoriedade no mundo erudito":** George M. Stratton (1917), "The Mnemonic Feat of the 'Shass Pollak'", *Psychological Review* 24, 244-47.

42 **um padrão de conexões entre esses neurônios:** Recentemente, um artigo da revista *Brain and Mind* tentou estimar a capacidade do cérebro humano usando um modelo que trata a memória como algo armazenado não em neurônios individuais, mas em conexões entre os neurônios. Os autores chegaram ao valor de 10^{8432} bits de informação. Em comparação, calcula-se que haja algo por volta de 10^{78} átomos no universo observável.

47 **tinha alterado uma grande parte da estrutura de seus cérebros:** E.A. Maguire et al. (2000), "Navigation-Related Structural Change in the Hippocampi of Taxi Drivers", *PNAS* 97, 84.398-403.

48 **não se destacou nenhuma diferença estrutural significativa:** E.A. Maguire et al. (2003), "Routes to Remembering: the Brains Behind Superior Memory", *Nature Neuroscience* 6, nº 1, 90-95.

49 **isso não pareceia fazer o menor sentido:** Se os atletas mentais também estavam utilizando habilidades de orientação, por que

não apresentavam um aumento do hipocampo, como os taxistas? A resposta provável é que os AMs simplesmente não usam tanto suas habilidades de orientação quanto os taxistas.

54 **"paradoxo Baker/baker":** G. Cohen (1990), "Why Is It Difficult to Put Names to Faces?", *British Journal of Psychology* 81, 287-97.

3: O expert em experts

57 **o trabalho pesado de colocar alimento em nossas mesas:** Falo aqui de galinhas poedeiras, que são diferentes das galinhas criadas para fornecer a carne de frango.

60 **"Memorizadores excepcionais: feitos, não inatos":** K. Anders Ericsson (2003), "Exceptional Memorizers: Made, Not Born", *Trends in Cognitive Sciences* 7, nº 6, 233-35.

61 **defensores de voleibol:** Muito dessa pesquisa foi retirada do *Cambridge Handbook of Expertise and Expert Performance*, organizado por K. Anders Ericsson, Neil Charness, Paul J. Feltovich e Robert R. Hoffman.

73 **diversos oponentes de uma só vez, inteiramente em suas cabeças:** Na primeira metade do século XX, jogar xadrez vendado contra múltiplos oponentes simultaneamente tornou-se uma habilidade fetichizada no mundo do xadrez. Em 1947, um grande mestre argentino do esporte chamado Miguel Najdorf estabeleceu um recorde, jogando 45 partidas simultâneas mentalmente. Ele levou 23 horas e meia, e terminou com um recorde de 39 vitórias, quatro derrotas e dois empates. Depois, não conseguiu dormir por três noites e três dias seguidos. (Segundo o folclore do xadrez, partidas simultâneas às cegas chegaram a ser banidas na Rússia devido a riscos de saúde mental.)

4: O homem mais esquecido do mundo

77 **técnico de laboratório aposentado de 84 anos chamado EP:** L. Steffanaci et al. (2000), "Profound Amnesia After Damage to the Medial Temporal Lobe: A Neuroanatomical and Neuropsychological Profile of Patient E.P.", *Journal of Neuroscience* 20, n° 18, 7.024-36.

5: O palácio da memória

102 **texto curto, de autor desconhecido, chamado *Rhetorica ad Herennium*:** Assim denominado em homenagem ao patrono do livro, Gaius Herennius.

102 **"É a nossa bíblia":** O pequeno volume vermelho da edição da *Loeb Classical Library English/Latin* tem o nome do estadista e filósofo Cícero na lombada — embora entre colchetes. Até pelo menos o século XV, acreditava-se que esse pequeno tratado tinha sido escrito pelo grande orador romano, mas os estudiosos modernos há muito duvidam dessa autoria. Faria sentido que Cícero tivesse escrito o livro, já que ele não só era um famoso mestre das técnicas de memória — fazia os seus lendários discursos perante o senado romano de memória —, como também (com certeza) é o autor de outra obra, denominada *De Oratore*, em que pela primeira vez aparece a história de Simônides e do salão de banquete. O fato de a história de Simônides, um grego do século V a.C., ter seu primeiro registro escrito em um livro redigido quatro séculos depois mostra que nenhum tratado de memória da Grécia Antiga sobreviveu — embora alguns certamente devam ter sido escritos. Uma vez que o relato do incidente por Cícero foi redigido tanto tempo depois da época em que Simônides supostamente teria lembrado a localização dos corpos esmagados, ninguém pode saber quanto da história é mito. Estou disposto a considerar que muito dela é mítico, mas uma placa de mármore, datando de 264 a.C. — dois séculos antes de Cícero, mas ainda dois séculos depois do fato — e desenterrada no século XVII, descreve Simônides como o "inventor do sistema de auxílios da memória". Contudo, é difícil de acreditar que uma técnica como a arte da memória tenha sido inventada por uma única pessoa em um momento definido, de um modo tão poético. O que podemos dizer é que Simônides foi no mínimo o codificador da arte da memória, ou talvez um praticante particularmente devoto que foi rotulado como o inventor. De qualquer modo, Simônides era uma pessoa real e um poeta real — aparentemente o primeiro a cobrar por seus poemas e também o primeiro a ter chamado a poesia de "pintura vocal" e a pintura de "poesia silenciosa". É particularmente digno de nota que essas expressões tenham sido cunhadas por Simônides, já que a arte da memória, pela qual ele recebeu o crédito de ter inventado, tem tudo a ver com transformar, na mente, palavras em imagens.

109 **menos um teste de memória do que de criatividade:** O segredo é comprimir o máximo de informação possível em uma única imagem bem-formada. O *Ad Herennium* dá exemplo de um advogado que necessita lembrar os fatos básicos de um caso: "O promotor disse que o réu matou um homem com veneno, atribuiu o

motivo do crime a uma herança e declarou que há muitas testemunhas e evidências desse ato." Para lembrar tudo isso, "vamos visualizar o homem em questão doente, deitado em uma cama, se conhecemos a pessoa. Se não a conhecemos, vamos tomar outra como o nosso inválido, mas não um homem de classe inferior, para que possa aparecer prontamente em nossa mente. Deixaremos o réu junto ao leito, colocando em sua mão direita uma taça, na mão esquerda, tábuas, e no dedo anular os testículos de um carneiro." Essa cena bizarra certamente é difícil de esquecer, mas é preciso alguma decodificação para perceber exatamente o que se deve recordar. A taça é um registro mnemônico para nos lembrar do veneno, as tábuas são um lembrete do testamento, e os testículos do carneiro têm um duplo significado, lembrando-nos das testemunhas por meio de um trocadilho verbal com *testes* (testemunhas) e — como as bolsas romanas muitas vezes eram feitas do escroto de carneiro — da possibilidade de suborná-las. Sério.

109 **"a memória é maravilhosamente excitada por imagens de mulheres":** Rossi, *Logic And the Art of Memory*, p. 22.

6: Como memorizar um poema

118 **"julgamento, cidadania e piedade":** Carruthers, *The Book of Memory*, p. 11.

118 **"Vale por mil no balcão":** Draaisma, *Metaphors of Memory*, p. 38.

118 **a linguagem por excelência na qual ele escrevia:** Carruthers, *The Book of Memory*, p. 88.

134 **"o cerne de seu equipamento cultural":** Havelock, *Preface to Plato*, p. 27.

134 **memorizadores profissionais:** A minha história predileta sobre memorizadores profissionais foi contada por Sêneca, o Jovem, sobre um rico aristocrata romano chamado Calvisius Sabinus, que desistiu de decorar as grandes obras e encarregou um grupo de escravos de realizar a tarefa em seu lugar.

Nunca vi um homem cuja boa fortuna representasse uma maior ofensa à propriedade. Sua memória era tão falha que às vezes esquecia o nome de Ulisses, Aquiles ou Príamo... Mas, apesar disso, ele realmente desejava ser culto. Então ele tomou um atalho para a erudição: pagou preços fabulosos por escravos — um para conhecer Homero de cor e outro para conhecer Hesíodo; ele também designou um escravo especial para cada um dos nove poetas líricos. Não é de se admirar que tenha pago preços altíssimos por esses escravos... Depois de reunir essa comitiva, começou a massacrar seus convidados: ele mantinha esses indivíduos ao pé de seu sofá e lhes pedia de tempos em tempos que recitassem versos para que ele repetisse, e frequentemente interrompia no meio de uma palavra... Sabinus sustentava a opinião de que o que qualquer um dentro da sua casa soubesse, ele também deveria saber.

134 **memorizar os Vedas com perfeita fidelidade:** O Rig Veda, o mais antigo texto dos Vedas, possui mais de dez mil versos.

134 **muitas vezes na companhia de poetas para serem seus memorizadores profissionais:** Depois da introdução do Islã, os mnemonistas árabes se tornaram conhecidos como *huffaz*, ou "guardadores", do Corão e dos Hadiths.

134 **memorizava a lei oral em nome da comunidade judaica:** Para mais informações sobre os memorizadores judaicos, ver Gandz, "The Robeh, or the Official Memorizer of the Palestinian Schools".

135 **reunião de exércitos, defesas heroicas, desafios entre rivais:** Ong, *Orality and Literacy*, p. 23, e Lord, *The Singer of Tales*, p. 68-98.

136 **embora sua inquirição sobre o tema só tenha chegado até esse ponto:** Na realidade, esse argumento radical não é nada novo. De fato, parece ter sido uma noção amplamente aceita muito tempo atrás e que, por algum motivo, foi esquecida. No século I d.C, o historiador judeu Josephus escreveu: "Dizem que mesmo Homero não deixou sua poesia por escrito, mas que foi transmitida por memória." E, de acordo com uma tradição repetida por Cícero, a primeira redação oficial de Homero foi ordenada pelo tirano ateniense Pisístrato no século VI a.C. Com o passar dos séculos, à medida que as ligações das pessoas com a cultura oral ficavam cada vez mais distantes, a ideia de uma literatura sem escrita tornou-se progressivamente mais difícil de compreender e acabou por se manter implausível.

137 **"que compunham sem qualquer auxílio da escrita":** Para mais informações a respeito, ver Ong, *Orality and Literacy*, uma das principais fontes desse capítulo.

138 **"Palavra por palavra, verso por verso":** Como relatado pelo estudante de Parry, Albert Lord, em *The Singer of Tales*, p. 27.

140 **antes de tentar vê-lo dentro de uma série de imagens:** Carruthers sustenta, na segunda edição revisada do *The Book of Memory*, que a *memoria verborum* foi por muito tempo malcompreendida por psicólogos e estudiosos modernos. Não se tratava, na verdade, de uma alternativa à memorização por repetição, literal, defende ela, e nunca se concebeu que fosse usada para memorizar

longos trechos de texto. Antes, Carruthers sugere, servia para recordar palavras e frases simples — talvez do tamanho de um verso — difíceis de ser lembradas com precisão.

140 **uma solução ao dilema de tentar ver o invisível:** Segundo Plínio, foi Simônides que inventou a arte da memória, mas foi Metrodoro que a aperfeiçoou. Cícero chamava-o de "quase divino".

141 ***balistarius*:** Como alternativa, o sistema de Bradwardine permite que invertamos uma sílaba simplesmente pensando numa imagem de cabeça para baixo; assim, "ba-" poderia ser um abade dependurado do teto.

141 **um abade sendo atingido por uma besta:** Ou um abade conversando com outro abade dependurado do teto.

142 **"mutilava ou acariciava são Domingos":** Carruthers, *The Book of Memory*, p. 136-37.

142 **afecções carnais depravadas:** Yates, *The Art of Memory*, p. 277.

7: O fim do lembrar

147 **que temos conhecimento hoje em dia:** Manguel, *A History of Reading*, p. 60.

147 **uma época em que a escrita estava em ascensão na Grécia:** Na época de Sócrates, cerca de 10% dos gregos eram alfabetizados.

148 **"em livros materiais para auxiliar a memória":** Carruthers, *The Book of Memory*, p. 8.

148 **até vinte metros de comprimento:** Fischer, *A History of Writing*, p. 128.

148 **folhas de caniços de papiro prensados, retirados do delta do Nilo:** O papiro, o junco literal da "arca de juncos" bíblica que levou o bebê Moisés, também era chamado *byblos*, em referência ao porto fenício de Byblos, de onde era exportado — daí a "Bíblia". No século II a.C., o governante helenístico do Egito, Ptolomeu V Epifanes, acabou com as exportações de papiro em uma tentativa de deter o crescimento da biblioteca rival de Pérgamo, na Ásia Menor (a palavra "pergaminho" — derivada de *charta pergamena* — é um tributo a Pérgamo, onde o material era amplamente utilizado). A partir de então, tornou-se mais comum que os livros fossem escritos em pergaminho esticado ou velino (mais um pouco de etimologia antiga referente aos livros: velino, que era muitas vezes feito de pele de novilho, partilha a mesma raiz de "veal" ["vitela", em inglês]), ambos com mais durabilidade e mais fáceis de ser transportados que o papiro.

148 **a duração da pausa das sentenças:** Ele criou o ponto alto (˙) correspondente ao ponto final moderno, o ponto baixo (.), correspondente à vírgula moderna, e o ponto mediano (·) uma pausa de duração intermediária, que provavelmente é mais próxima do ponto e vírgula moderno. O ponto mediano desapareceu na Idade Média. O ponto de interrogação não apareceu até a publicação do *Arcadia*, de sir Phillip Sydney, em 1587, e o ponto de exclamação foi usado pela primeira vez no Catecismo de Eduardo VI, em 1553.

149 **GRECIAANTIGA:** Small, *Wax Tablets of the Mind*, p. 53. Tomei de empréstimo a ideia da autora de grafar desse modo em uma língua moderna para mostrar como era difícil ler.

149 **uma frase repetida com frequência nos textos medievais:** Para mais informações sobre como ler em *scriptio continua*, ver Manguel, *A History of Reading*, p. 47.

150 **seja extremamente difícil lê-la de primeira:** De fato, muito do que é publicado em hebraico moderno, como, por exemplo, os jornais de Tel Aviv, é escrito sem vogais. As palavras têm, em geral, que ser reconhecidas como unidades, em vez de sonorizadas, como em inglês. Isso reduz a velocidade da leitura em hebraico. Falantes de hebraico que também leem em inglês em geral conseguem ler traduções para o inglês mais rápido do que na própria língua nativa, mesmo que sejam necessários 40% mais palavras para dizer a mesma coisa em inglês do que em hebraico.

151 **"The stuff he knows made him lick her":** Sons que podem ser divididos de modos distintos para fornecer diferentes significados são conhecidos como homófonos. O "stuffy nose" vem de Pinker, *The Language Instinct*, p. 160.

151 **um gigantesco e muito curioso passo para trás:** Small, *Wax Tablets of the Mind*, p. 114.

151 ***ánagignósko*:** Carruthers, *The Book of Memory*, p. 30.

151 **dez bilhões de volumes:** Man, *Gutenberg: How One Man Remade the World*, p. 4.

152 **poderia ser considerada particularmente bem-guarnecida:** Em 1290, a biblioteca da Sorbonne, uma das maiores do mundo, continha exatamente 1.017 livros — menos títulos do que muitos leitores deste livro devorarão durante a vida.

152 **ainda não tinham sido inventadas:** Para mais informações sobre a história da exibição dos livros, ver Petroski, *The Book on the Bookshelf*, p. 40-42.

152 **ainda assim pesava mais de cinco quilos:** Illich, *In the Vineyard of the Text*, p. 112.

152 **por volta da época em que a divisão por capítulos foi introduzida:** *The Comprehensive Concordance to the Holy Scriptures* (1894), p. 8-9.

153 **ter lido o texto do princípio ao fim:** Draaisma, *Metaphors of Memory*, p. 34.

154 **"uma Idade Média pré-índice e de outra pós-índice":** Illich, *In the Vineyard of the Text*, p. 103.

154 **mundo labiríntico da memória externa:** Um ponto assinalado por Draaisma no *Metaphors of Memory*.

154 **"unidade viva":** Nas palavras de Carruthers, *The Craft of Thought*, p. 31.

154 **memorizar (...) as cartas do baralho:** Corsi, *The Enchanted Loom*, p. 21.

155 **a letra A:** Tradução citada de Carruthers, *The Book of Memory*, p. 114.

155 **da leitura "intensiva" para a "extensiva":** Darnton atribui essa ideia a Rolf Engelsing, que cita a transformação como tendo ocorrido tarde, por volta do século XVIII. *The Kiss of Lamourette*, p. 165.

157 **um dos homens mais famosos da Europa:** Avaliação de Yates em *The Art of Memory*, p. 129.

158 **edifício redondo de sete andares:** Yates tentou reconstruir as plantas do teatro em *The Art of Memory*.

158 **"e todas as coisas do mundo":** Rossi, *Logic And the Art of Memory*, p. 74.

158 **centenas — talvez milhares — de cartas foram desenhadas:** Corsi, *The Enchanted Loom*, p. 23.

159 **ao longo de uma semana:** Muitas dessas informações provêm de Douglas Radcliff-Ulmstead (1972), "Giulio Camillo's Emblems of Memory", *Yale French Studies* 47, 47-56.

159 **apoteose das ideias sobre memória de toda uma era:** Mais recentemente, os gurus da realidade virtual passaram a considerar o teatro da memória de Camillo como o precursor histórico de todo o seu campo — e traçaram a sua influência até a internet (o último palácio da memória universal) e os sistemas operacionais da Apple e do Windows, cujas pastas e ícones dispostos espacialmente são apenas uma reelaboração moderna dos princípios mnemônicos de Camillo. Ver Peter Matussek (2001), "The Renaissance of the Theater of Memory", *Janus 8 Paragrana* 10, 66-70.

160 **"montado em um monstro marinho":** Essas traduções são de Rowland, *Giordano Bruno*, p. 123-24.

160 **"um papagaio na cabeça":** Eco, *The Search for the Perfect Language*, p. 138.

161 **nove pares de nervos cranianos:** Atualmente se conhecem 12 pares de nervos cranianos.

162 **o equivalente hoje a meio milhão de dólares:** Fellows & Larrowe, *Loisette Exposed*, p. 217.

162 **um curso de memória que durou várias semanas:** Walsh & Zlatic (1981), "Mark Twain And the Art of Memory", *American Literature* 53, nº 2, 214-31.

8: O teto OK

172 **Johann Winkelmann:** O filósofo alemão Gottfried Leibniz também escreveu sobre um sistema semelhante no século XVII, mas é bem provável que a ideia de tornar os números memoráveis transformando-os em palavras foi descoberta muito antes. Os gregos tinham um sistema acrofônico, em que a primeira letra de cada numeral podia ser usada para representar o número, por exemplo, o P representando o número cinco, de *penta*. Em hebraico, cada letra do *alef bet* corresponde a um número, uma característica que os cabalistas têm utilizado para buscar significados numéricos ocultos nas Escrituras. Ninguém sabe se esses sistemas alguma vez foram usados para memorizar números, mas é difícil imaginar que algum comerciante do Mediterrâneo que tivesse que fazer contabilidade mental não tenha tido ideia.

174 **o esporte daria um salto quântico em qualidade:** Ed deu o seguinte exemplo do seu sistema PAO do Milênio na prática: "O número 115 é Psmith, o personagem elegante dos livros de P.G. Wodehouse (o P é mudo, aliás). A ação é a entrega de um guarda-chuva que não lhe pertence a uma jovem delicada que ele vê presa em uma tempestade. O número 614 é Bill Clinton, que fuma, mas não traga maconha, e o número 227 é Kurt Gödel, o lógico obsessivo, que morreu de fome sem querer porque estava muito ocupado fazendo lógica formal. Agora, podemos combinar esses três números para formar um número de nove dígitos que tem uma coerência anedótica. Por exemplo, 115.614.227 se torna Psmith entretido em fumar — mas sem chegar a tragar — lógica formal. Ora, isso é muito compreensível, visto que lógica é, afinal, uma atividade bastante imprópria para um cavalheiro inglês. Se mudarmos a ordem dos números, obteremos uma anedota diferente. O número 614.227.115 se torna Bill Clinton morrendo por esquecer de comer, pois está muito ocupado roubando guarda-

-chuvas para lindas jovens. Essa imagem irá interagir com o nosso conhecimento preexistente de Bill Clinton — seu envolvimento em problemas com o manuseio inadequado de objetos cilíndricos com jovens —, e a ativação fortuita dessa associação com o toque de humor que a acompanha serve para melhorar a estabilidade da memória. Veja, cada combinação possível tem dinâmica e emoção próprias, e, de forma curiosa, essa será a primeira coisa a saltar para a nossa cabeça, antes de os outros detalhes se embaralharem na visão. Eu poderia também mencionar que isso funciona como um excelente gerador de ideias e que constitui uma saudável diversão para uma tarde."

180 **os patinadores menores trabalharão mais nos saltos que eles já dominam:** J.M. Deakin e S. Cobley (2003), "A Search for Deliberate Practice: an Examination of the Practice Environments in Figureskating and Volleyball", in *Expert Performance in Sports: Advances in Research on Sport Expertise* (organizado por J.L. Starkes e K.A. Ericsson).

181 **tentando entender o pensamento do expert em cada passo:** K.A. Ericsson et al. (1993), "The Role of Deliberate Practice in the Acquisition of Expert Performance", *Psychological Review* 100, nº 3, 363-406.

181 **tentando compreender as antigas partidas:** N. Charness, R. Krampe e U. Mayer (1996), "The Role of Practice and Coaching in Entrepreneurial Skill Domains: An International Comparison of Life-Span Chess Skill Acquisition", in Ericsson, *The Road to Excellence*, p. 51-80.

181 **submetidos repetidas vezes a flashes de palavras 10% a 15% mais rápidos:** Dvorak, *Typewriting Behavior*.

182 **tendem a ser cada vez menos precisos com o passar dos anos:** C.A. Beam, E.F. Conant e E.A. Sickles (2003), "Association of Volume and Volume-Independent Factors with Accuracy in Screening Mammogram Interpretation", *Journal of the National Cancer Institute* 95, 282-90.

183 **é adquirido por um aluno médio do ensino médio:** Ericsson, *The Road to Excellence*, p. 31.

9: O décimo talentoso

201 **"uma sensibilidade, uma alma":** Ravitch, *Left Back*, p. 21.

202 **"disciplina mental":** Ravitch, *Left Back*, p. 61.

213 **inventário e invenção:** Carruthers, *The Craft of Thought*, p. 11.

218 **um grupo de fãs do esporte:** G.J. Spillich (1979), "Text Processing of Domain-Related Information for Individuals with High and Low Domain Knowledge", *Journal of Verbal Learning and Verbal Behavior* 14, 506-22.

219 **a um julgamento de bruxas ou a uma correspondência:** Frederick M. Hess, *Still at Risk*, p. 1-2.

10: O pequeno Rain Man dentro de todos nós

225 **encontrar com Daniel:** Enviei um e-mail a Daniel, perguntando-lhe se estava disposto a se encontrar comigo. Ele respondeu: "Normalmente cobro uma taxa para entrevistas com a mídia." Depois de lhe explicar por que isso seria impossível, ele concordou em falar comigo com a condição de que eu mencionasse o site de sua empresa de tutoria on-line, www.optimnem.co.uk.

227 **como distinta das outras:** A síndrome de Asperger provavelmente ocorre em cerca de uma em duzentas pessoas, e a sinestesia, em cerca de uma em duas mil pessoas, mas isso pode ser uma subestimativa. Ninguém sabe se as duas condições alguma vez coexistiram na mesma pessoa, mas, supondo que ocorram de forma independente uma da outra, as leis da probabilidade sugerem que uma em quatrocentas mil pessoas deveria ter tanto sinestesia quanto Asperger. Isso daria cerca de 750 pessoas apenas nos Estados Unidos.

229 **ele o mudara na certidão em 2001:** Daniel falou abertamente sobre a mudança de nome. Contou-me que não gostava da sonoridade de seu nome de família, Corney.

232 **mais de nove mil livros que ele lera numa velocidade de mais ou menos dez segundos por página:** Deve-se observar que essa alegação nunca foi investigada por uma revista científica com revisão por pares. Suspeito que se trata de hipérbole, que pode não se sustentar com um escrutínio cuidadoso.

238 **é uma habilidade que pode ser aprendida:** Minha investigação em matemática mental acabou por me levar a um livro notável de um psicólogo chamado Steven Smith, *The Great Mental Calculators: The Psychology, Methods, and Lives of Calculating Prodigies Past and Present*. Smith descarta a noção de que haja algo especial no cérebro dos calculadores prodígios e insiste que suas habilidades decorrem puramente de um interesse obsessivo. Ele compara o cálculo ao malabarismo: "Qualquer pessoa sem deficiências, suficientemente diligente, pode aprender a fazer malabarismos, mas a habilidade é adquirida na prática por apenas alguns indivíduos

com muita motivação." George Packer Bidder, um dos mais renomados calculadores humanos de todos os tempos, chegou até a expressar "uma forte convicção de que a aritmética mental pode ser ensinada tão facilmente, senão com uma maior tranquilidade, quanto a aritmética comum."

241 **talvez não tivesse se saído tão bem:** Na UCSD, Ramachandran e seus estudantes de pós-graduação aplicaram outros três testes de sinestesia em Tammet. Usando massa de modelar, pediram-lhe que criasse modelos tridimensionais de vinte de suas formas para números. Quando lhe deram um novo teste surpresa 24 horas mais tarde, todas as suas formas casaram. Eles então prenderam eletrodos a seus dedos e lançaram flashes do número pi — mas com uns poucos algarismos errados no seu interior. Mediram a resposta galvânica da sua pele e observaram que ela saltava dramaticamente quando Tammet confrontava um dígito que não fazia parte do número.

Os pesquisadores da UCSD também aplicaram um teste de Stroop, outro instrumento de avaliação bastante usado para verificar a sinestesia. Primeiro, deram a Daniel três minutos para memorizar uma matriz de cem números. Depois de cinco minutos, ele era capaz de recordar 68 desses números, e três dias depois ainda lembrava perfeitamente. Então lhe deram três minutos para memorizar uma matriz de cem números, na qual o tamanho dos números da página correspondia ao modo como Daniel descrevia os números na sua mente. O número nove foi impresso em tamanho maior do que os outros, e o seis, em tamanho menor. Nesse caso, ele memorizou cinquenta dígitos e os guardou por três dias. Finalmente, deram-lhe um teste no qual os números estavam impressos com tamanhos incongruentes. O nove era impresso pequeno, e o seis, grande. Queriam saber se isso faria Daniel ter um mau desempenho. E foi o que aconteceu. Daniel conseguiu se lembrar apenas de 16 números, e depois de três dias não se lembrava de nenhum. Ramachandran e seus estudantes apresentaram um pôster de conferência pré-publicação sobre Daniel intitulado "Será que a sinestesia contribui para as habilidades matemáticas de um *savant*?", em que se referem a ele pelo pseudônimo Arithmos. O pôster incluía uma advertência: "Como em todos os casos como este, precisamos considerar o fato de que Arithmos pode estar realizando quase todos os seus 'feitos mentais' através de pura memorização."

241 **não se verificou isso:** D. Bor, J. Bilington e S. Baron-Cohen (2007), "*Savant* Memory for Digits in a Case of Synaesthesia and Asperger Syndrome Is Related to Hyperactivity in the Lateral Prefrontal Cortex", *Neurocase* 13, 311-319.

Bibliografia

BADDELEY, A.D. (2006). *Essentials of Human Memory*. Hove, East Sussex, Reino Unido: Psychology Press.

BARLOW, F. (1952). *Mental Prodigies: an Enquiry into the Faculties of Arithmetical, Chess and Musical Prodigies, Famous Memorizers, Precocious Children and the Like, with Numerous Examples of "Lightning" Calculations and Mental Magic*. Nova York: Philosophical Library.

BARON-COHEN, S.; BOR, D.; WHEELWRIGHT, S.; ASHWIN, C. (2007). "Savant Memory in a Man with Colour Form-Number Synaesthesia and Asperger Syndrome". *Journal of Consciousness Studies*, 14 (9-10), 237-251.

BATCHEN, G. (2004). *Forget Me Not: Photography & Remembrance*. Nova York: Princeton Architectural Press.

BATTLES, M. *A conturbada história das bibliotecas*. São Paulo: Editora Planeta, 2003.

BEAM, C.A.; CONANT, E.F.; SICKLES, E.A. (2003). "Association of Volume and Volume-Independent Factors with Accuracy in Screening Mammogram Interpretation". *Journal of the National Cancer Institute*, 95, 282-290.

BELL, C.G.; GEMMEL, J. (2009). O futuro da memória: como essa transformação mudará tudo o que conhecemos. Rio de Janeiro: Campus, 2010.

_____ (março de 2007). "A Digital Life". *Scientific American*, 58-65.

BIEDERMAN, I.; SHIFFRAR, M.M. (1987). "Sexing Day-Old Chicks: a Case Study and Expert Systems Analysis of a Difficult Perceptual-Learning Task". *Journal of Experimental Psychology*, 13(4), 640-645.

BIRKERTS, S. (1994). *The Gutenberg Elegies: the Fate of Reading in an Electronic Age*. Boston: Faber and Faber.

BOLZONI, L. (2001). *The Gallery of Memory: Literary and Iconographic Models in the Age of the Printing Press*. Toronto: University of Toronto Press.

_____ (2004). *The Web of Images: Vernacular Preaching from its Origins to Saint Bernardino of Siena*. Aldershot, Hants, Inglaterra: Ashgate.

BOR, D.; BILLINGTON, J.; BARON-Cohen, S. (2007). "Savant Memory for Digits in a Case of Synaesthesia and Asperger Syndrome Is Related to Hyperactivity in the Lateral Prefrontal Cortex". *Neurocase*, 13 (5-6), 311-319.

BOURTCHOULADZE, R. (2002). *Memories are Made of This: How Memory Works in Humans and Animals*. Nova York: Columbia University Press.

BRADY, T.F.; KONKLE, T.; ALVAREZ, G.A.; OLIVA, A. (2008). "Visual Long-Term Memory Has a Massive Storage Capacity for Object Details". *PNAS*, 105(38), 14.325-14.329.

BROWN, A.S. (2004). *The déjà-vu experience*. Nova York: Psychology Press.

BUSH, V. (julho de 1945). "As We May Think". *The Atlantic*.

BUZAN, T. (1991). *Use Your Perfect Memory: Dramatic New Techniques for Improving Your Memory, Based on the Latest Discoveries about the Human Brain*. Nova York: Penguin.

_____; BUZAN, B. (1994). *The Mind Map Book: How to Use Radiant Thinking to Maximize Your Brain's Untapped Potential*. Nova York: Dutton.

CAPLAN, H. (1954). *Ad C. Herennium: de ratione dicendi (Rhetorica ad Herennium)*. Cambridge, Mass: Harvard University Press.

CARRUTHERS, M. (1998). *The Craft of Thought: Meditation, Rhetoric, and the Making of Images, 400-1200*. Nova York: Cambridge University Press.

_____. (1990). *The Book of Memory: a Study of Memory in Medieval Culture*. Cambridge, Inglaterra: Cambridge University Press.

_____; ZIOLKOWSKI, J.M. (2002). *The Medieval Craft of Memory: an Anthology of Texts and Pictures*. Filadélfia: University of Pennsylvania Press.

CICERO, M.T.; MAY, J.M.; WISSE, J. (2001). *Cicero on the Ideal Orator*. Nova York: Oxford University Press.

CLARK, A. (2003). *Natural-born Cyborgs: Minds, Technologies, and the Future of Human Intelligence*. Oxford, Inglaterra: Oxford University Press.

COHEN, G. (1990). "Why Is It Difficult to Put Names to Faces?" *British Journal of Psychology*, 81, 287-297.

COLEMAN, J. (1992). *Ancient and Medieval Memories: Studies in the Reconstruction of the Past*. Cambridge, Inglaterra: Cambridge University Press.

COOKE, E. (2008). *Remember, Remember*. Londres: Viking.
CORKIN, S. (2002). "What's New with the Amnesic Patient H.M". *Nature Reviews Neuroscience*, 3, 153-160.
CORSI, P. (1991). *The Enchanted Loom: Chapters in the History of Neuroscience*. Nova York: Oxford University Press.
COTT, J. (2005). *On the Sea of Memory: a Journey from Forgetting to Remembering*. Nova York: Random House.
DARNTON, R. (1990). "Primeiros passos para uma história da leitura". In: *O beijo de Lamourette: mídia, cultura e revolução*. São Paulo: Companhia das Letras, 2010.
DOIDGE, N. (2007). *The Brain That Changes Itself: Stories of Personal Triumph from the Frontiers of Brain Science*. Nova York: Viking.
DOYLE, B. (março de 2000). "The Joy of Sexing". *The Atlantic Monthly*, 28-31.
DRAAISMA, D. (2000). *Metáforas da memória: uma história das ideias sobre a mente*. São Paulo: Edusc, 2005.
_____ (2004). *Why Life Speeds Up as You Get Older: How Memory Shapes Our Past*. Cambridge, Inglaterra: Cambridge University Press.
DUDAI, Y. (1997). "How Big Is Human Memory, or on Being Just Useful Enough". *Learning & Memory*, 3, 341-365.
_____ (2002). *Memory from A to Z: Keywords, Concepts, and Beyond*. Oxford, Inglaterra: Oxford University Press.
_____, CARRUTHERS, M. (2005). "The Janus Face of Mnemosyne". *Nature*, 434, 567.
DVORAK, A. (1936). *Typewriting Behavior: Psychology Applied to Teaching and Learning Typewriting*. Nova York: American Book Company.
ECO, U. (1995). *A busca da língua perfeita*. São Paulo: EdUSC, 2001.
EICHENBAUM, H. (2002). *The Cognitive Neuroscience of Memory: an Introduction*. Oxford, Inglaterra: Oxford University Press.
ERICSSON, K. (2003). "Exceptional Memorizers: Made, Not Born". *Trends in Cognitive Science*, 7(6), 233-235.
_____ (2004). "Deliberate Practice and the Acquisition and Maintenance of Expert Performance in Medicine and Related Domains". *Academic Medicine*, 79(10), 870-881.
_____; CHASE, W.G. (1982). "Exceptional Memory". *American Scientist*, 70 (nov-dez), 607-615.
_____; KINTSCH, W. (1995). "Long-Term Working Memory". *Psychological Review*, 102(2), 211-245.
_____ (1996). *The Road to Excellence: the Acquisition of Expert Performance in the Arts and Sciences, Sports, and Games*. Mahwah, N.J.: Lawrence Erlbaum Associates.

_____ (2006). *The Cambridge Handbook of Expertise and Expert Performance*. Cambridge, Inglaterra: Cambridge University Press.

_____; DELANEY, P.F.; WEAVER, G.; MAHADEVAN, R. (2004). "Uncovering the Structure of a Memorist's Superior 'Basic' Memory Capacity". *Cognitive Psychology*, 49, 191-237.

_____; KRAMPE, R.T.; TESCH-ROMER, C. (1993). "The Role of Deliberate Practice in the Acquisition of Expert Performance". *Psychological Review*, 100(3), 363-406.

FARRAND, P.; HUSSEIN, F.; HENNESSY, E. (2002). "The Efficacy of the 'Mind Map' Study Technique". *Medical Education*, 36(5), 426-431.

FELLOWS, G.S.; LARROWE, M.D. (1888). *"Loisette" Exposed (Marcus Dwight Larrowe, Alias Silas Holmes, Alias Alphonse Loisette)*. Nova York: G.S. Fellows.

FISCHER, S.R. (2001). *História da escrita*. São Paulo: Unesp, 2009.

FUJII, T. (2005). "Changes in Brain Activation Associated with Use of a Memory Strategy: A Functional MRI Study". *NeuroImage*, 24, 1.154-1.163.

GANDZ, S. (1935). "The Robeh or the Official Memorizer of the Palestinian Schools". *Proceedings of the American Academy for Jewish Research*, 7, 5-12.

HAVELOCK, E.A. (1963). *Prefácio a Platão*. Campinas: Papirus, 1996.

_____ (1986). *The Muse Learns to Write: Reflections on Orality and Literacy from Antiquity to the Present*. New Haven: Yale University Press.

HERMELIN, B. (2001). *Bright Splinters of the Mind: a Personal Story of Research with Autistic Savants*. Londres: J. Kingsley.

HERRMANN, D.J. (1992). *Memory Improvement: Implications for Memory Theory*. Nova York: Springer-Verlag.

HESS, F.M. (2008). *Still at Risk: What Students Don't Know, Even Now*. Common Core.

HILTS, P.J. (1996). *Memory's Ghost: the Nature of Memory and the Strange Tale of Mr. M*. Nova York: Simon & Schuster.

HORSEY, R. (2002). *The Art of Chicken Sexing*. Cogprints.

HOWE, M.J.; Smith, J. (1988). "Calendar Calculating in 'Idiot Savants': How Do They Do It?" *British Journal of Psychology*, 79, 371-386.

ILLICH, I. (1993). *In the Vineyard of the Text: a Commentary to Hugh's Didascalicon*. Chicago: University of Chicago Press.

JAEGGI, S.M.; BUSCHKUEHL, M.; JONIDES, J.; PERRIG, W.J. (2008). "Improving Fluid Intelligence with Training on Working Memory". *PNAS*, 105(19), 6.829-6.833.

JOHNSON, G. (1992). *In the Palaces of Memory: How We Build the Worlds Inside Our Heads*. Nova York: Vintage Books.

KANDEL, E.R. (2006). *Em busca da memória: o nascimento de uma nova ciência da mente*. São Paulo: Companhia das Letras, 2009.

KHALFA, J. (1994). *A natureza da inteligência*. São Paulo: Unesp, 1996.

KLIEBARD, H.M. (2002). *Changing Course: American Curriculum Reform in the 20th Century*. Nova York: Teachers College Press.

KONDO, Y.; SUZUKI, M.; MUGIKURA, S.; ABE, N.; TAKAHASHI, S.; IIJIMA, T.; KURLAND, M.; & LUPOFF, R.A. (1999). *The complete idiot's guide to Improving Your Memory*. Nova York: Alpha Books.

LEDOUX, J.E. (2002). *Synaptic Self: How Our Brains Become Who We Are*. Nova York: Viking.

LOFTUS, E.F.; LOFTUS, G.R. (1980). "On the Permanence of Stored Information in the Human Brain". *American Psychologist*, 35(5), 409-420.

LOISETTE, A.; NORTH, M.J. (1899). *Assimilative Memory Or How to Attend and Never Forget*. Nova York: Funk & Wagnalls.

LORAYNE, H.; LUCAS, J. (1974). *The Memory Book*. Nova York: Stein and Day.

LORD, A.B. (1960). *The Singer of Tales*. Cambridge, Mass.: Harvard University Press.

LURIA, A.R. (1987). *A mente e a memória: um pequeno livro sobre uma vasta memória*. São Paulo: Martins Fontes, 1999.

LYNDON, D.; MOORE, C.W. (1994). *Chambers for a Memory Palace*. Cambridge, Mass.: MIT Press.

MAGUIRE, E.A., GADIAN; D.G., JOHNSRUDE; I.S., GOOD; C.D.; ASHBURNER, J.; FRACKOWIAK, R.S.; FRITH, C.D. (2000). "Navigation-Related Structural Change in the Hippocampi of Taxi Drivers". *PNAS*, 97, 84.398-84.403.

_____; VALENTINE, E.R.; WILDING, J.M.; KAPUR, N. (2003). "Routes to Remembering: The Brains Behind Superior Memory". *Nature Neuroscience*, 6(1), 90-95.

MAN, J. (2002). *Gutenberg: How One Man Remade the World with Words*. Nova York: John Wiley & Sons.

MANGUEL, A. (1996). *Uma história da leitura*. São Paulo: Companhia das Letras, 1997.

MARCUS, G.F. (2008). *Kluge: a construção desordenada da mente humana*. Campinas: Unicamp, 2011.

MARTIN, R.D. (1994). *The Specialist Chick Sexer*. Melbourne, Austrália: Bernal Publishing.

Masters of a Dying Art Get Together to Sex. (12 de fevereiro de 2001). *Wall Street Journal*.

MATUSSEK, P. (2001). "The Renaissance of the Theater of Memory". *Janus Paragrana* 8, 66-70.

McGAUGH, J.L. (2003). *Memory and Emotion: the Making of Lasting Memories*. Nova York: Columbia University Press.

MERRITT, J.O. (1979). "None in a Million: Results of Mass Screening for Eidetic Ability". *Behavioral and Brain Sciences*, 2, 612.

MILLER, G.A. (1956). "The Magical Number Seven, Plus or Minus Two: Some Limits on our Capacity for Processing Information". *Psychological Review*, 63, 81-97.

MITHEN, S.J. (1996). *A pré-história da mente: busca das origens da arte, da religião e da ciência*. São Paulo: Unesp, 2003.

NEISSER, U.; HYMAN, I.E. (2000). *Memory Observed: Remembering in Natural Contexts*. Nova York: Worth.

NOICE, H. (1992). "Elaborative Memory Strategies of Professional Actors". *Applied Cognitive Psychology*, 6, 417-427.

NYBERG, L.; SANDBLOM, J.; JONES, S.; NEELY, A.S.; PETERSSON, K.M.; INGVAR, M.; BACKMAN, L. (2003). "Neural Correlates of Training-Related Memory Improvement in Adulthood and Aging". *PNAS*, 100(23), 13.728-13.733.

OBLER, L.K.; FEIN, D. (1988). *The Exceptional Brain: Neuropsychology of Talent and Special Abilities*. Nova York: Guilford Press.

O'BRIEN, D. (2000). *Learn to Remember: Practical Techniques and Exercises to Improve Your Memory*. São Francisco: Chronicle Books.

ONG, W.J. (1982). *Oralidade e cultura escrita*. Campinas: Papirus, 1998.

OSBORNE, L. (22 de junho de 2003). "Savant for a Day". *New York Times*.

PEEK, F.; ANDERSON, S.W. (1996). *The Real Rain Man, Kim Peek*. Salt Lake City, Utah: Harkness Publishing Consultants.

PETROSKI, H. (1999). *The Book on the Bookshelf*. Nova York: Alfred A. Knopf.

PHELPS, P. (s.d.). "Gender Identification of Chicks Prior to Hatch". *Poultryscience.org e-Digest*, 2(1).

PINKER, S. (1994). *O instinto da linguagem: como a mente cria a linguagem*. São Paulo: Martins, 2004.

RADCLIFF-ULMSTEAD, D. (1972). "Giulio Camillo's Emblems of Memory". *Yale French Studies*, 47, 47-56.

RAMACHANDRAN, V.S.; HUBBARD, E.M. (2001). "Psychophsyical Investigations into the Neural Basis of Synaesthesia". *Proc. R. Soc. London*, 268, 979-983.

_____ (maio de 2003). "Hearing Colors, Tasting Shapes". *Scientific American*, 53-59.

RAVENNAS, P. (1545). *The Art of Memory, That Otherwyse Is Called the Phenix A Boke Very Behouefull and Profytable to All Professours of Scyences. Grammaryens, Rethoryciens Dialectyke, Legystes, Phylosophres [and] Theologiens.*

RAVITCH, D. (2001). *Left Back: a Century of Battles over School Reform.* Nova York: Simon & Schuster.

ROSE, S.P. (1993). *The Making of Memory: from Molecules to Mind.* Nova York: Anchor Books.

_____ (2005). *The Future of the Brain: the Promise and Perils of Tomorrow's Neuroscience.* Oxford, Inglaterra: Oxford University Press.

ROSS, P.E. (agosto de 2006). "The Expert Mind". *Scientific American*, 65-71.

ROSSI, P. (2000). *Logic and the Art of Memory: the Quest for a Universal Language.* Chicago: University of Chicago Press.

ROWLAND, I.D. (2008). *Giordano Bruno: Philosopher/Heretic.* Nova York: Farrar, Straus and Giroux.

RUBIN, D.C. (1995). *Memory in Oral Traditions: the Cognitive Psychology of Epic, Ballads, and Counting-Out Rhymes.* Nova York: Oxford University Press.

SACKS, O.W. (1995). *Um antropólogo em Marte: sete histórias paradoxais.* São Paulo: Companhia das Letras, 1995.

SCHACTER, D.L. (1996). *Searching for Memory: the Brain, the Mind, and the Past.* Nova York: Basic Books.

_____ (2001). *Os sete pecados da memória: como a mente esquece e lembra.* Rio de Janeiro: Rocco, 2003.

_____; SCARRY, E. (2000). *Memory, Brain, and Belief.* Cambridge, Mass.; Londres: Harvard University Press.

SHAKUNTALA, D. (1977). *Figuring: the Joy of Numbers.* Nova York: Harper & Row.

SHENK, D. (2001). *The Forgetting: Alzheimer's, Portrait of an Epidemic.* Nova York: Doubleday.

SMALL, G.W. (2002). *The Memory Bible: an Innovative Strategy for Keeping Your Brain Young.* Nova York: Hyperion.

_____; VORGAN, G. (2006). *A ciência da longevidade: os oito passos essenciais para manter a mente alerta e o corpo jovem.* Rio de Janeiro: Agir, 2006.

SMALL, J.P. (2005). *Wax Tablets of the Mind: Cognitive Studies of Memory and Literacy in Classical Antiquity.* Londres: Routledge.

SMITH, S.B. (1983). *The Great Mental Calculators: the Psychology, Methods, and Lives of Calculating Prodigies, Past and Present.* Nova York: Columbia University Press.

SNOWDON, D. (2001). *Aging with Grace: What the Nun Study Teaches Us about Leading Longer, Healthier, and More Meaningful Lives*. Nova York: Bantam.

SPENCE, J.D. (1984). *O palácio da memória de Matteo Ricci*. São Paulo: Companhia das Letras, 1986.

SPILLICH, G.J. (1979). "Text Processing of Domain-Related Information for Individuals with High and Low Domain Knowledge". *Journal of Verbal Learning and Verbal Behavior*, 14, 506-522.

SQUIRE, L. R. (1987). *Memory and Brain*. Nova York: Oxford University Press.

_____ (1992). *Encyclopedia of Learning and Memory*. Nova York: Macmillan.

_____; KANDEL, E.R. (1999). *Memória: da mente às moléculas*. Porto Alegre: Artmed, 2003.

STANDING, L. (1973). "Learning 10.000 Pictures". *Quarterly Journal of Experimental Psychology*, 25, 207-222.

STARKES, J.L.; Ericsson, K.A. (2003). *Expert Performance in Sports: Advances in Research on Sport Expertise*. Champaign, IL: Human Kinetics.

STEFANACCI, L.; BUFFALO, E.A.; SCHMOLCK, H.; SQUIRE, L. (2000). "Profound Amnesia After Damage to the Medial Temporal Lobe: a Neuroanatomical and Neuropsychological Profile of Patient E.P." *Journal of Neuroscience*, 20(18), 7.024-7.036.

STRATTON, G.M. (1917). "The Mnemonic Feat of the 'Shass Pollak', *Psychological Review*, 24, 244-247.

STROMEYER, C.F.; PSOTKA, J. (1970). "The Detailed Texture of Eidetic Images". *Nature*, 225, 346-349.

TAMMET, D. *Nascido em um dia azul*. Rio de Janeiro: Intrínseca, 2007.

_____ (2009). *Embracing The Wide Sky: a Tour Across the Horizons of the Mind*. Nova York: Free Press.

TANAKA, S.; MICHIMATA, C.; KAMINAGA, T.; HONDA, M.; SADATO, N. (2002). "Superior Digit Memory of Abacus Experts". *NeuroReport*, 13(17), 2.187-2.191.

THOMPSON, C. (novembro de 2006). "A Head for Detail". *Fast Company*, 73-112.

_____; COWAN, T. M.; FRIEMAN, J. (1993). *Memory Search by a Memorist*. Hillsdale, N.J.: L. Erlbaum Associates.

TREFFERT, D.A. (1990). *Extraordinary People: Understanding Savant Syndrome*. Nova York: Ballantine.

WAGENAAR, W.A. (1986). "My Memory: A Study of Autobiographical Memory Over Six Years". *Cognitive Psychology*, 18, 225-252.

WALKER, J.B.R. (1894) *The Comprehensive Concordance to the Holy Scriptures*. Boston: Congregational Sunday-School and Publishing Society.

WALSH, T.A.; ZLATIC, T.D. (1981). "Mark Twain and the Art of Memory". *American Literature*, 53(2), 214-231.

WEARING, D. (2005). *Forever Today: a Memoir of Love and Amnesia*. Londres: Doubleday.

WENGER, M.J.; & PAYNE, D.G. (1995). "On the Acquistion of a Mnemonic Skill: Application of Skilled Memory Theory". *Quarterly Journal of Experimental Psychology*, 1(3), 194-215.

WILDING, J.M.; VALENTINE, E.R. (1997). *Superior memory*. Hove, East Sussex, Reino Unido: Psychology Press.

WOOD, H.H. (2007). *Memory: an Anthology*. Londres: Chatto & Windus.

YATES, F.A. (1966). *A arte da memória*. Campinas: Unicamp, 2007.

Agradecimentos

Este livro demorou um tempo para ser concluído. Sinto-me grato a todos que apoiaram sua criação, como os que leram os manuscritos, as fontes de expertise, os revisores e os amigos. São tantos os nomes que não daria para listar. Agradeço em especial a todos os atletas mentais que despenderam tanto tempo comigo, partilhando com grande generosidade o seu conhecimento e as suas vidas.

Este livro se beneficiou de dois editores. Vanessa Mobley me guiou nos estágios iniciais. Eamon Dolan, com sua grande capacidade, cuidou das fases finais. Agradeço a Ann Godoff por sua confiança em mim e a todos da Penguin Press pelo trabalho em prol deste livro. Elyse Cheney, minha agente literária, é a melhor parceira que alguém poderia desejar. Lindsay Crouse fez um extraordinário trabalho verificando fatos de difícil comprovação. Brendan Vaughan ajudou a tornar o texto mais claro.

Para facilitar o entendimento, desloquei da ordem cronológica alguns detalhes, conversas e cenas, mas essas alterações não afetaram substancialmente a veracidade deste livro. Em relação ao fato de que os registros da memória e outros eventos sensíveis ao tempo nem sempre estão atualizados, isso se deve à minha tentativa de relatar a história segundo a perspectiva do momento em que eu passava pela experiência. Nos três anos que levei para escrever este livro, o mundo mudou muito. Minha namorada tornou-se minha esposa. O recorde de trinta segundos na memorização de cartas foi batido mais de uma vez. A prova do poema foi finalmente excluída da competição internacional. E, infelizmente, EP e Kim Peek faleceram. Sinto-me profundamente afortunado pelo tempo que pude passar com eles.

Produção
Adriana Torres
Ana Carla Sousa

Produção editorial
Flávia Midori

Revisão de tradução
Mariana Elia

Revisão
Mariana Freire Lopes
Rodrigo Ferreira

Diagramação
DTPhoenix Editorial

Este livro foi impresso no Rio de Janeiro, em agosto de 2011,
pela Edigráfica, para a Editora Nova Fronteira.
A fonte usada no miolo é Iowan Old Style, corpo 10,5/14,5.
O papel do miolo é chambril avena 80g/m², e o da capa é cartão 250g/m².

Visite nosso site: www.novafronteira.com.br